AND HOW IT WILL
REVOLUTIONIZE EVERYTHING

MATTHEW BALL
マシュー・ボール
井口耕二 訳

飛鳥新社

Introduction
はじめに

技術はだれも予想しなかった驚きをよくもたらす。だが、大きくすばらしい変化は何十年も前に予想されることが多い。

１９３０年代、書籍や各種記録、書面などをすべて保存する機器、しかも、従来の分類体系で保管するのではなく、キーワードで機械的にリンクする電気機械式の機器をワシントン・カーネギー協会のヴァネヴァー・ブッシュ総長が考案した。巨大な保管庫になるはずだが、この「メメックス」（メモリー・エクステンダーの略）なる装置は、「高速かつ自在に情報を引きだせる」という。

これをきっかけに、ブッシュは、エンジニアとして、また、研究管理者として、米国史上有数の影響力を持つようになる。１９３９年から１９４１年にはＮＡＳＡの前身、米航空諮問委員会の副委員長を務めた（ごく短期間ながら委員長も務めた）。そしてその際、フランクリン・ルーズベルト大統領を説得して科学研究開発局（ＯＳＲＤ）なる大統領直属の部局を新設し、そのトップに就任。第二次世界大戦中の研究開発支援など、極秘のプロジェクトを中心に予算も潤沢（じゅんたく）に用意された。

ＯＳＲＤ創設の４カ月後、ブッシュとヘンリー・ウォレス副大統領とも相談の上で、ルーズベルト大統領が、原子爆弾の開発プログラム、いわゆるマンハッタン計画を承認する。計画の運営管理を行う最高政策首脳部には、ルーズベルト大統領本人のほか、ブッシュ、ウォレス副大統領、ヘンリー・スティムソン陸軍長官、ジョージ・マーシャル陸軍参謀総長、そして、ブッシュの前任地OSRDの一部門を統括するジェイムス・コナントが名前を連ねた。また、ブッシュの下にウラニウム諮問委員会（のちのS1執行委員会）も置かれた。

1945年に戦争が終わってからOSRD局長に復職するまでの2年間に、ブッシュは、有名な小論を2本執筆している。ひとつは大統領に提出した『科学――果てしなきフロンティア』で、平和が戻ったら科学技術開発の国家予算を減らすのではなく、逆に増やすべきだとして、米国立科学財団の創設を提案したものだ。もうひとつはアトランティック誌に投稿した『我々が思考するように』で、こちらはメメックスの構想を詳しく述べたものである。

このあとブッシュは公職を退き、表舞台から消える。だが、その後、政府、科学、社会に対するさまざまな貢献がひとつにまとまっていくことになる。1960年代には、国防総省を通じて各種プロジェクトに国の予算が付き、在野の研究者や大学、NGOと協力してインターネットの基礎が作られていく。

そのころまた、ブッシュのメメックスにヒントを得て「ハイパーテキスト」が生まれ、進化していく。いまワールドワイドウェブではオンラインになっているコンテンツならほぼなんでもクリックするだけでアクセスできるわけだが、それは、基本的にハイパーテキストマークアップ言語（HTML）で書かれているからだ。そして、1980年代には、インターネット・プロトコル・スイートの進化を技術面で支えるインターネット・エンジニアリング・タスクフォースが米連邦政府によって創設される、HTMLの改良などを行うワールドワイドウェブコンソーシアム（W3C）が国防総省の肝（きも）いりで創設されると続く。

このような技術の進歩は見えにくいところで進むのがふつうであり、一般の人が未来をかいま見るのはSFを通じてのことが多い。

米国家庭のカラーテレビ普及率が10％にも満たない1968年、第2位の興行成績となった映画が『2001年宇宙の旅』である。この映画では、ちょっとした冷蔵庫に近い大きさのテレビがごく薄くなり、それを朝食中になんとなく眺める未来が描かれていた。iPadみたいだと思うはずだ。ブッシュのメメックスと同じで、この技術も、実際に登場するまで予想以上に時間がかかっている。なにせiPadが発売されたのは、スタンリー・キューブリックがこの映画を作った40年以上もあと、映画の舞台として想定された時代と比べても10年以上もあとのことだった。

2021年、タブレットはごくありふれたものとなっているし、宇宙旅行もそろそろかなと思えるくらいになったと言える。リチャード・ブランソン、イーロン・マスク、ジェフ・ベゾスのビリオネア3人が低軌道への宇宙旅行を実現し、さらには軌道エレベーターや他惑星移住などの時代を拓こうと覇を競い合っているのだから。

だが、その前に、やはり何十年も前からSFの世界で描かれていた未来、メタバースが到来するようだ。

2021年7月、フェイスブックの創業CEO、マーク・ザッカーバーグは次のように語った。

「当社はソーシャルメディア企業と見られているわけですが、これからはメタバース企業と見られるように変わっていくことになると考えています。もちろん、いま、みなさんに使っていただいている各種アプリについていま我々が行っていることは、すべて、このビジョンに貢献するものであります」[1]

続けて、メタバースに特化した部門を作ること、また、仮想現実のオキュラスVR、拡張現実の

ARグラス、ブレイン・マシン・インターフェースなどの未来型技術を開発しているリアリティ・ラボ部門のトップを最高技術責任者に引き上げることも発表。10月には、「メタバース」へのシフトを受け、フェイスブックからメタ・プラットフォームズ[i]に社名を変えるとした。メタバース投資により2021年の経常利益は100億ドル以上減るし、今後、この投資は増えることこそあれ減ることはないと語ってフェイスブック株主を驚かせてもいる。

ザッカーバーグは大々的に打ち出したので注目を集めたが、実は、ほかもあちこちが似たようなことをしている。たとえば、マイクロソフトのサティア・ナデラCEOも、直前の5月、「エンタープライズメタバース」なるものに触れている。NVIDIAを創業し、コンピューティングと半導体の巨人に育て上げたジェンスン・ファンCEOも、「メタバース内の経済は……そのうちリアル世界の経済より大きくなります[ii]し、そのとき、その中心にはNVIDIAのプラットフォームやプロセッサーがあるはずです[2]」と語っている。2020年の第4四半期と2021年の第1四半期にはゲーム業界史上最大と第2位の新規株式公開（IPO）があったのだが、その2社、ユニティ・テクノロジーズもロブロックスもメタバースと深く関わる流れで成長してきたところであり、将来についてもメタバースとの関わりで語っている。

2021年は、右を向いても左を向いても「メタバース」一色となった。利益が増える、顧客が

---

i 混乱を避けるため、本書ではフェイスブックと表記する。メタバースやそのプラットフォーム各種について検討するにあたり、メタバース時代の先駆けとなる企業をメタ・プラットフォームズと呼ぶのは混乱を招くだけだろう。

ii 2021年、国際通貨基金、国際連合、世界銀行は世界全体のGDPを90兆～95兆ドルだと見積もっている。

喜ぶ、ライバルに勝てる――そういう魔法の言葉であるかのようにだれもかれもがメタバース、メタバースと言うようになった。

この流れは米証券取引委員会への報告書にもはっきりと現れている。[3]「メタバース」という単語は、2020年10月のロブロックスIPOまで5回しか登場しなかったのに、2021年には260回以上と急増しているのだ。ブルームバーグは財務関連のデータや情報を投資家向けに発信しているわけだが、同社の記事にメタバースという単語が登場する回数も、2020年までの10年間で7回だったものが2021年には1000回を超えている。

西側の国や企業以外もメタバースに注目している。2021年5月、インターネットゲームの巨人で中国最大の企業、テンセントも、「ハイパーデジタルリアリティ」という表現でメタバースに関するビジョンを打ち出した。その翌日には、こんどは韓国で、SKテレコム、ウリィ銀行、ヒョンデなど450社あまりが参画する「メタバースアライアンス」を科学技術情報通信部が発表する。8月には、韓国のゲーム大手、クラフトン（『PUBG』のメーカー）がメタバースの世界的リーダーになる会社だとの触れ込みで、韓国史上第2位の大型IPOに成功。その後も、インターネット系の中国巨大企業、アリババやバイトダンス（世界的ソーシャルネットワークのティックトックを運営している企業）がメタバース関連の商標を次々に登録する、VRや3Dのスタートアップをいくつも買収するなど積極的な動きがめだつ。クラフトンからは「PUBGメタバース」を立ち上げるとの発表もあった。

メタバースに注目しているのはテクノキャピタリストやSFファンに限らない。テンセントがハイパーデジタルリアリティ構想を打ち出した直後、中国共産党が国内ゲーム業界の規制に乗りだしている。未成年者について月曜から木曜まではビデオゲーム禁止、プレイできるのは金、土、日の夜8時から9時に限るという（最大で週3時間しかプレイできないわけだ）。さらに、顔認証と公民身分番号で本人確認を行い、年上ユーザーの機器を借りてプレイする抜け穴をふさぐよう、テンセントなどに求めることもしている。同時期に、テンセントは、「持続可能な社会的価値」の支援に150億ドルを拠出すると発表。ブルームバーグによると、「貧困層の収入を増やす、医療支援を拡充する、地方経済の効率を高める、教育を助成する」ためだという。[4] 中国第2位の企業、アリババも、2週間後、同規模の拠出をすると追随した。中国共産党としては、バーチャルアバターより自国の国民に目を向けろと言いたいのだろう。

8月、中国共産党は、ゲームやそのプラットフォームの社会的浸透に対する懸念をもっとはっきりした形で打ち出した。国営の証券時報を通じて、メタバースとは「壮大なる幻想」であり「下手に投資をすると、後々しっぺ返しを食うことになる」と警鐘を鳴らしたのだ。[iii][5] 中国政府が警告、禁令、税などの措置を打ち出しているのは、とりもなおさず、メタバースが本物の証であるという意見もある。共産主義・中央計画の一党独裁国家にとって、コラボレーションやコミュニケーションが重きをなす並行世界が生まれるかもしれないというのは、運営主体が企業であっても分散化コミュニティであっても、脅威以外のなにものでもないというわけだ。

中国以外もメタバースに不安を感じていたりするようだ。欧州議会からも、10月、懸念の声が上がりはじめた。特筆すべきはクリステル・シャルデモーゼだろう。デジタル時代の規制を根本的に見直す欧州連合の動きを主導した人物である（狙いはフェイスブック、アマゾン、グーグルなどの

---

iii 証券時報はメタバースを説明するにあたり、本書著者の言葉を引用した。

いわゆるビッグテックの力をそぐこと）。その彼女が、デンマークの新聞、ポリティケンに対し「メタバース関連の計画について深く深く心配している」し、欧州連合は「そのあたりを考慮しなければならない」と語ったのだ。[6]

メタバースについて発表や批判や警告が相次いでいるのは、バーチャルファンタジーに対する現実世界のエコーチャンバーにすぎないのかもしれない。あるいは、世界が変わるというほど大げさなものではなく、むしろ、新しいセールストーク、新製品の発表、広告コピーと言ったほうがいいのかもしれない。テック業界はそういうことをくり返してきているからだ。

たとえば３Ｄテレビでは、製品が販売されていた期間より３Ｄ、３Ｄともてはやしていた期間のほうが長かったし、ＶＲヘッドセットやバーチャルアシスタントでは、その時代がもうすぐ来ると言うが実際にはなかなか来ない「来る来る詐欺」になってしまったりという具合だ。

とはいえ、まだ海のものとも山のものともつかないアイデアを世界的な大企業が中核にすえると発表するなど前代未聞かもしれない。そんなことをすれば、一番意欲的なビジョンをどこまで実現できるのかで、社員や顧客、株主に評価されるようになるのだから。

ここまでメタバースがもてはやされるのは、今後、メタバースがコンピューティングとネットワークのプラットフォームになっていくとみんなが考えているからだ。ちょうど、１９９０年代のパーソナルコンピューターと有線インターネットの時代から、いまのモバイル・クラウドコンピューティングの時代に移ったように。このシフトにより、ビジネススクール用語でいまいちよくわからなかった「ディスラプション（創造的破壊）」なる言葉が一般にも理解されるようになったし、ほぼすべての業界が根本的に変わらざるをえなくなったし、社会や政治も大きく変わった。

ただ、前回と今回ではタイミングが大きく異なる。モバイルやクラウドの重要性は理解している人が少なく、そのため、そのあたりを理解している人々がつきつけてくるディスラプションに対抗しようとしたり、ただただ変化に反応したりする人が多かった。対してメタバースでは、もっと早い段階から建設的な動きとなっている。

私は、メタバースなどどういうものかまだはっきりしておらず、語る人もほとんどいなかった2018年、メタバースについての記事をオンラインで書くようになった。その後、メタバースがSF本の世界からニューヨークタイムズ紙の一面や世界中の企業の戦略に登場するようになり、この記事も、多くの人に読んでもらうことができた。

本書『メタバース：すべてが根底から変わっていく』は、私がメタバースについて書き綴ってきたものを集大成し、加筆修正を加えたものである。一番の目的は、いまだ不完全なメタバースという概念を包括的に定義することだ。

だがもし本書が、メタバースの実現にはなにが必要なのか、世代を問わず全人類がだんだんとメタバースに移住していくのはなぜなのか、日々の暮らしや仕事、我々の考え方などがどう変わっていくのかなどをみなさんが理解する一助になれば私にとって望外の喜びと言える。このような変化には、ぜんぶで兆ドル規模の価値があると思っているからだ。

もくじ

Introduction はじめに 002

Part I メタバースとは?

Chapter 01 未来を概観する 014

Chapter 02 混乱、不透明 034

Chapter 03 ひとつの定義（やっとかい） 049

Chapter 04 次なるインターネット 089

Part Ⅱ

メタバースの創り方

Chapter 05 ネットワーク 102
Chapter 06 コンピューティング 124
Chapter 07 仮想世界のエンジン 142
Chapter 08 相互運用性 166
Chapter 09 ハードウェア 192
Chapter 10 ペイメントレール 220
Chapter 11 ブロックチェーン 275

Part Ⅲ

メタバースですべてが変わる

Chapter 12
メタバース時代はいつ来るのか
314

Chapter 13
メタビジネス
328

Chapter 14
メタバースの勝ち組と負け組
352

Chapter 15
メタバースにおける存在の問題
381

Conclusion
結論　だれもが傍観者
400

WHAT IS THE METAVERSE?

メタバースとは？

Part I

Chapter 01 未来を概観する

「メタバース」なる言葉は、ニール・スティーヴンスンが1992年に発表した小説『スノウ・クラッシュ』に登場するものだ。その後、言葉は広く使われるようになったが、実は、この小説でもメタバースとはなんであるのかはっきりと示されていない。ただ、永続的な仮想世界であり、人間という存在のあらゆる側面と関係し、影響を与えあうものとして描かれている。働く場であり遊ぶ場である。自己実現ができるし、体が疲れるようこともできる。芸術もあれば経済活動もある。

スティーヴンスンが「メタバースのブロードウェイともシャンゼリゼとも言える」とした〈ストリート〉には常に1500万人分ものアバターがいるが、この〈ストリート〉は地球の2・5倍もある仮想惑星をぐるりとめぐる巨大なものだ。ちなみに、この小説が発表された当時、リアル世界のインターネットユーザーは全部集めても1500万人に達しない。

スティーヴンスンが描いた世界はいかにもありそうだったし、多くの人にとって魅力的でもあったが、同時に暗く殺伐（さつばつ）としてもいた。

時代は21世紀初頭で、世界経済が崩壊したあとという設定だ。政府機能の大半を担うのは営利を目的としたフランチャイズ型国家的組織と、共通点をもつ人々の集まり「バーブクレイヴ」である。

バーブクレイヴは憲法から国境、法律、警察とすべてがそろった都市国家[1]で、市民権を認める要件が人種というところもある。

いまのメタバースは、多くの人にとって現実から逃げられる場であり現実ではできないことができる場である。「リアル世界」でピザの配達をしている人でも、メタバースなら強い剣士として限られた人の集まりに入れてもらえたりする。

だがスティーヴンスンの『スノウ・クラッシュ』には、メタバースでリアル世界の暮らしがどんどんつらくなっていく様子が描かれている。

スティーヴンスンは一般にあまり知られていない人物だが、ヴァネヴァー・ブッシュと同じように、時がたつにつれてその影響が大きくなっている。

たとえば２０００年、ジェフ・ベゾスが弾道飛行のロケットを作り、宇宙飛行を提供する会社ブルーオリジンを立ち上げているが、その発端はスティーヴンスンに会って話をしたことだったという。それもあって、スティーヴンスンは、非常勤でブルーオリジンの仕事をしたあと、２００６年からはシニアアドバイザーとなっている。ちなみに、２０２１年現在、ブルーオリジンは、航空宇宙会社としてイーロン・マスクのスペースXに続いて2番目に高く評価されている。

グーグルアースの前身キーホールも、立ち上げた3人のうちふたりによると『スノウ・クラッシュ』に登場したものにヒントを得たものだというし、スティーヴンスンにも来てもらおうと声をかけたこともあるという。

複合現実の会社マジックリープもスティーヴンスンの作品に着想を得たもので、こちらも２０１４年から２０２０年まで彼がここの「チーフ・フューチャリスト」を務めていたりする。同社はグーグル、アリババ、ＡＴ＆Ｔなどから5億ドル以上もの資金を調達し、会社の評価額が67億ドルに達したこともあるが、夢を現実にすることができず、資本の再編成を余儀なくされるとともに創業者が会社を去る事態となっている。[i]

仮想通貨もその多くがスティーヴンスンの小説にヒントを得たというし、分散型コンピューターネットワークを暗号化なしで構築するプロジェクトもそういうところが多い。また、出演者の動きをキャプチャーしたライブ映像をCGI映画として家庭に配信する手法もそうだという。

このように幅広い影響をもたらしているわけだが、スティーヴンスン本人は、自分の作品にこだわるべきでない、特に『スノウ・クラッシュ』はそうだと言い続けている。たとえば2011年には、ニューヨークタイムズ紙のインタビューで「どこをどう大まちがいしたのか、語り出したら日が暮れてしまいますよ」と語っているし、[2] 2017年には、シリコンバレーへの影響をヴァニティフェア誌に問われ「『スノウ・クラッシュ』を書いたのは、いまのようなインターネットがまだなかった時代、ワールドワイドウェブもまだなかった時代で、私がひとりでひねり出したものにすぎません」と答えている。[3]

だから我々も、スティーヴンスンのビジョンに深入りしないようにすべきだろう。そもそも、「メタバース」という言葉を生んだのは彼だが、概念そのものはその前からあったのだ。

小説の世界でVRゴーグルは1935年に登場

たとえば1935年にスタンリイ・G・ワインボウムが発表した『ピグマリオン劇場(Pygmalion's Spectacles)』には魔法のようなVRゴーグルが登場する。[ii]

「映像と音声により、物語のなかに入ることができる製品だ。影に語りかけることも影から返事をもらうこともできる。物語がスクリーンで進むのではなく、自分自身が登場する自分の物語が展開するのだ」[4]などと表現されている。1950年にレイ・ブラッドベリが書いた短編『草原』に登場する子ども部屋も仮想現実の世界が楽しめるもので、子どもたちの大のお気に入りである（最後は、子どもたちによってこの部屋に閉じ込められた両親が仮想現実の世界に殺される）。

フィリップ・K・ディックが1953年に発表した『世界をわが手に』もそういう話だ。描かれているのは、外宇宙まで出られるようになっても生命がみつけられず閉塞感が漂う世界。異なる世界や生命体との接近遭遇を求め、人々は、世界球を買うようになる。自分の世界を構築し、所有することができる製品で、うまくやれば生命を育み、高度な文明を発達させることが可能だ（最後は、「倦怠（けんたい）と欲求不満をかこつ神」として「破壊衝動」に「とらわれてしまい」、自分が育てた世界を壊してしまう人が多い）。

この数年後にはアイザック・アシモフが『はだかの太陽』を書いている。実際に会ったり触れあったりするのは無駄で恥ずべきことだと考え、仕事も友だちづきあいもホログラムや3Dテレビを通じてリモートで行う社会を舞台にした話である。

---

i 評価額は最終的に3分の1となり、CEOも、クアルコムとマイクロソフトでエグゼクティブバイスプレジデントを長く務めたペギー・ジョンソンに交代する。このリストラで社員や最高責任者がたくさん会社を去ったし、スティーヴンスンも、同時期に去っている。

ii ピグマリオンとはギリシア神話に登場するキプロス王、ピグマリオンから。オウィディウスの詩『転身譜』によると、ピグマリオンはみずからが彫り上げた美しい像に恋をしてしまい、アフロディテの力でその像に命を宿してもらって夫婦となる。

1984年にはウィリアム・ギブスンの『ニューロマンサー』が登場し、「サイバースペース」なる言葉が広まる。サイバースペースとは「世界に散る何十億もの正規ユーザーが日々体験している共感覚幻覚である……人というシステムのコンピューター、すべてからデータを引き出し、それを生き生きとした映像で示してくれる。とてつもなく複雑。心という非空間を、データという星団や星座のなかを、光条が駆け巡る。遠ざかる街の灯のように」だそうだ。

この本でギブスンがサイバースペースの視覚表現を「マトリックス」と呼んだことにも触れておくべきだろう。この15年後にはラナ・ウォシャウスキーとリリー・ウォシャウスキーが同名の映画を制作し、大ヒットとなる。描かれているのは2199年の世界。人が作ったマシンが意識を持ち、世界を支配してしまったのだが、その際、マシンは、人類をすべて培養槽に入れてつなぐと1999年ごろの地球をシミュレーションし、そこで暮らしていると思わせることにした。人類を飼いならし、生体電池として使うのだ。このシミュレーションがマトリックスである。

プログラムはペンよりも楽観的

大なり小なり違いはあるが、スティーヴンスンもギブスンも、ウォシャウスキーらも、ディック、ブラッドベリ、ワインボウムも、ディストピアとして人造世界を描いている。だが、実際のメタバースが必ずそうなるという証拠もなければそうなる可能性が高いと考える理由もない。物語は人間ドラマを軸に描かれることが多いのに、完璧な社会は人間ドラマが起きにくいからそう描いただけのことだろう。

対照的な例として、1981年に「ハイパーリアリティ」なる概念を提唱したフランスの哲学者・文化理論学者、ジャン・ボードリヤールも紹介しておこう。ギブスンやギブスンの影響を受けた人々の口から語られることの多い人物だ。彼は、現実とシミュレーションが溶け合って境目がなくなった状態をハイパーリアリティとした。それは怖い世界だと考える人も少なくないが、大事なのは人々がどこに意味や価値を見いだすのかであり、おそらくはシミュレーション側の重要性が高いのではないかとボードリヤールは考えた。[5]

メタバースを考える際に忘れてはならない概念としてメメックスもあるが、ヴァネヴァー・ブッシュのメメックスは言葉を媒介に無数の文書をまとめたものであり、対してスティーヴンスンらがイメージしているのは果てしなくつなぎ合わされた世界である。

スティーヴンスンの作品などもさることながら、ここ何十年か進められてきた仮想世界構築の努力も確認しておくべきだろう。そうすればメタバース実現に向けどう歩んできたかもわかるし、どういう性質や特徴の歩みであるのかもわかる。その中心となったのは征服・隷属でもなければ濡れ手に粟(あわ)の利益追求でもなく、協働であり、創造性であり、自己表現であった。

「プロトメタバース」と言える時代はいつだろうか。メインフレームコンピューターが生まれた1950年代、異機種混在のネットワークでデジタル情報を個人がやりとりできるようになったころだとする人もいる。だが大方の見方は、MUD(マルチユーザー・ダンジョン)というテキストベースの仮想世界が生まれた1970年代だ。

MUDとは、ロールプレイングゲーム、『ダンジョンズ&ドラゴンズ』のソフトウェア版だと言ってもいいだろう。ふだんの言葉に近いコマンドを使い、プレイヤー同士でやりとりをしつつNPC(ノンプレイヤーキャラクター)やモンスターが住む空想世界を探検していくもので、力や知識を手に入れ、最終的にはお宝を回収したり悪の魔法使いを倒したりプリンセスを助けたりする。

人気を博したMUDが進化したのがMUSH（マルチユーザー・シェアード・ハルシネーション）やMUX（マルチユーザー・エクスペリエンス）だ。MUDは世界観がもとから決まっているし（ファンタジー系が多い）、各人が担う役割もあらかじめ決められているのに対し、MUSHやMUXでは世界も目的も参加者みんなで決められる。たとえば法廷を舞台に被告、弁護士、原告、裁判官、陪審員などを各自が演じる、などができるわけだ。また、だれかがそうしようと思えば、ふつうの訴訟手続きだったものを人質事件にしてしまうこともできるし、さらには、複数のプレイヤーが選んだ単語を並べた詩で事件が解決するといったこともありうるという具合だ。

次の節目は1986年、コモドール64用オンラインゲーム、『ハビタット』のリリースである。発売したのは『スター・ウォーズ』生みの親、ジョージ・ルーカスが立ち上げた制作会社、ルーカスフィルムだ。このゲームは多人数同時参加型オンライン仮想環境で、ギブスンの小説『ニューロマンサー』に登場するサイバースペースに相当するものだとされた。

『ハビタット』はグラフィックスを使っていて、ピクセル表示の2Dではあるが、バーチャルな環境やキャラクターの姿を実際に見られたのがMUDやMUSHと大きく違う点だ。ゲーム内環境もプレイヤーが自由に変えられた。この仮想世界では、法律も規範も『ハビタット』の「市民」が決めるものだった。また、必要な資源は物々交換で手に入れなければならないし、殺されるなどしてアイテムを奪われたりしないように注意しなければならない。このような仕様だったことから、混乱が生じては、秩序が守られるようにと新しいルールや規制、取り締まり組織などをプレイヤーコミュニティが創設するといったことがくり返された。

1980年代のビデオゲームと言えば『パックマン』や『スーパーマリオブラザーズ』などもっ

と有名なものがたくさんあるが、『ハビタット』は、ニッチにとどまったＭＵＤやＭＵＳＨを大きく超える商業的ヒットとなった。仮想世界におけるプレイヤーの姿を表すのに「アバター」という単語を初めて使ったゲームでもある。アバターとはサンスクリット語で「降臨した神の化身」とでもいうような意味の言葉なのだが、スティーヴンスンが『スノウ・クラッシュ』で使っていることもあり、何十年かのちにはこのような使い方が一般的となる。

１９９０年代、画期的な「プロトメタバース」ゲームの登場はなかったが、進化は続いていた。そしてこの時代、３次元空間に感じられるが2次元の動きしかできないアイソメトリック３Ｄとか2・5Ｄと呼ばれる仮想世界が商業的に提供され、多くの人が楽しめるようになる。

また、その後まもなく、フル３Ｄの仮想世界が登場する。そして、１９９４年の『ウェブワールド』や１９９５年の『アクティブワールド』など、プレイヤーが協力して仮想空間をリアルタイムに構築できるし（それまではコマンドと投票で構築するため時間がかかった）、グラフィックスやシンボルによる構築ツールも用意されているものが次々に公開される。特に『アクティブワールド』はスティーヴンスンが思い描いたメタバースを構築することが目的となっていて、仮想世界を楽しむのはもちろんだが、それを拡大し、人口を増やす努力も参加者にしてほしいと訴えていた。

１９９８年に提供が始まった『オンライブ！　トラベラー』には空間ボイスチャットなる機能が用意されていて、他のプレイヤーがどのあたりにいるのかも感じられるし、しゃべりに合わせてアバターの口も動くようになっている。[6]

その翌年には、３Ｄゲームの会社イントリンシックグラフィックスからキーホールがスピンオフする。キーホールがグーグルに買収され、人気を博すにはもう数年かかるが、ともかく、地球全体をバーチャルに再現したものにだれでもアクセスできるようにはなったわけだ。さらに、その後15

年をかけ、マップの一部3D化と、グーグルが持つ地図関連製品の巨大データベースと連携を進め、渋滞情報などの情報をリアルタイムに表示することもできるようになる。

シリコンバレーで広がるきっかけになった『セカンドライフ』の特異点

そして2003年、『セカンドライフ』（うまい名前を付けたものだ）がリリースされたことで、仮想世界と現実世界、両方に生きる未来が来るのではないかとの思いがシリコンバレーを中心に広がっていく。

『セカンドライフ』のユーザー数は1年で100万人を超え、現実世界の組織も、この仮想世界でビジネスを展開したり、プレゼンスを示したりしようと次々参入するようになった。アディダスやBBC、ウェルズ・ファーゴ証券など利益追求の企業も、また、米国癌学会やセーブ・ザ・チルドレン、さらには大学といった非営利組織もである。ハーバード法学部など、『セカンドライフ』でしか提供しない講義を用意したところもある。また2007年には、『セカンドライフ』内の企業が仮想通貨リンデンドルで資金調達できるようにと証券取引所も作られた。

開発したリンデンラボが『セカンドライフ』内で取引したいならウチを通せと言わなかったこと、また、作ったり売ったりするものについてあれはいいこれはだめなど、口をはさまずにいたことも特筆に値する。だから、『セカンドライフ』では、必要性と価値を基準に売り手と買い手が直接、取引をする形になった。

リンデンラボの役割はゲームメーカーというより政府に近い。ID管理、所有権管理、ゲーム内法制度など、ユーザー向けのサービスも提供していたが、『セカンドライフ』という宇宙を自分たちが作ろうという姿勢ではなかったのだ。インフラの整備、技術力の向上、ツールの整備などを通じてディベロッパーやクリエイターを呼び込む。そうすれば彼らが、やれたらおもしろいだろうことを考案したり訪れたいと思う場所を作ったり、みんなが欲しいと思うモノを作ったりしてくれる。これがまたユーザーを呼び込んで消費が増え、それがディベロッパーやクリエイターの投資を呼んでと経済がどんどん拡大していく。そういう流れになっていた。この流れに資するならと、『セカンドライフ』外で作ったバーチャルなあれこれをインポートする機能も用意されていた。

そんなこんなで、立ち上げからわずか2年の２００５年、『セカンドライフ』の年換算ＧＤＰは３０００万ドルを超えたし、２００９年には5億ドルを突破し、５５００万ドルもの資金が現実世界に環流するほどになっていた。

それでも『セカンドライフ』はマニアの世界だった。仮想世界がごくふつうのものとなるのは、『マインクラフト』と『ロブロックス』が登場する２０１０年代を待たねばならない。両方とも技術的に大きく進んでいたこと、そして、ターゲットが小さな子どもやティーンエージャーであり、だから機能性もさることながら使いやすさが重視されていたことが大きい。これで状況ががらりと変わる。

『マインクラフト』では、たくさんのユーザーの協力により、１３００平方キロメートルなどロサンゼルスより大きな都市がいくつもできている。ビデオゲームのストリーマー、アズターのように、1年間、平均で1日16時間もかけ、ブロックを3億７０００万個ほども使ってサイバーパンクな都市を作りあげた人もいる。[7]

スケール以外にも驚くような成果がいろいろとある。たとえば２０１５年には、「現実世界」と連絡できる携帯電話をベライゾンが開発している。２０２０年2月、コロナ禍が始まると、武漢に作られた病院、10万平方メートルあまりを中国プレイヤーが『マインクラフト』内に再現するということもあった。目的はリアルな世界でがんばっている人々に対する感謝を表すことで、世界中で報道された。[8]

その1カ月後には、こんどは国境なき記者団が「検閲なき図書館」を構築。1250万個以上のブロックを使う大きなもので、構築には16カ国に散るビルダー24人が合計250時間を費やす必要があった。この図書館があれば、ロシアやサウジアラビア、エジプトなどの国で禁書とされたものや言論の自由を訴えるものも読むことができるし、サウジアラビア政治指導者の指示で殺されたジャーナリスト、ジャマル・カショギなどの生涯を追うこともできる。

2021年末、『マインクラフト』の月間ユーザー数は1億5000万人以上と、マイクロソフトに買収された2014年当時の6倍以上に達していた。であるにもかかわらず、マーケットリーダーには遠く及ばない。同時期に500万人から2億2500万人まで増やした『ロブロックス』があるからだ。米国では、9歳から12歳の子どもの実に75%が利用しているという（2020年第2四半期。ロブロックス社調べ）。

この2ゲーム合計で1カ月の利用時間は60億時間を超える。ゲーム内世界も、1500万人以上が1億以上も構築している。

プレイ時間が一番長い『ロブロックス』中のゲームは、2017年にプレイヤーふたりが趣味で開発した『アダプトミー』だ。好きなペットを卵などから育て、交換したりできる。2021年末までの累積訪問回数は300億回超と2019年における観光客数の世界合計に対して15倍以上に上っている。ディベロッパーへの報酬も10億ドル以上に上る。ちなみに『ロブロックス』のディベロッパーは30人以下の小さなチームで仕事をしているところがほとんどだ。会社の評価額も、ストーリー型ゲームの大手、アクティビジョン・ブリザードや任天堂の1・5倍近くと、2021年末現在、中国以外のゲーム会社でトップとなっている。

プレイヤーもディベロッパーものすごい勢いで『マインクラフト』と『ロブロックス』に引き寄せられた格好だが、であるにもかかわらず、ほかにも、2010年代の末にかけて登場し、成長したプラットフォームがある。

「億単位」が熱狂する世界の誕生

そのひとつが人気のビデオゲーム『フォートナイト』だ。まず、『マインクラフト』や『ロブロックス』と同じように新しい世界を作れるフォートナイトクリエイティブモードを2018年12月にリリース。同時に、ゲーム以外にも使えるソーシャルプラットフォームへの転換を進めた。

そして2020年、米国セレブ、カーダシアン家の一員でヒップホップスターのトラヴィス・スコットがコンサートを行うと、2800万人ものプレイヤーが集まったし、さらに何百万人もの人がソーシャルメディア経由で観るなどして世界が驚く事態となる。このコンサートが初演だったキッド・カディとのコラボ曲は、翌週のビルボードホット100でいきなりトップに躍り出て（キッド・カディにとって初の1位獲得でもある）、最終的に初演の評価として2020年の第3位にランクされたし、ほかの曲も、2年前に発表したアルバム『アストロワールド』のものであるにもかかわらず、ビルボードのヒットチャートに返り咲いた。フォートナイトがユーチューブに公開した公式ビデオは、コンサートから18カ月で2億回近くも閲覧されている。

MUDから『フォートナイト』にいたる数十年の歴史をふり返ると、なぜ、メタバースについて語られることがＳＦや特許から消費者や企業技術に変わってきたのかわかるだろう。億人単位の人にアピールできるようになった、限界を決めるものが技術から人間の想像力になったからだ。

２０２１年半ば、フェイスブックがメタバースを事業の柱にすえると発表するほんの何週間か前、『フォートナイト』を開発しているエピックゲームズのティム・スウィーニーＣＥＯ（創業者でもある）は、１９９８年に発売したゲーム『アンリアル』のプレリリースコードについて、次のようなツイートをしている。

「１９９８年、アンリアル1のリリースにより、ポータル経由で、ユーザーのサーバーを渡り歩けるようになった。そうしたら、戦いなしで洞窟をマッピングし、輪になって立ち話をしている人々が出てきた。このスタイルはすぐ廃れたけどね[9]」

続けて数分後には、次のようにもツイートしている。

「当社は大昔からメタバースを狙ってきた……ただ、事態が動くに十分なだけの量、必要なパズルのピースがすごいスピードで集まるようになったのがつい最近というだけのことだ[10]」

技術的な変革とはそういう道をたどるものだ。モバイルインターネットが登場したのは１９９１年だし、そういう時代が来るという話はそのままずっと前からささやかれていた。だが、伝送速度、無線対応機器、無線対応アプリなど、必要なものがすべて十分に進化し、先進国に住む大人ならだれもがスマートフォンとブロードバンド契約を欲しいと思い、また、手に入れられるようになったのは、２０００年代も後半のことである（そして、それからわずか10年で世界中に普及する）。

そして、デジタル情報サービスも、さらには一般的な文化も大きく変わった。１９９８年、インスタントメッセージのパイオニア、ＩＣＱがインターネットの巨人、ＡＯＬに買収されたときのユーザー数は１２００万人だった。ところがその10年後、フェイスブックは月間アクティブユーザー数で1億人を数える状態だった。2021年末現在は月間アクティブユーザー数30億人、毎日使う人だけでも20億人あまりに上る。

変化には世代交代による面もある。iPad発売から2年ほどは、子どもが「アナログ」の雑誌や本を手に取り、ありもしないタッチスクリーンを「スワイプ」する様子がユーチューブに投稿されて話題になったり、テレビで報道されたりすることが珍しくなかった。

あのころ1歳だった子どもは、いま、11歳から12歳だ。4歳だった子どもは、大人になりつつあると言える。そして、メディアの消費者としてコンテンツにお金を払う立場になりつつある――コンテンツを作る側に回っている者もいる。幼稚だった彼らも、いまは、ピンチで紙をズームしようとするのが大人にとっては無駄で吹き出すほどおかしなことなのだと理解できるようになったわけだが、逆に旧世代は、世界観や興味関心が自分たちと若者でどう違うのか、つかめているとは言いがたい。

このあたりも『ロブロックス』を見るとよくわかる。プラットフォームの立ち上げは2006年だが、それから10年は鳴かず飛ばずだった。その後3年間も、プレイしたことのある人くらいしか知らない存在だった(加えて、プレイしたことのある人は、グラフィックスがしょぼいと口をとがらせるのがふつうだった)。だがその2年後には、歴史に残るほどの大イベントができるようになっていた。

15年間がこのような推移になったのは、技術の進歩による部分もあるが、主力ユーザーが「iPadネイティブ」として育った世代であるのも偶然ではない。『ロブロックス』が成功するには、まず、場を実現する必要があったわけだが、加えて、ほかの技術で消費者の考え方が変わる必要もあったのだ。

メタバース（そしてユーザー）をコントロールする戦いが始まる

「プロトメタバース」は、この70年でテキストベースのチャットとMUDから迫真の仮想世界へと進化し、その人口と経済規模は小さな国に匹敵するほどになった。このあと何十年かはこの変化が続くだろう。リアルさは増し、体験の幅は広がり、参加者は増え、文化に対する影響は大きくなり、仮想世界の価値は増していく。そしていつの日か、スティーヴンスンやギブスン、ボードリヤールらが思い描いたメタバースが実現する。

このメタバースについて、今後は、激しい覇権争いが展開される。ハードウェアについて、技術規格について、ツールについても、また、コンテンツについてもデジタルウォレットについても、仮想IDについても、テックジャイアントとゲリラ的なスタートアップが入り乱れて戦うわけだ。動機は、収益を上げたいとか「メタバースへの方向転換」で生き残りたいとか以外にもある。

『フォートナイト』をリリースする1年前の2016年、「メタバース」などふつうの人は聞いたこともなかった時代に、ティム・スウィーニーはこう語っている。

「メタバースは比べるものがないほど世の中に浸透し、圧倒的なパワーを持つようになる。それをどこか1社が仕切るようになったら、そこは国を超え、神にも等しい力を持つことになる」[iii 11]

大げさにもほどがある。そう思うだろうか。だがインターネットの成り立ちを考えると、あながちそうとも言えない。

インターネットの土台は、政府系研究機関、大学、その他の技術者や研究所がコンソーシアムや非公式な作業チームを通じて協力し、何十年かかけて作りあげたものだ。関係者の大半が非営利であったことから、サーバー間で情報を共有できるオープンスタンダードの構築が中心となり、結果、さまざまな技術やプロジェクト、アイデアの協働がやりやすいものになった。

これはさまざまな意味でありがたいやり方だった。たとえば、インターネット回線さえあれば、それ以上、お金をかけることなくＨＴＭＬでウェブサイトを作れてしまうし、ジオシティーズのようなプラットフォームを使えば時間もかからないに等しい。また、できたサイトは、インターネット接続さえあればどのような機器、ブラウザからでもアクセスできる（少なくともそういうことになっている）。

さらに、ユーザーであれディベロッパーであれ、中抜きなど考える必要もない。だれに対するコンテンツでも作れるし、だれに対してでも語りかけることができるのだから。共通規格だから、業者に委託したり業者と提携したり、サードパーティーのソフトウェアやアプリを取り入れたり、コードを転用したりするのも簡単だし費用もかさむことがない。規格の多くが公開されていて無償で使えるなら、どこかで革新が起きればエコシステム全体がそのメリットを享受できるし、逆に、有償の独自規格には競争力が求められることになる。また、機器メーカー、オペレーティングシステム、ブラウザ、ＩＳＰなど、ウェブとユーザーの間に立つプラットフォームが甘い汁を吸うのも難しくなる。

ペイウォールを設置したり独自技術を開発したりしてインターネットで儲(もう)けたければそれはそれ

---

iii エピックゲームズ対アップルの訴訟で、米地方裁判所は「メタバースの未来に関するスウィーニー氏の個人的見解は基本的に正しいと判断した」と記している（Epic Games, Inc. v. Apple Inc., U.S. District Court, Northern District of California, Case 4:20-cv-05640-YGR, Document 812, filed September 10, 2021）。

で支障がないのも大事なポイントだ。それどころか、インターネットはオープンであるが故に、インターネット登場前から巨人だった企業（特にテレコム企業）の支配を逃れつつ、さまざまな分野でさまざまな企業を立ち上げられるし、ユーザーをたくさん集めたり大きな利益を手にしたりもできる。

インターネットは情報を民主化したと言われているのも、世界でもトップクラスに大きい企業の多くがインターネット時代に生まれた（あるいは生まれ変わった）ところなのも、インターネットがオープンだからこそ、である。

ウィジェットの販売、広告の提供、金儲けを目的としたユーザーデータの収集、ユーザー体験の完全掌握などを狙って国際的なメディアコングロマリットが開発していたら、話はまったく違っていたはずだ（AT&TとAOLが試みたが失敗に終わった）。

JPGのダウンロードにもお金がかかるし、PNGなら金額は1・5倍。ビデオ通話も、ブロードバンドプロバイダーのアプリとポータルを使わないとかけられないし、相手も同じプロバイダーと契約していなければならない（プロバイダーのエクスフィニティにアクセスすると、「エクスフィニティブラウザ™へようこそ。ズームを使うエクスフィニティコール™やエクスフィニティブック™はこちらをクリックしてください」と言われてクリックすると、「残念ながら、おばあさんは当社との契約をされていないようです。ですが、2ドルの追加料金をいただければおつなぎすることができます」となる世界だ）。

ウェブサイトひとつ作るのに1年かかったり1000ドルかかったりする世界。ウェブサイトを見られるのはインターネットエクスプローラーかクロームだけで、毎年利用料金を払わなければならなかったりする世界。使われている言語や技術によってはブロードバンドプロバイダーにオプション料金を払わないと読めないということも考えられる(「このウェブサイトを読むには3D対応エクスフィニティプレミアムが必要です」と言われたりする世界だ)。

1998年、独占禁止法違反の疑いで米国政府がマイクロソフトを訴えているが、その際、取りあげたのは、独自技術であるインターネットエクスプローラーをウィンドウズOSにバンドルした点だ。だが、インターネットそのものを一企業が開発していたら、他社製ブラウザの利用など許すだろうか。仮に許したとして、その場合、なんでも好きなことをする自由やどこでも好きなサイトにアクセスする自由、そういうサイトに手を加える自由を他社製ブラウザのユーザーに与えるだろうか。

メタバースは「企業インターネット」

対してメタバースは、「企業インターネット」になると予想されている。インターネットがああいう形で開発され、非営利色が強くなったのは、当時、「ネットワークのネットワーク」を作れる人材や資源、そしてその気概を持っていたのが政府系研究機関や大学くらいなものだったから、また、インターネットの経済的可能性を理解する人が営利セクターにほとんどいなかったからだ。いずれもメタバースには当てはまらない。逆にメタバースは、民間主導で開発や導入が進められている。商業利用やデータ収集、広告、仮想商品の販売などをはっきりと目的に掲げて。

メタバースが登場しつつあるいま、現代経済のさまざまな技術やビジネスモデルに加え、垂直・水平のテクノロジープラットフォーム各種が我々の暮らしに大きな影響を与えるようになっている。その背景には、フィードバックループが強烈に働くというデジタル時代の特徴がある。

たとえばメトカーフの法則。通信ネットワークの価値はユーザー数の2乗に比例するというもので、だから、ソーシャルネットワークやソーシャルサービスは大きくなるほど成長し、ライバルの立ち上げが難しくなる。AIや機械学習を採用した事業も同じで、データセットが大きいほど有利になる。インターネットのビジネスモデルは広告とソフトウェア販売が基本だが、これもスケールドリブンで、販売する広告スロットやアプリが増えてもコストは増えないに等しいし、広告主もディベロッパーも気にしているのは、基本的に、消費者がどこにいそうかではなく、いま現在、実際どこにいるのかである。

だが、新規領域への参入やライバル候補のじゃまをしつつユーザーやディベロッパーを大勢確保するため、テックジャイアント各社は、ここ10年、エコシステムのクローズド化を進めてきた。やり方は、提供する各種サービスをバンドルする、データのエクスポートをしにくくする、パートナープログラムをやめていく、覇権の妨げになりそうだと思ったら有償規格やオープンスタンダードでさえも(はっきりブロックまではせずとも)使いにくくするなどだ。これに加え、ユーザーやデータ、売上、機器などを相対的に多く押さえていることから生じるフィードバックループの効果もあり、インターネットはクローズドな部分がとても多くなってしまった。

いま、なにかを作ろうとすれば、基本的に許諾を申請し、料金を払わなければならない。オンラインのアイデンティティもデータも攻略品の権利も、ユーザーに属するものはないに等しくなっている。

このような状況だと、メタバースをディストピアとするのは心配のしすぎではなく、そう考えるべきなのではないかと思ってしまう。メタバースとはそもそも、我々の暮らしや労働、レジャー、時間、富、幸福、関係性などがデジタル機器とソフトウェアを介して拡張されるというだけのことではなく、今後は仮想世界側の割合がどんどん増えていくという話である。何百万人もの人々、もしかしたら何十億人もの人々にとってこの世と並行する存在空間であり、デジタル的な経済と物理的な経済、両方をカバーし、両者をつなぐ形で広がっているものだ。だから、そういう仮想世界とその仮想原子を掌握した企業は、いま、デジタル経済をリードしているところより大きな支配力を持つ。

メタバースでは、また、データ権、データセキュリティ、デマに過激化、プラットフォームの力と規制、乱用、ユーザーの福利などデジタル的なものにまつわる難問の多くが先鋭化する。だから、メタバース時代をリードする企業がどういう哲学や文化を持ち、なにを優先するかによって、未来がいまよりよくなるのか悪くなるのかが決まる。バーチャルが増えるとか儲かるとか、そういう単純な話ではないのだ。

世界的な大企業や野心に燃えるスタートアップがメタバースに突きすすんでいるいま、我々、すなわちユーザー、ディベロッパー、消費者、有権者は、自分たちの未来を左右する力、現状を大きく変える力を持っているのだと自覚しなければならない。メタバースと言われてもよくわからず怖いかもしれない。だが、これは、人々の距離を縮めるチャンス、ディスラプションを長らく避けてきた業界を変革し、進化させるチャンス、世界経済の格差を減らすチャンスなのだ。

であれば、ここで、メタバースが持つきわめておもしろい特徴のひとつを確認しておくべきだろう。つまり、いま現在、どういうものであるのかをだれもわかっていないと言える状態である点だ。

Chapter 02

混乱、不透明

すごく話題になっているにもかかわらず、メタバースとはなんであるのか、きっちり定義されておらず、人によって言うことが違う。業界リーダーも、みな、自身の世界観や自社の能力に都合のいい言い方をする。

たとえばマイクロソフトのサティア・ナデラCEO。彼は「メタバースとは世界全体をアプリのキャンバスにするもの」[1]で、クラウドソフトウェアと機械学習で拡張できると語っている。しかもマイクロソフトには、メタバースと「きわめて相性のよい」「技術製品群」があるという。[2]すなわち、オペレーティングシステムのウィンドウズ、クラウドコンピューティングサービスのアジュール、コミュニケーションプラットフォームのマイクロソフトチームズ、拡張現実ヘッドセットのホロレンズ、ゲーミングプラットフォームのXbox、プロフェッショナルネットワークのリンクインである。加えて、『マインクラフト』、『マイクロソフトフライトシミュレーター』、さらには宇宙を舞台にしたファーストパーソン・シューティングゲームの『ヘイロー』と「メタバース各種」もすでに有している。[3]

マーク・ザッカーバーグは、遠く離れた人同士がつながり交流できる没入型の仮想現実[i]を中心にすえている。そして、フェイスブックは世界でもっとも大きくもっともよく使われているソーシャルネットワークであるし、フェイスブックのオキュラス部門は、売上数量でも投資額でもVR市場のトップを走っている。ちなみに、ワシントンポスト紙は、エピックゲームズ型のメタバースについて次のように報じている。

「さまざまな人が参加できる広大なデジタル空間で、ユーザーは、ほかのユーザーや各種ブランドと自由に交わり、自分を表現したり喜びを得たりできる……オンラインの遊び場といった感じのところで、友だちと待ち合わせてエピックゲームズの『フォートナイト』などのマルチプレイヤーゲームをプレイし、続けてネットフリックスで映画を観て、さらには、実物そっくりに作った新型車を試乗してみるなどができる。フェイスブックなどのプラットフォームが提供するニュースフィードはあれこれごっそりそぎ落とした上で広告を山のように載せているが、メタバースとはそういうものではない（とスウィーニーは考えている）」[4]

それがなんなのかはっきりとわからなくても、まして、自社の事業にどう関係するのかなどまるでわからなくても、メタバースというバズワードは使っておくべきだとばかり無理にでも使ってい

i「仮想現実」技術とは、3次元の物体や環境をコンピューターでシミュレーションし、現実であるかのように感じられたり、本当にそこにあるように感じられたりするレベルで表現するものである（J. D. N. Dionisio, W. G. Burns III, and R. Gilbert, "3D Virtual Worlds and the Metaverse: Current Status and Future Possibilities," ACM Computing Surveys 45, issue 3 [June 2013], http://dx.doi.org/10.1145/2480741.2480751）。最近は、没入型の仮想現実を指すことが多い。テレビなどに映す環境ではその環境以外の情報も目や耳に入ってくるが、没入型の仮想現実では、その環境からのもののみとなる。

る感も否めない。たとえば、ティンダー、ヒンジ、OKキューピッドなどのマッチングアプリを展開しているマッチ・グループも、2021年8月、「近い将来、拡張機能、自己表現ツール、対話型AIなど、メタバース要素と言われるものを導入する。これにより、オンラインで人と会い、親しくなる方法が大きく変わっていくと考えている」と宣言。おそらくは、恋愛に役立つ物品や通貨、アバター、環境などをバーチャルで提供するなどしていくのだと思われるが、詳しいことは発表されていない。

中国でも、どういうものかよくわからないが目と鼻の先まできているとみんなが言うメタバースについて、テンセント、アリババ、バイトダンスと大手3社がリーダー争いを始めているが、ほかの中国企業は、兆ドル単位になると思われるこの市場に自分たちはどう切り込むのか、はっきりさせられず右往左往している状態だ。たとえば中国のゲーム企業大手ネットイースは、2021年第3四半期の決算説明会で次のように述べている。

「いまは、どこもかしこもメタバース、メタバースという状態です。ですが、メタバースとはどういうものであるのか、実際に体験したことのある人はまだいないのではないでしょうか。いずれにせよ、ネットイースは、技術的に対応できる準備ができています。実際にメタバースが到来したとき、どうすれば関連のノウハウや関連のスキルセットを集められるのかわかっているのです。ですから、そういう日が来た際には、当社も、メタバース分野の最先端を走っていることでしょう」[5]

業界人もなにがメタバースかわかっていない

フェイスブックがメタバース戦略を説明した1週間後、米大手テレビネットワークCNBCの投資番組で、メタバースとはなんなのか、ウォールストリートの投資家向けにうまく説明できず、パーソナリティのジム・クレイマーがネットで笑いものにされる惨事も起きている。[6]

ジム・クレイマー：ユニティ・テクノロジーズの第1四半期決算説明会を聞くと、メタバースとはなんなのかがよくわかります。つまりですね、え〜、その〜、見ているものがですね、まあ、言ってみれば、オキュラスのなかに入れるって感じというかなんというかなんですよ。で、ですね、あのシャツ、あの人によく似合うな、私もあのシャツが欲しいなとか言ってですね、で、それがですね、要するにNVIDIAのですね、え〜、NVIDIAベースなわけです。で、NVIDIAのジェンスン・フアンCEOと一緒にいたら、ですね。どうなるかというと、できるわけですよ。そういうことも。ちょっとちょっと、デイビット、ちゃんと聞いてくれよ。大事な話をしてるんだから。

デイビット・フェイバー：私は、いま、ザッカーバーグの意見を読んでるところなんですけどね——

ジム・クレイマー：——そんなことしてもなにもわからないよ……わからないって。

デイビット・フェイバー：——「永続的な即応性環境で人々が集える場所。いまあるソーシャルプラットフォームを混ぜたようなものになる、しかも没入できる環境になると、ぼくはそう思う」だそうだ。これならわかる。ホロデッキだ。

ジム・クレイマー：——ホログラムだよ。たとえばですね——

デイビット・フェイバー：——スター・トレックみたいな世界で——

ジム・クレイマー：——最終的にはね、どこかの部屋に入るとするじゃないですか。ひとりで、ね。で、ちょっと寂しいなとか思ったりするわけです。で、クラシック音楽が好きなんで、入った部屋で最初に会った人に「モーツァルトの交響曲『ハフナー』を演奏するのが好き、『ハフナー』が好きだったりしますか」とか聞くわけですよ。そしたら相手が「『ハフナー』を聞く前にですね、ベートーベンの第九を聞いたことありますか」とか返してくるわけです。ところがですね、実は、この人々、本当のところ存在していないわけです。わかります？

デイビット・フェイバー：わかりますよ。

ジム・クレイマー：それこそがメタバースなわけです。

支離滅裂としか言いようがない。

一方、業界側も、なにをもってメタバースというのか、議論の真っ最中である。拡張現実もメタバースだとする意見もあればそれは違うという意見もある。没入型のVRヘッドセットを使わないものはメタバースではないという意見もあれば、そういうヘッドセットを使うのがベストというだけのことだとする意見もある。

暗号資産やブロックチェーンのかいわいでは、メタバースとはいまのインターネットを分散型にしたもの、ユーザーのデータやバーチャルな物品、さらには土台となるシステムまで、制御・管理したりするのがプラットフォーム側ではなくユーザー側であるものという見方が大勢を占めている。

オキュラスVRの元CTO、ジョン・カーマックなど有力業界人の一部には、運営主体が基本的に1社のものはメタバースと呼べないとの意見もある。対して、ユニティのジョン・リッチティエッロCEOのように、それは違うという人もいる。彼はまた、ユニティが提供しているクロスプラットフォームのエンジンやサービススイートといった技術を活用すれば「庭園を囲む壁を低くする」ことが可能で、集中制御型メタバースがはらむ危険を避けられるとしている。

フェイスブックは一民間企業が運営できるか否かについて立場をあきらかにしていないが、メタバースはインターネットと同じようにひとつしか存在しえないとしている。対してマイクロソフトやロブロックスが想定しているのは、いろいろなメタバースが並び立つ状況だ。

いま現在、共通する想定は、コミカルなアバター姿で参加する永続的な仮想世界で、没入型のVRゲームで競ったり、お気に入りの店に入ったり、現実では無理な夢を追ったりできる、だ。これを活写したのが、アーネスト・クラインが２０１１年に発表した『ゲームウォーズ』である。『スノウ・クラッシュ』の系譜につながる小説で、２０１８年にはスティーブン・スピルバーグが映画化もしている。

『スノウ・クラッシュ』を書いたスティーヴンスンと同じくクラインも、メタバース（クラインは「オアシス」と呼んだ）とはなんであるのか説明せず、そこでなにができるのか、だれと過ごせるのかなどを記すにとどめている。これは、１９９０年代、インターネットと言われてふつうの人が思い浮かべたものに似ている。

当時、インターネットとは「情報スーパーハイウェイ」なり「ワールドワイドウェブ」なりであり、キーボードと「マウス」で「サーフする」ものだった。メタバースはその3D版という感じだ。だが、この理解からでは、その後四半世紀でインターネットがどう発展するのか、どういうものになるのか、想像するのも難しい。

メタバースとはなんであるのか、人によって言うことが違うし、SFでは人が存在する両界ともをテクノキャピタリストが支配するディストピア的な描写になっているしで、いろいろと批判もされている。新手の売り文句にすぎないとの意見もある。世界を変えるとまで言われ、何十年か存在はしたが、そのうち忘れられ、パソコンから削除された『セカンドライフ』などと結局は同じなのではないかという意見もある。

　メタバースなどという曖昧なものにビッグテック各社が突然注目したのは、規制逃れが目的なのではないかという見方も報道界にはある。[7]近い将来、プラットフォームが根底からひっくり返るのであれば、かつてないほどの規模と掌握力を誇っている企業を規制で分割しなくとも、自由市場および競争する反体制派企業に任せればいいとなってもおかしくないというわけだ。逆に、ビッグテックに対する独占禁止法違反の調査に規制当局を駆り出すため、反体制派企業がメタバースを使っている構図だという見方もある。

　独占禁止法違反でアップルを提訴する1週間前、エピックゲームズのスウィーニーCEOは「アップルはメタバースを非合法な場にした」とツイートするとともに、アップルが掲げるポリシーの下ではメタバースが成立しえないと訴状で訴えた。[8]この訴訟を担当した連邦判事は、「メタバースは規制逃れ戦略である」という論に一定の理解を示し、「はっきり言いましょう。エピック社がここにいるのは、求める救済措置が与えられれば、数十億ドル規模の会社を数兆ドル規模まで大きくできる可能性があるからです。善意でやっているわけではありません」[9]と述べている。

　アップルとグーグルに対してエピックが起こした訴訟についても、「動機は大きくふたつあることが記録からわかる。一番には、多大な金銭の獲得と富がもたらされるよう仕組みを変えたいとエピックゲームズが考えていることである。もうひとつは、アップルおよびグーグルのポリシーや慣行のうち、スウィーニー氏が考えるメタバースの実現に障害となるものを変えさせる力が訴訟という方法にはあるからだ[10]」と記している。

　お気に入りの研究開発プロジェクトだが大きく遅れていたりして実用までまだかなりの時間がかかるものや株主が興味を示さないものを正当化するのに都合がいいから、この曖昧な言葉を使う経営者が多いのではないかと考える人もいる。

「インターネットがなにか」も当初はだれもわからなかった

まったく新しい技術は細かなところまで慎重に検討する必要がある。破壊的な技術ならなおさらだ。だが、メタバースに関する議論は、少なくともいまのところ、ごった煮状態である。メタバースはまだ空論でしかないからだ。触れることのできないものだからだ。だから、なにかおかしいと思っても反論のしようがないし、それぞれが自社の能力や好みに応じた理解をするのもしかたのないことである。

だが、メタバースに将来性を感じる会社がすごく多いので、応用範囲が広いこと、大規模であることはまちがいない。さらに、メタバースとはなんなのか、どういう意味を持つのか、いつ実現できるのか、どう使うのか、実現するためにはどういう技術を開発しなければならないのかといった議論こそ、幅広いディスラプションの源であると言える。なにもかもが曖昧で混沌（こんとん）としていることこそ、ディスラプションの特徴なのだ。

インターネットについてふり返ってみよう。ウィキペディアではインターネットを次のように説明している（説明は2000年代半ばからほとんど変わっていない）。

「インターネットとはコンピューターネットワーク同士をつないだ地球規模の情報通信網であり、インターネット・プロトコル・スイート（TCP／IP）により、さまざまなネットワークや機器のあいだで情報をやりとりすることができる。非公開ネットワーク、公開ネットワーク、教育系ネットワーク、事業用ネットワーク、政府系ネットワークを小規模なものから地球規模のものまで結ぶ

『ネットワークのネットワーク』であり、相互接続には有線、無線、光といったネットワーク技術が用いられている。インターネットでは、相互リンクできるハイパーリンクテキスト文書やワールドワイドウェブ（WWW）アプリケーション、メール、電話、ファイル共有など、幅広い情報資源と情報サービスを利用することができる」[11]

この説明では、インターネットを支える技術規格にも触れているし、インターネットのカバー範囲を示すとともに使い方の例も取り上げている。いまなら、ごくふつうの人でも、これを読めばいつも利用している使い方だなと合点がいくし、だから適切な定義だと言える。

だが、1990年代や、場合によっては2000年過ぎであっても、この定義が理解できたからといって将来像を思い描くのは難しい。専門家でさえ、インターネット上になにを作ればいいのかわからず苦労していたわけで、まして、いつ作るのかやどういう技術を使うのかなど、わかるはずもなかった。いまならインターネットの可能性や必要性などだれの目にもあきらかだが、当時は将来像が混沌としており、ああそうなるのだろうなとだれもが思う説明やみんなにわかってもらえる説明など、できる人はいなかったわけだ。

混乱していればまちがいもたくさん生まれる。典型的なパターンをいくつか紹介しよう。たとえば、新しく登場した技術をおもちゃにすぎないと見てしまう、可能性があることは理解しても性質を見極められないなどだ。どの技術が人気になるのか、なぜそうなるのかはだいたいわからない。かと思えば、タイミング以外はきちんと把握できる場合もある。

ノーベル経済学賞を受賞する10年前の1998年、ポール・クルーグマンは、「経済学者の予想がほぼ必ずまちがっているのはなぜなのか」という（たまたまにせよ）皮肉なタイトルの論文を書いている。その一節を紹介しよう。

「インターネットの成長は、今後、大幅に鈍化する。『ひとつのネットワークにおいて、可能な接続の数はユーザー数の2乗に比例する』とする『メトカーフの法則』があるが、この法則の不備が表面化するからだ。なにせ、語り合うことのある人などほとんどいないのだ。２００５年ごろには、インターネットが経済に与える影響はＦＡＸ程度でしかなかったとあきらかになるだろう」[12]

クルーグマンがこう予想したのはドットコム・バブルがはじける前であり、フェイスブックやテンセント、ペイパルなどが登場する前である。ともかく、この予想がまちがっていたことは、そのあとすぐに証明される。ただ、インターネットの意義については、彼がこう書いたあと10年ほども議論が続いた。たとえばハリウッドなどは、自分たちの中核事業もインターネットにシフトせざるをえない、ユーチューブの動画やスナップチャットのストーリーなど、ユーザーが作る低コストコンテンツのあとを追うしかないと腹をくくるのに２０１０年代半ばまでかかっている。

マイクロソフトもフェイスブックも未来を読みちがえてきた

次なるプラットフォームの重要性が十分に理解できても、技術的な前提条件や関連機器の役割、ビジネスモデルなどはわからなかったりする。

マイクロソフトの創業ＣＥＯ、ビル・ゲイツは、１９９５年、「インターネットの大波」という有名なメモで、インターネットは「すべての当社事業にとってきわめて重要なもの」であり、「１９８１年のＩＢＭ　ＰＣ発売以来、もっとも重要性の高い出来事である」と訴えた。[13] のちに、インターネットのソフトウェアやサービスで市場をリードする企業に対し、マイクロソフトは強大な市場支配力を使って追いつき、追い落としてきたと米司法省が指弾することになるが、その3E戦略「取り込み（Embrace）、拡張し、抹殺する」はゲイツのこの訴えから始まったと言われている。

さて、ゲイツがメモを書いた5年後、マイクロソフトは携帯電話用オペレーティングシステムの発売にこぎ着けた。だが、どういう携帯電話が主流になるのかも（タッチスクリーン型）、プラットフォームのビジネスモデルも（オペレーティングシステムよりアプリストアやサービスが重要）、機器の使い方も（サブではなくメインのコンピューティングデバイスになる）、どういう人にとって魅力的なのかも（あらゆる人）、適正価格も（５００～１０００ドル）、その役割も（仕事と電話だけでなくあらゆることに使う）、すべて読みちがえてしまった。

よく知られていることだが、これが大まちがいであったとはっきりするのは、２００７年のｉＰｈｏｎｅ発売以降である。このとき、ｉＰｈｏｎｅの将来性を尋ねられたマイクロソフトの2代目ＣＥＯ、スティーブ・バルマーは「５００ドルだ？　購入補助があるだ？　プラン契約で？　世界一高い電話としか言いようがないだろう……しかも、キーボードがないので仕事では使いにくい。メール用としてもいまいちにしかならないからね」[14]と一笑に付した。

だが、アップルのｉＰｈｏｎｅとｉＯＳ、グーグルのアンドロイドの破壊的な力にさらされ、マイクロソフトのモバイルオペレーティングシステムは負けが決まってしまう（アンドロイドは、ソニー、サムスン、デルなどマイクロソフトのウィンドウズマシンを作っている大手メーカーをターゲットとするもので、ライセンスはフリーだし、アプリストアの収益も一部を端末メーカーに還元する仕組みとなっている）。そして、２０１６年、インターネットの利用は世界的にモバイル端末が主流となる。そしてその翌年、初代ｉＰｈｏｎｅ発売から10年の節目に、マイクロソフトは、ウィンドウズフォンの開発をあきらめると発表することになる。

インターネット普及の波にうまく乗って大成功したフェイスブックも、モバイル時代の到来については、当初、判断を誤っていたが、手遅れになる前に軌道修正に成功した。ちなみに、判断をまちがえたのは、ウェブにアクセスする手段はアプリではなくブラウザが主流になると考えた点だ。

アップルがｉＰｈｏｎｅのアプリストアを立ち上げてから4年たっても、「そのためのアプリがある」という有名なキャッチコピーを展開してから3年たっても、そして、そのキャッチコピーをパロった歌がセサミストリートに登場してから2年たっても、フェイスブックはブラウザアクセスに注力していた。アプリストアの初日にモバイルアプリをリリースはしたし、モバイル端末からのアクセスではすぐにモバイルアプリが一番人気となったのだが、アプリは見た目がブラウザと違うだけで、その実体はＨＴＭＬを読み込んで表示する「シン・クライアント」だったのだ。

モバイル端末に最適化したコードを「イチから再構築」したｉＯＳアプリをフェイスブックがリリースするのは、２０１２年の半ばである。そして、その1カ月には、「ユーザーが読むニュースフィードが倍増しました」、「ＨＴＭＬ５に賭けすぎたのは企業として大きなまちがいでした……ネイティブ処理ができるよう、ぜんぶ書き直さなければならず、最初からやり直す以外に道はありませんでした。２年も無駄にしてしまいました[15]」とマーク・ザッカーバーグが語っている。

ネイティブアプリへの移行が遅くなったわけだが、それがモバイル対応の成功例として語られたりするのは皮肉なことと言えよう。たしかにフェイスブックの広告収入に占めるモバイル端末の割合は２０１２年のうちに5%以下から23%まで急増したが、それは、ＨＴＭＬ５に賭けた結果、それだけの収益を失ってきたことを意味しているのだから。

モバイル対応が遅れた影響は、チャンスをつかみ損ねたり十億ドル単位でコストアップするなど、ほかにもある。モバイルにシフトした10年後、日々一番よく使われているフェイスブック製品は、ワッツアップだった。２０１４年に２００億ドル近い価格で買収した企業の製品で、もともとは、

２００９年にスマホ用メッセージングアプリとして作られたものだ。そしてそのころフェイスブックは、月間ユーザー数で3億５０００万人弱と先行していたのだ。一番価値の高いフェイスブック資産はやはりモバイルネイティブのソーシャルネットワーク、インスタグラムだというのがウォールストリートの見方なのだが、こちらも、イチから再構築したｉＯＳアプリを発表する何カ月か前に10億ドルで買収したものだ。

マイクロソフトもフェイスブックも未来の技術を根本的に見誤ったわけだが、正しい技術を選んだのにその市場がまだなくて失敗したところもたくさんある。ドットコム・バブルがはじける何年か前、何百億ドルもかけ、光ファイバーを米国に張り巡らせる工事が進められた。こういう場合、容量を多めにしてもコストは微増にしかならないので、先々まで需要をまかなえれば地域市場を独占できるのではないかと期待し、必要以上に容量を大きくする事業者が多かった。このころ、インターネットのトラフィックが指数関数的に増えていくと信じられていたからだが、これはまちがいで、活用される「ライトファイバー」はせいぜい5%という散々な結果になってしまう。

いま、コンテンツオーナーや消費者が、応答が早い低レイテンシーで広帯域のインフラに低コストでアクセスできているのは、このとき米国中に張り巡らされた「ダークファイバー」のおかげである。つまり、デジタル経済を影で支える縁の下の力持ちとして働いてくれているのだ。

だが、ケーブル敷設に尽力した企業の多くは倒産の憂き目を見た。具体的にはメトロメディア・ファイバーネットワーク、ＫＰＮＱウェスト、３６０ネットワークス、さらには、米国史上最大級の倒産と騒がれたグローバル・クロッシングなどだ。Ｑウェストやウイリアムズ・コミュニケーションズのように、倒産だけはなんとか免（まぬが）れたところもある。ワールドコムやエンロンが倒れたのは不正会計によるわけだが、供給を大きく上回るスピードで高速ブロードバンドの需要が伸びると考えて何十億ドルも投資したことが問題を悪化させたことはまちがいない。エンロンなど、高速データ通信の需要はどこまでも伸び、満たすことはできないと、1999年、帯域の先物取引という構想を発表したほどだ。ビットあたりの配信コストが乱高下する場合に備え、原油やシリコンと同じように、何年も前から先物を予約するはずと考えたわけだ。

革新は変容のくり返しで起きる

技術の変革が予測しづらいのは、それをもたらすのが発明や工夫ひとつだったり個人ひとりだったりではなく、さまざまな変化の集合体だからだ。新しい技術が生み出されると社会や個人が反応し、行動が変わったり新しい製品が生まれたりする。そしてその結果、それを支える技術の使い方も新しくなり、それがまた、行動の変容や新たな創造をもたらす。これがくり返されるのだ。

革新とはこういうくり返しによるものだから、どれほどインターネットを信奉していようと20年前にいまの使われ方を予想するのは難しい。予想を正確にしようとすればするほど、「オンラインになる人が増える。オンラインになることが増える。利用する機器が増える。利用の目的が増える」という具合に意味のないものになりがちだし、逆に、具体的になにがいつ、どこで、どういう風に、なにを目的に行われるようになるのかという予想はまずまちがいなく外れてしまう。絵文字やツイート、ショートフィルムの「ストーリー」がコミュニケーションの基本になる世代が登場する未来など、予測できた人はまずいないはずだ。

ロビンフッドのように手軽に投資できるプラットフォームが登場したこともあり、レディットの株式投資フォーラムから「人生は一度きり」なる投資戦略が広まり、それがコロナ禍で崖っぷちまで追いこまれたゲームストップやAMCエンターテイメントを救うことになるなども、まず予想できない。60秒のティックトックリミックスがビルボードチャートを左右し、通勤中に人々が聞く音楽が一変するというのもそうだ。1950年には、「コンピューターなど国全体で18基が限界だ」とIBMの製品企画部門が1年以上も言い続けたという話もある。[16]わけがわからないって？ 当時は、IBMが開発していたソフトウェアやアプリケーションを走らせる以外にコンピューターの利用方法があるとは思えなかったからだ。

メタバースを信奉する人もいれば疑う人もいるだろう。半信半疑という人もいるだろう。いずれにせよ、心配はいらない。メタバースが到来したとき、日常生活がどうなるのか、まだだれにもわかっていないからだ。

どう使うことになるのか、それが日々の暮らしをどう変えるのか、正確に予想できなくても問題はなにもない。それどころか、それこそ、メタバースが破壊的な力を秘めている証拠だとさえ言える。将来に備えたければ、メタバースを構成する技術や機能に注目する以外に方法がない。言い換えれば、まずはメタバースを定義しなければならないということだ。

Chapter 03

ひとつの定義（やっとかい）

前置きはこのくらいにして、そろそろ、具体的にメタバースとはなんぞやという話に入ろう。世の中ではいろいろ言われていて混乱の極みという感じだが、メタバースの歴史が始まったばかりと言えるいまの状況でも、包括的で有用な定義を明確にできると私は思っている。

私が考えるメタバースとは、以下のとおりである。

リアルタイムにレンダリングされた3D仮想世界をいくつもつなぎ、相互に連携できるようにした大規模ネットワークで、永続的に同期体験ができるもの。ユーザー数は実質無制限であり、かつ、ユーザーは一人ひとり、個としてそこに存在している感覚（センス・オブ・プレゼンス）を有する。また、アイデンティティ、歴史、各種権利、オブジェクト、コミュニケーション、決済などのデータに連続性がある。

本章では、この定義の要素をひとつずつ見ていくことで、メタバースとはなんであるのかはもちろん、いまのインターネットとどう違うのか、実現するにはなにが必要なのか、いつごろ実現されるのかなどを解き明かしたいと思う。

仮想世界

メタバースを信じる人から疑う人まで、それどころか、言われてみれば耳にしたことあったかもという人にいたるまで同意する特徴がある――仮想世界である点だ。

ここ何十年か、仮想世界といえば『ゼルダの伝説』や『コール オブ デューティ』などのビデオゲームだったり、ディズニーの子会社ピクサーが制作するアニメーションやワーナー・ブラザースの『マトリックス』といった映画に登場するものだったりした。だから、メタバースとはゲームである、あるいはエンターテイメントであると誤解されることが多い。

仮想世界とはコンピューターで生成するシミュレーション環境をさす。種類は、没入型3D、3D、2・5D（アイソメトリック3Dとも呼ばれる）、2D、現実世界に拡張現実を重ねたもの、さらには、1970年代にはやったゲームのMUDやゲーム以外のMUSHなどテキストベースのものまでさまざまである。ピクサー映画や、生物の授業に使う生態系のシミュレーションなどのようにユーザーが中に入れないものもある。あるいは、『ゼルダの伝説』などのようにユーザーはひとりだけのものもあるし、『コール オブ デューティ』のようにたくさんのユーザーが参加するものもある。ユーザーと仮想世界のやりとりは、キーボード、モーションセンサー、さらには、動きを追跡するカメラなどさまざまな方法で行われる。

どういう世界かでも分類できる。ひとつは「現実世界」をそっくりそのまま複製してしまうもので「デジタルツイン」と呼ばれたりしている。『スーパーマリオ オデッセイ』のニュードンク・シティや、2018年に発売されたプレイステーション用ゲーム『スパイダーマン』に出てくる4分の1スケールのマンハッタンなどのように現実を脚色した形のものもある。完全な虚構で、現実には不可能なことがいろいろできてしまうものもある。

目的でも分けられる。ひとつは「ゲーム型」で、勝利、殺害、得点、解決といったことを目標とする。もうひとつは「非ゲーム型」で、教育や職業訓練、商取引、交流、考察、健康増進などを目標とする。

実はここ10年ほど、人気が高く成長著しい仮想世界はゲーム的な要素を排したものやその扱いが軽いものが多い。大人気を博したニンテンドースイッチ専用ゲームがそのいい例である。2017年発売の『ゼルダの伝説 ブレス オブ ザ ワイルド』か『スーパーマリオ オデッセイ』のことかなと思った人もいるだろう。たしかに、いずれも、完成度という意味でも人気という意味でも史上最高クラスだと言われている。

だが違う。ここで取りあげるのは『あつまれ どうぶつの森』、通称『あつ森』だ。人気シリーズの新作で、前述のふたつに比べて販売期間が3分の1しかないにもかかわらず40%近くも多く売れている。これも一応はゲームということになっているが、そのゲームプレイは仮想の庭造りにたとえられることが多い。到達点は設定されていないし、なにかを獲得していく話でもない。ユーザーは南の島で集まっていろいろなものを作ったり擬人化された動物のコミュニティを作ったり、きれいな細工物を他のプレイヤーと交換したりする。

このところ特に増えているのが、そもそも「ゲームプレイ」が想定されていない仮想世界だ。人気のゲームエンジン、ユニティを使って作られた香港国際空港のデジタルツインもそのひとつだ。その目的は、乗降客の流れやメンテナンス、滑走路の運用方法など、空港の設計や運用に影響を与える要因のシミュレーションである。都市ひとつをまるごと複製し、交通や天候、さらには警察や消防、救急といった公共サービスのデータをリアルタイムに流し込むこともある。

このデジタルツインは、その都市をよく理解し、豊富な情報をもとにゾーニングや建築許可を行うなどして都市計画を改善するのが目的だ。商業モールを新設したら救急や警察の移動時間にどういう影響が出るのか、ビルの構造によって風の巻き方や気温、商業地区の明るさなどにどういう影響が出るのかなどを確認するわけだ。こういうとき、仮想世界は大いに役立つだろう。

仮想世界を構築するのは、ひとりでも複数人でもいいし、プロ・アマを問わない。営利目的の場合もあれば非営利の場合もあるだろう。いずれにせよ、構築に要する費用や時間がどんどん減り、難度も下がっていることを受け、仮想世界は人気がぐんぐん高まっている。そしてその結果、仮想世界は数も増えているし、一つひとつが複雑になるとともに種類が多様化してもいる。『ロブロックス』ベースの『アダプトミー』は、世界構築の初心者、たったふたりが2017年の夏に作ったものだ。それが4年後には、同時ログインプレイヤーが200万人近く（『ゼルダの伝説 ブレス オブ ザ ワイルド』の販売数は累計2500万本前後である）、2021年末の累計プレイ回数が300億回を超えるようになった。

仮想世界のなかには永続的なものもある。つまり、その世界では、なにか起きたらそれは起きたこととしてそこに残る。プレイヤーごとにリセットされる世界もある。

一番多いのは、両者の中間だ。任天堂ファミコン用として1985年に発売された2D横スクロールのゲーム、『スーパーマリオブラザーズ』を例に説明しよう。最初のコースは400秒もかからない。それをクリアできずに死んでしまうとマリオは生き返ってリトライができるのだが、そのとき仮想世界は完全にリセットされる。つまり、殺した敵もすべて生き返るしアイテムも元通りになる。初めてプレイしているかのようになるわけだ。一方、永続的なアイテムも存在する。レベル3〜4では、死んでもそこまでのレベルで集めたコインは残るし、ゲームの進行状況も残る。ただし、マリオが全員死んでしまえば、全データがリセットされる。

仮想世界によっては、プレイする機器やプラットフォームが限られる場合もある。『ゼルダの伝説 ブレス オブ ザ ワイルド』、『スーパーマリオ オデッセイ』、『あつまれ どうぶつの森』などもそうで、これらはいずれもニンテンドースイッチでしか遊べない。任天堂ゲームアプリなど、アンドロイドやiOSをはじめ複数プラットフォームで動くが、逆に、ニンテンドースイッチなどのゲーム機では動かないものもある。

完全にクロスプラットフォームだと言えるものもある。たとえば『フォートナイト』は、2019年から2020年、主要ゲーム機（ニンテンドースイッチ、マイクロソフトXboxワン、ソニーPS4）、パソコン（ウィンドウズ、マックOS）、モバイルプラットフォーム（iOS、アンドロイド）のすべてに対応していた。ほぼどのデバイスからでも自分のアカウントでプレイ可能で、バーチャルバックパックやアウトフィットなどのアイテムも同じものが使えるのだ。

複数プラットフォーム対応をうたっているが、中身は分かれているものもある。たとえば『コール オブ デューティ モバイル』とパソコン版『コール オブ デューティ ウォーゾーン』はアカウント情報を一部共有しているし両方ともバトルロイヤル型ゲームでマップも仕組みもよく似ているが、基本的に別ゲームであり、片方の仮想世界に参加しているプレイヤーが他方のプレイヤーと戦うこ

とはできない。[i]

現実世界もそうだが、管理の形は仮想世界によって大きく異なる。多いのは開発し運営している個人や集団がその世界における経済、ポリシー、ユーザーなどについて絶対的な権力を有し、集中制御するものだ。民主的な仕組みでユーザーによる自治が行われるものもある。ブロックチェーンベースのゲームには、立ち上げ後、なるべく自主的に運営することを求めるものもある。

3D

仮想世界はさまざまな次元のものがありうるが、メタバースで肝になるのは「3D」である。3Dでないものは、下手をすると、いまのインターネットとなにが違うのかわからない。掲示板、チャットサービス、ウェブサイトビルダー、イメージプラットフォーム、コンテンツをつなぐネットワークなどは、何十年も前からよく使われてきたものだからだ。

3Dが不可欠なのは、新しいとわかるからだけではない。3D環境でなければ、人間の文化や労働を物理的な世界からデジタル世界へと移せないからだ。2Dのウェブサイトやアプリ、ビデオ通話より3Dのほうが感覚的にやりとりができる、特にほかの人々と交流するような場合にはそうだとマーク・ザッカーバーグも語っている。人は何千年も進化してようやくフラットなタッチスクリーンを使えるようになったわけで、一理ある説だと思う。

ここ何十年か、オンラインでどういうコミュニティや体験を積み重ねてきたのかも確認しておくべきだろう。

1980年代から1990年代前半のインターネットは、基本的にテキストベースだった。そのころのユーザーはユーザー名やメールアドレス、プロフィールなどで識別するもので、やりとりはチャットルームや掲示板が中心である。

1990年代後半から2000年代前半には、パソコンの容量が増えて大きなファイルが扱えるようになり、インターネットもスピードが上がってそういうファイルをアップロードしたりダウンロードしたりできるようになった。結果、プロフィールとして画像を使ったり、低解像度の写真や場合によってはオーディオクリップも使った個人ウェブサイトを活用したりするのが一般的になる。この流れから生まれたのが、マイスペースやフェイスブックといった第1世代の大手ソーシャルネットワークだ。

2000年代後半から2010年代前半になると、まったく新しい交流の形が生まれる。ブログやフェイスブックはカバー写真1枚の下に近況をつづる文章が並んでいるだけだし更新もあまりされないとさびれてしまう。かわりに、みんな、でかけたときなどになにをしているのか、なにを食べているのか、そのときなにを考えたのかなどを高解像度の写真や場合によっては動画も使って投稿するようになった。この流れを生んだのは、ユーチューブ、インスタグラム、スナップチャット、ティックトックといった新しいタイプのソーシャルメディアネットワークだ。

こうして歴史をふり返ってみるとわかることがいくつかある。ひとつめは、自分が体験している世界をなるべくそのまま表現できるデジタルモデルを人は求めるものだということ。できれば音や動きも含め詳しくわかる形がいいし、変化にとぼしい記録ではなく、ライブ感のある形がいい。ふ

---

i 2020年8月、アップルがアプリストアから『フォートナイト』を削除したのは不当だとエピックゲームズが提訴したのち、iOS機器ではプレイできなくなった。

たつめは、オンライン体験がリアルになればなるほど、我々は現実の体験をオンラインに投稿することが増えるし、オンラインで過ごす時間が増えていくし、文化もオンライン世界の影響を強く受けるようになっていくことだ。三つめは、新しいソーシャルアプリの登場がそういう変化の先行指標になりがちなこと、また、そういうアプリはまず若者世代に広まりがちであることだ。これらをまとめると、インターネットは今後3Dに向かうということになりそうである。

これが本当なら、「3Dインターネット」はデジタルディスラプションにあらがってきた業界さえも飲み込むのではないだろうか。実は何十年も前から、高等教育や職業訓練を中心に教育の一部はオンラインのリモートへ移行していくとの見方がある。ところが実際は、特になにも変わらないのに大学入学希望者はどんどん増えるし、対面で行う従来型教育は中身が変わらないまま授業料だけ上がる（しかも平均インフレ率とはけた違いのスピードで）という状況が続いている。また、就職で不利になりそうだということもあり、質や資格が対面教育に匹敵する教育プログラムをリモートで行おうと試みる世界的名門校はなかった。一方、コロナ禍で、2Dのタッチスクリーンを使った在宅教育では十分な学びが得られないとの認識が世界に広がりつつある。

そして、VRやARのヘッドセットも性能が上がり、3Dの仮想世界やシミュレーションも進化した結果、教育が根底から変わる可能性が出てきたと言われるようになった。バーチャル教室なら、世界中の子どもたちが机を並べ、先生の顔を見ながら授業を受けることができる。15ミクロンと血球サイズまで小さくなって体中を巡ったり、元の大きさに戻ってバーチャルにネコの解剖をしたりすることもできるだろう。

大事なことを指摘しておこう。メタバースは3D体験だと考えるべきものだが、だからといって、メタバース内のあらゆるものが3Dである必要はない。メタバース内で2Dゲームをプレイすることもできるし、モバイル時代の機器やインターフェースで使ってきたソフトウェアやアプリケーションにメタバース経由でアクセスすることもできる。

また、３Ｄメタバースが登場したからといって、インターネット全体、さらにはコンピューティング全体が３Ｄになるわけではない。その証拠に、15年前にはモバイルインターネットの時代になったのに、いまもモバイルでない機器やネットワークが使われている。それどころか、モバイル機器同士でやりとりするデータも、運んでいるのはほとんど有線インターネットだ。さらに、ここ40年でインターネットがずいぶん広まったにもかかわらず、オフラインのネットワークも残っているし、独自プロトコルのネットワークも使われている。それでも、インターネットでさまざまな体験を新たに生み出していくのは３Ｄだし、このあと紹介するすごい技術課題を突きつけてくるのも３Ｄなのである。

没入型でなければならないとかＶＲヘッドセットが必要だとかいう話にならない点も指摘しておこう。メタバースを体験するなら没入型が一番だと将来的にはなるのだろうが、それでもアクセス方法のひとつにすぎないことは変わらない。没入型ＶＲでなければメタバースではないと主張するのは、モバイルブラウザを無視し、アプリ経由でアクセスしなければモバイルインターネットではないと主張するようなものだ。

実際には、いま、スクリーンなしでもモバイルデータネットワークやモバイルコンテンツにアクセスできている。車の動きを追跡する機器、一部のヘッドホン、マシンツーマシン（Ｍ２Ｍ）やモノのインターネット（ＩｏＴ）に対応した機器やセンサーなどがいい例である。ちなみに、メタバースもスクリーンなしで利用することができる。そのあたりは第9章で取りあげる。

リアルタイムレンダリング

レンダリングとは、２Ｄや３Ｄのオブジェクトや環境をコンピュータープログラムで生成する方法である。このプログラムがしているのは入力やデータ、ルールなどで構成された式を解く、つまり、グラフィックス・プロセッシング・ユニット（ＧＰＵ）や中央演算処理装置（ＣＰＵ）といったコンピューティング資源をどう使い、いつ、なにをレンダリングするのか（つまり、なにを目に見える形にするのか）を決める、だ。これは数学的な処理なので、使える資源（この場合は時間、ＧＰＵやＣＰＵの数、処理能力）が増えれば増えるほど複雑な式を解くことが可能になり、緻密（ちみつ）な結果を出せるようになる。

２０１３年の映画『モンスターズ・ユニバーシティ』では、産業用のプロセッサーでも、１台では１フレームのレンダリングに平均29時間もかかったそうだ。全体では12万フレーム必要なので、映画1本のレンダリングに2年以上かかることになる。やり直しやシーン変更がなかったとしてもこれだけかかるのだ。だからピクサーは、産業用コンピューター２０００台、２万４０００コアを連結したデータセンターを用意した。この能力をフル活用すれば、１フレーム7秒ほどでレンダリングできるという。[1] ふつうはここまでパワフルなスーパーコンピューターを用意できず、レンダリングにはかなりの時間がかかってしまう。建築事務所やデザイン事務所が詳細モデルをレンダリングするときなどは、一晩待つといったことをするわけだ。

ＩＭＡＸ上映のハリウッド映画を作る場合や、費用が何百万ドル、何千万ドルもかかるビル改修工事を提案する場合などは、リアルな映像を追求することに大きな意味がある。だが仮想世界はリアルタイムレンダリングとしなければならない。そうでなければ仮想世界の大きさもビジュアルも大きく制限されてしまうし、さらには参加するユーザー数も、ユーザーごとに選べるオプションも制限されてしまう。あらかじめレンダリングする形で没入型の環境を作るならシナリオを用意して流れを全部決めておく必要がある。小説も選択式にできるわけで、それと同じ作り方をするわけだ。この形では選択肢にかぎりがあり、パターンを無限に提供することはできない。ビジュアルに力を入れると機能や行動に制限がかかってしまうと表現することもできるだろう。

ローマにあるコロセウムをビデオゲームとグーグルストリートビューで見比べるとどうなるだろうか。どちらも好きなアングルが選べるし、上下左右前後と好きに動いて見ることができる。だがビデオゲームでは選択肢が少ない。また、石ひとつを拡大して見ようとするとぼけてしまうし、見る角度も固定されてしまう。もともとそういう見方が想定されていないからだ。

リアルタイムレンダリングにすれば、仮想世界はユーザーの動きに反応する生き生きとしたものになるが、1秒あたり少なくとも30フレーム、理想的には120フレームものレンダリングが必要になる。この制約により、どのハードウェアをどのくらい使うのか、何サイクル使うのか、さらには、どこまでレンダリングするのかが大きく左右される。

だから、没入型の3Dは2Dと比べものにならないほどコンピューティングパワーを消費する。そして、ふつうの建築事務所ではディズニー子会社ほどのスーパーコンピューターを用意できないのと一緒で、ふつうのユーザーに企業なみのGPUやCPUを用意しろというのは酷な話である。

相互運用可能なネットワーク

メタバースを議論するときには、アバターやバックパックといったバーチャルな「コンテンツ」を別の仮想世界に動かし、そちらでまた変更を加えたり売ったり、ほかのモノと組み合わせたりできると想定されていることが多い。『マインクラフト』で買った服を『ロブロックス』で着るとか、国際サッカー連盟、FIFAが企画し、バーチャルで行うサッカーの試合に『マインクラフト』で買った帽子と『ロブロックス』で獲得したセーターを組み合わせて着ていくなどだ。そして、その試合でプレミアムアイテムをもらったら、それもほかの環境に持っていったり、それこそ、サードパーティーのプラットフォームで販売したりもできるといった具合だ。

さらに、ユーザーがどこでなにをしても、その成果や履歴、さらには金銭的な結果にいたるまで、ほかの仮想世界でもすべて認められるし、現実世界でも認められる——メタバースはそういうものであるべきだ。国際的なパスポート制度、各地におけるクレジットスコア、国単位の身分証明制度（米国の社会保障番号や日本のマイナンバーなど）に近いと言えば言えるだろう。

このビジョンを実現するためには、まず、仮想世界同士が相互運用できなければならない。この「相互運用」とはコンピューター系の用語で、コンピューターやソフトウェアが情報を送りあうこと、送られてきた情報を活用しあうことを意味している。

相互運用性と言われて真っ先に浮かぶのはインターネットだ。なにせ、一つひとつは自主独立の種々雑多なネットワークを無数に結び、世界のあちらとこちらで情報を安全に、まちがいなく、互いに理解できる形でやりとりできるシステムなのだ。

この力を支えているのが、データをパケット化する方法やアドレスの指定方法、送信方法、ルート選定方法、受信方法などを定めた通信プロトコル、インターネット・プロトコル・スイート（TCP／IP）である。なお、このスイートを管理しているIETF（インターネット・エンジニアリング・タスクフォース）は、1986年に米国連邦政府の肝いりで設置された非営利のオープンスタンダード団体である（いまは独立の世界的組織となっている）。

だが、TCP／IPが設定されただけで、いまのような世界的に相互運用可能なインターネットができたわけではない。インターネットがひとつしかないのは、また、みながほかの選択肢ではなくインターネットを選ぶのは、中小零細企業もブロードバンドプロバイダーも、機器メーカーもソフトウェア会社も、世界中ほぼすべてがインターネット・プロトコル・スイートを自発的に採用しているからだ。

インターネットやワールドワイドウェブがどれほど大きくなっても、また、どれほど分散化しても相互運用性が保たれるよう、管理団体が各種設置されたのも大きい。ドット・コムやドット・オルグといったトップレベルドメインの割当や拡張を管理する団体や、インターネットにつながる個別機器を識別するIPアドレス、ある資源がコンピューターネットワークのどこにあるのかを示すURL、HTMLなどを管理する団体だ。

デジタル画像のJPEGやデジタルオーディオのMP3など、インターネットに置かれるファイルについても共通規格が必要だし、インターネットとはさまざまなウェブサイトやウェブページ、コンテンツの集合とも言えるわけで、その情報をどう表現するのかについてもHTMLなど共通のやり方が必要だ。そういう情報をレンダリングできるブラウザエンジン（アップルのウェブキットなど）も必要だ。規格はいくつも登場して覇を競い合うことが多いが、その場合、たとえばJPE

GからPNGなど変換する手法も登場して事なきを得てきた。特に昔のウェブはとてもオープンで、選択肢はほとんどが互換性を追求したオープンソースだった。だからいま、iPhoneで撮った写真をフェイスブックにアップロードしたり、続けてそれをグーグルドライブに転送したり、さらにそれをアマゾンレビューに投稿したりといったことができるわけだ。

アプリケーション、ネットワーク、機器、オペレーティングシステム、言語、ドメイン、国などさまざまな面で異なるもの同士が相互運用性を確立し、維持し、スケールアップするにはどういうシステムが必要なのか、どういう技術規格を用意しなければならないのか、また、どういう取り決めを交わさなければならないのか、インターネットを見ればよくわかる。ただし、仮想世界のネットワークを相互運用可能にするのは、インターネット以上に難しい。

いま人気の仮想世界は、ほとんどが独自のレンダリングエンジンを用いているし（同じところが出していてもタイトルによって違うケースさえ少なくない）、オブジェクトやテクスチャー、プレイヤーデータを保存するファイル形式もそれぞれ異なるし、それぞれ、必要と思うデータしか保存していないし、ほかの仮想世界とデータを共有するなど考えてもいない。だから、いまの仮想世界には、ほかの仮想世界をみつける方法も特になければ互いに存在を認識することもできない。やりとりできる共通言語もないので、一貫して安全かつ互いに理解できる形でやりとりするなど夢のまた夢である。

このように分裂してしまっているのは、いまの仮想世界を作っている人々がシステムや体験を相互運用可能にしようと考えていないからだ。それどころか、実は、経済性を都合よく操作したい、そのためにはクローズドな体験としたほうがいいと考えている。

ここからどうすれば規格を策定し、相互運用性を確立できるのか。一筋縄でいく話ではない。

「相互運用可能なアバター」ひとつを取ってもややこしい。なにをもってアバターだというのか、また、それをどう表示するのかくらいならディベロッパー間の合意も難しくないし、動かない2D画像は色つきピクセルの集合体なので、あるタイプのイメージファイルを（たとえばPNG）を別のタイプ（たとえばJPEG）に変換するのも簡単だ。

ところが、3Dになるとたんに話がややこしくなる。服などまでまとめてアバターと考えるのか、それともアバターは体だけでそこに服を着せていると考えるのか。後者であれば、何点身につけているのか、シャツの上に着ているのがシャツなのかジャケットなのかはどう区別するのかも問題になる。色を変えていいのはアバターのどの部分なのか。どことどこの色がセットなのか（袖とシャツは一体か別々か）。頭は全体がひとつのオブジェクトになっているのか、目、まつ毛、鼻、そばかすなどさまざまな構成要素の集合体として記述されていて、それこそ目などは瞳の色も一つひとつ、それぞれに定義されていたりするのか。問題はいくらでも出てくる。

擬人化クラゲと角張ったロボットではアバターの動き方も違う。オブジェクトについても同様だ。首に入れたタトゥーはアバターがどう動こうが肌にぴったり張り付いていなければならない。対してネクタイは、アバターが動けばそれに応じた動きをしなければならない。さらにネクタイと貝殻のネックレスでは動き方が違うし、貝殻のネックレスと羽毛のネックレスはまた動き方が違う。形や大きさ、どう見えるのかを伝えるだけでは不足で、その特性についても理解し、合意しなければならないわけだ。

仮に新しい規格について合意が取れ、それを改良していくことができたとしよう。そうなればなったで、サードパーティーの仮想オブジェクトを正しく解釈し、必要に応じて改変したり承認したりするコードを用意しなければならない。たとえば『コール オブ デューティ』が『フォートナイト』

からアバターをインポートするなら、殺伐とした雰囲気に合うようスタイルを変えたいはずだ。同時に、『フォートナイト』では擬人化された巨大バナナ、ピーリーが人気だが、『コール オブ デューティ』の世界観に合わないのでインポートは拒否したいはずだ（ピーリーではインポートしても戦闘車両に収まらないしドアも通れないという問題もある）。

解決しなければならない課題はまだまだある。ある仮想世界で買ったバーチャルな品物をほかの世界でも使えるのだとしたら、所有権はどこがどう管理するのか。持ち主と称する人物の依頼を受け、ある仮想世界から別の仮想世界に品物の利用リクエストを出すとき、どういう形でやればいいのか、また、そのユーザーが本当に所有者なのかどうやって確認すればいいのか。売買の管理も難しい。画像ファイルやオーディオファイルなど、変化しないものは3Dの物品よりシンプルだし、ほかのコンピューターやネットワークに送ることもできれば、送った先でだれがどう使おうが気にする必要もない。

バーチャルなオブジェクトについてだけでもこれなのだ。相互運用では、個人の識別やデジタルなコミュニケーションもそれぞれに問題をはらむ。金銭の授受などは最難関と言えるほど難しいだろう。

効率のよい規格でなければ困るというのもある。アニメーションGIFを例に説明しよう。これは広く使われているのだが、技術的には悲惨な規格である。フレームをかなり捨て、残ったフレームもディテールを失うほど圧縮してさえすごく重いのだ（つまり、ファイルサイズが大きい）。これをMP4形式にすれば5分の1から10分の1と軽くなる上、細かなところまでくっきりした動画にできる。このGIFを多用すれば、帯域は余分に食うしファイルロードの時間はかかるしで総合的な体験が悪化する。

たいした違いではないと思うかもしれないが、後述するように、メタバースは処理容量についてもネットワークについてもハードウェアについても要求がかつてないほど厳しい。また単なる画像ファイルに比べて3Dの仮想オブジェクトはサイズもけた違いに大きければおそらくは重要性も高い。言い換えれば、採用する形式次第で、いつ、どの機器で、なにができるのかが左右されかねない。

規格化とはややこしくうっとうしい作業で時間もかかる。技術に名を借り、商売やメンツをかけた議論になるからだ。物理法則は発見するものだが、規格はコンセンサスから生まれる。このコンセンサスというのがまたやっかいで、全員が譲歩し、不満を抱えることになりがちだ。その結果、分裂してしまうことも珍しくない。

しかも、規格化というのは1回やったらそれでおしまいという話ではない。その後も新しい規格を策定していかなければならない。古いものは改善したり、場合によっては廃止をめざしたりすることになる（いま、GIFは利用がゆっくりと減っている）。3D規格の策定は、仮想世界が登場して何十年もたってから始まったこと、また、業界規模が兆ドル単位とすさまじく大きいと見られていることから、ことさらに難しくなってしまっているのもまちがいのない事実である。

だから、「メタバース」なるものは成立しないという見方もある。たくさんの仮想世界が競い合うネットワークになる、というのだ。

だがこれはいつか来た道である。1970年代から1990年代初めにかけては、ネットワーク同士をつなぐ共通規格など策定できる日が来るのかとよく言われていた（「プロトコル戦争」と呼ばれている）。独自のネットワーキング規格がいくつか併存し、そういうネットワーク同士は、特別な目的がある場合にのみ一部を相手とやりとりする分断状態になるとの見方が当時は大勢だったのだ。

いまなら、全体をまとめてひとつのインターネットにしたことに価値があるのだとよくわかる。そうなっていなければ、いま、世界経済の20%が「デジタル」になっている(しかも、残りも大半がデジタル技術を活用している)などありえない。オープンで相互運用を可能にしたことがデメリットになった会社がないとは言わないが、事業者もユーザーもほとんどがその恩恵に浴している。

したがって、相互運用性を推し進めるのはビジョナリーの言葉でもなければ新しい技術でもなく、経済性のはずだ。そして経済性を最大化したいのであれば、共通規格を策定すべきだ。共通規格があればユーザーもディベロッパーも増えて体験が向上するし、そうなれば運用コストは下がって収益性が高まり、投資が増える。要するにメタバース経済が活性化するのだ。経済的な重力さえ働くようになればいいので、全員が共通規格を採用する必要は必ずしもない。採用したところは成長し、しなかったところは苦労する。それだけのことだ。

だからこそ、どうすればメタバースの相互運用規格を策定できるのか、それを理解するのが大事である。ここをリードした者は、この次世代インターネットが存在するかぎり並外れたソフトパワーを持つことになる。自分たちが物理法則を決めるに等しいし、決めた法則をいつ、どのように、なぜ改訂するのかも決められるのだから。

大規模

ウェブサイトやウェブページが無限と思えるほどなければ「インターネット」は「インターネット」たり得ない。それが一般的な感覚だろう。たとえばディベロッパー数社がポータルをいくつか用意している程度ではインターネットとは言えない。メタバースも同じである。すさまじい数の仮想世界がなければ「メタバース」と言えない。数が少なければ、せいぜいがデジタルのテーマパークだろう。作り込んだアトラクションやさまざまな体験を楽しむ場所であり、外の現実世界ほど多様でもなければ外の現実世界と競うようなこともできるはずがない。

ここで「メタバース」という言葉の由来を確認しておこう。これはギリシャ語の接頭辞「メタ」と語幹「バース」を組み合わせてスティーヴンスンが作った言葉であり、宇宙や世界という意味も持つ「ユニバース」から逆成した格好だ。なお、英語で「メタ」とは、そこに続く部分の向こう側やそれを超えたところを意味する。だからメタデータはデータを記述するデータという意味になる。つまり、我々がいる「ユニバース（宇宙）」には7000京とゼロが20個並ぶに近い数、惑星があるとも言われているが、その現実世界はもちろん、コンピューター生成のさまざまな「ユニバース（世界）」もすべてカバーする統合レイヤー――そういう意味が「メタ＋バース」には込められているのだ。

メタバースを構成するものの中に、運営主体が同じでつながりがはっきりわかる仮想世界の一群、「メタギャラクシー」を考えることもできる。『ロブロックス』はメタギャラクシー、『アダプトミー』は仮想世界と言えるだろう。『ロブロックス』は『アダプトミー』を含む多種多様な仮想世界のネットワークだが、『ロブロックス』に含まれない仮想世界もあるからだ（すべての仮想世界を含むなら『ロブロックス』がメタバースということになる）。

一つひとつの仮想世界も中がいくつかに分かれていたりするかもしれない。インターネットを構成するネットワークの中にはサブネットワークがいくつもあったりするし、地球には大陸がいくつもあり、各大陸は複数の国に分かれ、国はさらに州や県などに分かれ、それぞれがまた都市などに分かれているが、それと同じだ。

メタギャラクシーとはなんなのか、インターネットとフェイスブックの関係を考えてみるとわかりやすいかもしれない。フェイスブックはインターネットと呼べないが、さまざまなページやプロフィールがかっちりとまとまってひとつの世界を形成している。２Ｄのメタギャラクシーと言ってもいいだろう。

メタバースの相互運用性も、たとえ話で考えるとわかりやすいかもしれない。我々が住むこの世界も、好きなモノを好きな場所に必ずしも持っていけるわけではない。ギターを金星まで持っていくことはできるが、そんなことをしたら壊れてしまう。農場ひとつを月に動かすことも不可能とは言わないが、そんな無理をしても益はない。地球に話を限れば、人が作ったものならたいがいどれでも、人が作った場所なら好きなところに運ぶことができるわけだが、社会、経済、文化、安全などさまざまな面から制約があるのもまた事実である。

仮想世界の数が増えれば、その利用方法も増えるだろう。仮想世界をリードする人々のなかには、そのうち、『フォートナイト』や『マインクラフト』といったプラットフォームを利用する形や独立惑星のような形で、みな、仮想世界を自社運用するのが当たり前になるという見方もある。「何十年か前には、みな、競ってウェブページを作ったし、ここしばらくは、みな、競ってフェイスブックページを作った。それと同じように」――ティム・スウィーニーはこう表現している。

永続性

仮想世界の永続性についてはすでに触れている。いま、完全な永続性を持つゲームはない。いまのゲームは、どれも、ある程度の時間プレイすると、仮想世界の全体あるいは一部がリセットされてしまう。人気のゲーム、『フォートナイト』と『フリーファイア』を例に説明しよう。ここでは、さまざまな構造物を作ったり壊したり、野に火を放ったり、動物を殺したりできるが、プレイ開始から20分から25分くらいでマップは終了し、廃棄されてしまう。バトルで獲得したアイテムやアンロックしたアイテムは手元に残るかもしれないが、同じマップをもう一度プレイすることはできない。それどころか、実は、バトル中も、破壊不能な岩についた弾痕は30秒で「アンロード」されるなど、一部のデータは捨てられていく。レンダリングの負荷を減らすためだ。

どの仮想世界も『フォートナイト』と同じようにリセットされるわけではない。たとえば『ワールド・オブ・ウォークラフト』など、稼働しつづける世界もある。だがそれでも、完全な永続性があるとは言えない。マップのどこかにログインし、敵を倒していったんログアウトしてから戻ると、倒したはずの敵がそこにいたりする。商人からレアアイテムを買った翌日、同じ商人が初めて会ったかのように同じレアアイテムを売り込んできたりする。ディベロッパー（この場合はアクティビジョン・ブリザード）が大規模アップデートをすると、仮想世界そのものも変わったりする。選択やイベントの影響がずっと残るか否か、プレイヤーにどうこうできるものではないのだ。永続的と言えるのはプレイヤーの記憶と、敵を倒した、アイテムを購入したといった記録だけである。

仮想世界を永続的にするのがなぜ難しいのかは理解しづらいかもしれない。そんなこと、現実世界では問題にならないからだ。現実世界で木を切り倒したら、その木はなくなってしまう。切ったと覚えていようがいまいが、ほかに木が何本あろうが、ほかの人がなにをしようが関係ない。だがバーチャルな木の場合、ユーザー側の機器なりサーバーなり、それを管理している装置は、切られたという情報を残し、切られた形でレンダリングしてほかのユーザーにもそう見せるのかを能動的に決めなければならない。その情報を残す場合、追加で細かな問題が生じる。木を単になくせばいいのか、それとも地面に倒れた形にするのか。どちら側から切り込んだかわかるのか、単純に切れているだけなのか。腐っていくのか。腐り方はどこでも同じなのか、環境次第で異なるのか。保持する情報が増えれば増えるほど処理が重くなり、ほかのことに使えるメモリーや処理能力が減ってしまう。

処理と永続性の関係は、ゲーム『イブ オンライン』について考えてみるとわかりやすい。『イブ オンライン』は『セカンドライフ』といった2000年代初頭の「プロトメタバース」や最近の『ロブロックス』に比べると知名度は劣るが、すばらしいゲームだ。トラブルや改修でたまに止まった以外、2003年のリリースからずっと動き続けている。また、『フォートナイト』など、プレイヤーが何千万人いようが、それを12人から150人の小さな集団に分けて20分から30分のバトルをする形のゲームが多いなか、『イブ オンライン』は、何十万人という月間ユーザー全員が、惑星7万個、惑星系にして8000カ所近くもある広大な仮想世界ひとつにログインする形になっている。

この裏には画期的なシステムアーキテクチャーがあるわけだが、それに加えて（というよりこちらがメイン）みごとなクリエイティブデザインがある。

『イブ オンライン』という仮想世界は、基本的に、3次元の空間が広がっているだけで、銀河に見えるものは壁紙の背景画像にすぎない。また、実際に惑星に降り立てるわけではないし、鉱石の採掘もバーチャル掘削装置を設置してうんぬんではなく、無線ルーターの設定みたいなやり方になっている。そういう仕様なので、それほど多くない権利（プレイヤーが持つ船や資源など）と関連の位置データくらいを管理すれば永続性が実現できる。つまり、CCPゲームスのサーバーが処理しなければならない作業は少ないし、ユーザー側機器も世界が変化したからとレンダリングしなおす必要はなく、多少のオブジェクトをレンダリングするだけでいい。このあたりが単純なので、リアルタイムレンダリングも楽にできるわけだ。

さらに、日単位や月単位、それどころか年単位でも『イブ オンライン』はほとんど変化しない。このゲームは、プレイヤー同士が協力して惑星、星系、銀河と征服していくことが目的で、コーポレーションを設立する、アライアンスを作る、フリートと呼ぶ艦隊を戦略的に配置するといったやり方で進めていくからだ。そのため、サードパーティーのメッセンジャーアプリやメールなど、CCPサーバーと関係ない「現実世界」で連絡を取り合うことが多い。

このゲームでは、攻撃を計画する、敵ギルドに潜入する、資源を交換したり船を新造したりする仲間を増やすなどに何年も費やすことになる。大規模な戦いも起きるには起きるがごくまれだし、そのとき破壊されるのは船などのアセットであって仮想世界そのものが壊れたりはしない。前者は後者に比べて管理が簡単だ。庭から植物を抜いて捨てるとき、それが庭の生態系にどういう影響を与えるのかを理解するのは大変だが、捨てるだけなら簡単なのと同じである。

『イブ オンライン』がすごいのは、技術という側面から見ても社会という側面から見てもすごく複雑であるにもかかわらず、一般的なメタバースのイメージに比べてすごくシンプルである点だ。たとえばスティーヴンスンの『スノウ・クラッシュ』において、メタバースは惑星規模の巨大なもので、そこで営まれている事業も訪問する場所も、アクティビティも買物も、会う人も無限と言っていい。そして、いつかどこかでだれかがなにかすれば、ほぼすべて、その結果が永続的に残る。仮想世界全体についてもそうだし、個別のアイテムについてもそうで、アバターもバーチャルスニーカーも使えば傷むし、傷んだものが元に戻ったりしない。また相互運用性が確保されている場合、ほかの仮想世界に移っても傷んだものは傷んだままということになる。

そういう状況を作り出し、維持するためには、膨大な量のデータを読んだり書いたり、同期したり（同期についてはこのあと詳しく語る）、レンダリングしたりしなければならない。いまの技術ではとうてい不可能なレベルだ。

ただ、スティーヴンスンが書いたようなメタバースを実現すべきかというと疑問である。彼は、メタバース内のバーチャルな自宅で目を覚まし、歩いたり電車に乗ったりしてバーチャルなバーに行く世界を思い描いた。スキューモーフィズム[ii]は役に立つことが多いが、ひとつの仮想世界全体を〈ストリート〉にまとめてもあまり意味はないと思う。ほとんどの人は、目的地にテレポートできたほうがいいと思うはずだ。

幸いなことに、地球規模の世界に対してみんながなにをしたのか、永続的に処理するより、世界や時間をまたいでユーザーデータ（すなわち所有物や行動履歴）の永続性を実現するほうがずっと簡単である。後者のほうがいまのインターネットに近く、であればおそらく、人々にとってなじみやすいやり方であるとも思われる。インターネットでは、入口となるページがあってそこにまずアクセスし、そこからグーグルドットコムに飛んで目的の文書を探すというやり方などしない。グーグルドキュメントの文書やユーチューブの動画など、利用したいウェブページに直接飛んだりするわけだ。

また、サイトやプラットフォーム、あるいはドットコムなどのトップレベルドメインがひとつくらいどうにかなってもインターネットそのものがなくなることはない。サイトがひとつなくなったりそれなりの数のサイトがなくなったりすればそのコンテンツは失われるかもしれないが、全体としてのインターネットは存続する。ユーザーが作ったコンテンツはもちろん、クッキーやＩＰアドレスなどのユーザーデータも、特定のウェブサイト、特定のブラウザ、特定の機器、特定のプラットフォーム、特定のサービスがあろうがなかろうが存続できる。

だが仮想世界がオフラインになったりリセットされたり、シャットダウンしてしまうと、ユーザーにとって、そんな仮想世界などなかったに等しくなってしまう。世界そのものの運営が続いていても、プレイをやめたプレイヤーにとっては、そこで手に入れたアイテムや履歴、成果、さらにはそこでつちかった人間関係も一部はおそらく失われてしまう。

それでもゲームならたいした問題にはならないが、人間の社会そのものを仮想空間にシフトして教育や仕事、健康管理などに活用するのなら、小学校の成績や野球大会のトロフィーがいつまでも残っているように、その世界でしたこともちゃんと残ってくれないと困る。ジョン・ロックら哲学者によると、人のアイデンティティは記憶の連続性として理解すべきものだという。であるならば、やることなすことすべてが消えてしまうバーチャル世界で人はアイデンティティを確立できないことになる。

いずれにせよ、メタバースが成長するには仮想世界ごとに永続性を高める必要があるのはまちがいない。本書でくり返し指摘することになるのだが、ここ5年ほどでみるみる広まった仕組みの多くは新しいものでもなんでもなく、新しく可能になったものだったりする。だから、『ワールド・オブ・ウォークラフト』で新雪にどう足跡が刻まれているのかをなぜずっと記憶していなければならないのか、いまは不思議に思うかもしれないが、そのうちどこかのデザイナーが解法を編み出し、当

---

ii スキューモーフィズムとは、現実世界にあるモノに似せたインターフェースとするデザイン手法を指す。iPhoneのメモアプリは、当初、付せんと同じように黄色い紙に赤字で書く形式になっていたが、これがスキューモーフィズムである。

然の機能として多くのゲームに採用されるようになる可能性が高い。その日が訪れるまでは、バーチャル不動産を基礎とする仮想世界や物理的な空間とリンクする仮想世界などで永続性が重視されるといった形になるだろう。デジタルツインなら現実世界の変化に応じて頻繁に更新すべきだし、すべてバーチャルな不動産プラットフォームなら部屋にほどこした装飾や美術品を「忘れる」ことなどあってはならないわけだ。

同期性

我々がメタバースの仮想世界に求めるのは、永続性とリアルタイムの反応だけではない。そこでの体験をほかの人と共有したい。みな、そういう望みも持っている。

そのためには、各ユーザーのインターネット接続は大量のデータを短時間にやりとりできるものでなければならないし（「広帯域」）、レイテンシーが小さくなければならないし（「高速」）、仮想世界のサーバーと（上りも下りも）継続的に（途切れることなく維持される）つながっていなければならない。

それがどうした。そう思うかもしれない。いまどき高解像度の動画をストリーミングで見る家庭はごくふつうにあるし、コロナ禍の世界経済はライブのビデオ会議で回っていると言っても過言ではない。その上、帯域を広くするのとレイテンシーを小さくするのとブロードバンドプロバイダーは言い続けているし、実現もしている。インターネット接続が落ちることもどんどん減っている。そういう状態なのだから。

だが、いまのメタバースが直面している制限で一番大きく、しかも解決が難しいのは、同期型のオンライン体験だろうと思われる。そもそも、インターネットが同期体験を共有するように作られていないのだ。もともとの設計では、メッセージやファイルのある瞬間におけるコピーを別のところと共有できるようにする（具体的には研究所や大学が一度に1カ所ずつアクセスしてくる）のが目的だった。すごく限られた機能に聞こえるが、いまくらいのオンライン体験なら特に問題なく処理できてしまう。継続的な接続でライブ体験というか継続体験というかができていると感じるニーズがないに等しいからだ。

どんどん更新されるフェイスブックのニュースフィードやニューヨークタイムズ紙の選挙速報フィードなどはライブなウェブページをサーフィンしていると感じるかもしれないが、現実には、更新ページを次々受け取っているにすぎない。

実際のところどうなっているのか、詳しく見てみよう。まず、ブラウザかアプリを経由する形でユーザー側機器からフェイスブックやニューヨークタイムズのサーバーにリクエストが送られる。リクエストを受け取ったサーバーはこれを処理し、適切な内容の応答を返す。この応答には一定間隔で更新を求めるコードが含まれているので、5秒ごとや60秒ごとなど、指定間隔で更新が要求される。なおこのやりとりは、ユーザー機器発のものもサーバー発のものも、毎回、同じネットワーク経路をたどるとはかぎらない。

こういう仕組みなので、ライブかつ継続的な双方向接続に感じられても、実は、一方通行で経路も不定、非ライブのデータパケットがおりおりまとめて送られてきている形なのだ。インスタントメッセンジャーも同様である。やりとりしている両ユーザーとも、また、途中に経由するサーバーも、すべて、一定のデータを送りあい、情報を頻繁にリクエストしあって、メッセージや既読通知をやりとりしているのである。

ネットフリックスも継続的でない形で動いている。ストリーミングという言葉も、途切れることなく動画を再生するという目標体験も継続性を感じさせるものではあるのだが。ネットフリックスのサーバーが実際に行っているのは、データをバッチ単位でユーザーに送り出すことだ。サーバーからユーザーまでの伝送経路は、バッチごとに違うのがふつうだ。なお、再生しているところの30秒先までなど、データを少し余分に送ることが多い。こうすれば、経路が混んでいた、Ｗｉ－Ｆｉがちょっと途切れたなど、配信が短時間乱れた場合でも動画の再生は途切れずにすむ。つまり、継続的でないやり方で配信しているからこそ、継続的に配信されていると感じることができるわけだ。

ネットフリックスはほかにも工夫をしている。公開の少なくとも何時間か前、場合によっては何カ月も前に動画のファイルが届くので、あらかじめ機械学習でフレームデータを分析し、どの情報なら削っても大丈夫なのかを確認してファイルを小さく圧縮するなどだ。具体的には、青空のシーンで視聴者側の帯域が急に狭まったりしたら、青空を表現する色合いの数を５００から２００、50、25と落としていく、といったことを決める。文脈も考慮の対象で、会話シーンは動きの激しいアクションシーンより強く圧縮しても大丈夫といった具合だ。ネットワークの結び目となるルーターやコンピューターなどをノードと呼ぶが、あちこちのノードにコンテンツをプリロードするのも工夫のひとつだ。『ストレンジャー・シングス 未知の世界』が見たいとリクエストが来たら、その視聴者に近いノードから配信するわけだ。

こういう工夫ができるのは、ネットフリックスが非同期体験だからだ。ライブコンテンツの場合、事前準備ができない。ネットフリックスやＨＢＯマックスなどのオンデマンドストリーミングに比べてＣＮＮやツイッチなどライブの動画をストリーミングしているところが不安定なのはそのせいだ。

とはいえ、ライブのストリーミングにも若干の工夫が施されている。まず、配信を基本的に2秒から30秒、遅らせる。こうすれば多少なりともコンテンツをあらかじめ送っておけるので、配信速度がちょっと落ちることがあってもなんとかなる。コマーシャルの時間も貴重で、その前の接続が不安定だったりしたら、この時間を活用して配信側サーバーやユーザー側の接続をリセットする。また、ライブ動画の配信は、CNNのサーバーからユーザーなど、ほとんどが一方向だ。ツイッチのチャットなど、双方向のものもあるが、こちらはこちらで共有されるデータの量は少ないし（チャット部分）、少しくらいなにか起きても全体としてはあまり問題にならない。ライブ動画といっても2秒前から30秒前の映像を見ているわけで、そこに影響が出るほどにはならない。

結局、リアルタイムレンダリングでマルチユーザーの仮想世界以外、広帯域、低レイテンシーの継続接続が必要なオンライン体験はほとんどない。大半は3要素のうち1要素で十分か、せいぜい2要素もあればこと足りるのだ。アルゴリズムで売買するなど有価証券の超短期取引をするときは、通信が遅れると利益のつもりが損失になったりしかねないので、遅れをなるべく小さくしたい。だがこの場合、注文そのものはデータ量がごく少ないし、サーバーと継続的につながっている必要もない。

例外的に条件が厳しく、最近広く使われているのがズーム、グーグルミート、マイクロソフトチームズといったビデオ会議ソフトウェアだ。ビデオ会議では高解像度の動画をたくさんの人が同時に送受信し、体験を共有することになる。それでも、こういうソフトウェアが処理している解像度は、大勢が一度に参加するリアルタイムレンダリングの仮想世界に求められるものにはほど遠い。だからなんとかなっている。

ズーム会議では、おりおり、パケットの到着が遅れたりそれこそ届かなかったりして、言葉の一部が欠けたりするが、それでもたいがいは話が通じてしまう。接続が切れてすぐまたつながることもあって、そういうときズームは、配信できなかったパケットを送り直すし、再生速度を少し上げるとともに音が切れているところはカットすることで「ライブ」感を演出する。ユーザー側ネットワークやそことズームサーバーをつなぐ回線のどこかに障害が発生し、接続が完全に切れてしまうこともある。その場合は入り直すしかないが、ひとりいなくなって戻ってきたとだれか気づくことはほとんどないし、気づいた場合もそれで会議の進行がおかしくなることはまずない。ビデオ会議はだれかひとりに注目が集まるタイプの共有体験であって、多くのユーザーが同時進行でいろいろするタイプではないからだ。

落ちたのがスピーカーだったら？　その場合も、ほかの人が話し始めるか、スピーカーが戻ってくるのを待つか、とにかく、ビデオ会議はちゃんと進んでいく。映像や音声をちゃんと伝えられないほどネットワークが混みすぎると、ズームは、一部の人について映像のアップロード・ダウンロードをやめ、大事な部分、すなわち音声を優先的に配信する。参加者によってレイテンシーが違いすぎると、映像と音声が届くタイミングが4分の1秒、2分の1秒、あるいは丸々1秒もずれてしまい、会話が成立しにくくなることもある。この場合も、しばらく待てば対応が取られるはずだ。

仮想世界は要求が厳しく、少しの不具合でも大きく影響されてしまう。配信されるデータは複雑だし、全員のデータが正しいタイミングで届いてくれなければならないからだ。

ビデオ会議は実質的にクリエイターひとりに視聴者多数という形だが、仮想世界は、ふつう、全員が参加者である。だから、一瞬でもだれかいなくなると全体に影響がおよぶ。いや、落ちなくても同期がほんの少しずれただけで仮想世界はおかしくなってしまう。

ファーストパーソン・シューティングゲームでプレイヤーBに比べプレイヤーAは75ミリ秒遅れ

ているとしよう。プレイヤーAはプレイヤーBを狙い撃ちしたつもりが、ゲームサーバーが追跡しているプレイヤーBはすでに移動しているし、プレイヤーBもそれがわかっている。そういうことが起きてしまう。だから、仮想世界のサーバーは、だれの体験が真であるのか（つまり、どれをレンダリングし、全員に配信するのか）、だれの体験は偽として拒否するのかを判断しなければならない。ふつうは、遅れているユーザーを拒否し、遅れていないユーザーのプレイを優先する。だが、人によって体験が異なり、無効と判断されたりするようでは、メタバースが現実に並行する存在空間として機能しなくなってしまう。

1シミュレーションに参加できるユーザー数が処理能力で制限されるということは（この問題は次のセクションで詳しく検討する）、落ちたら復帰できなかったりするわけだ。そうなると落ちたユーザーはもちろん、その友だちも困ってしまう。一緒にプレイすることを優先するなら友だちもみんないったん落ちる必要があるし、それがいやなら落ちた友だち抜きでプレイを続けることになる。

つまり、レイテンシーや遅延は、ネットフリックスやズームならいらつく人もいる程度の問題だが、仮想世界ではバーチャルな死に等しく、集団全体がフラストレーションを抱えてしまう。ちなみに、リアルタイムレンダリングの仮想世界に問題なく参加できる回線を持つ家庭は、本書執筆の時点で、米国でも4分の3にすぎないし、中東にいたっては4分の1に満たない。

同期問題を詳しく見てきたが、これは、メタバースが今後どう発展し、どう成長していくかを左右する大事な問題だからだ。メタバースの行く末はVRヘッドセット、アンリアルなどのゲームエンジン、『ロブロックス』をはじめとするプラットフォームなど関連機器の進化次第だと考える人が多いが、その実、なにがいつだれによって可能となるのかを決めるのは、そして、その足かせになるのは、ネットワーク性能なのだ。

　ほかの章で詳しく検討するが、シンプルな解決方法もなければ費用があまりかからない解決方法もない。さっとどうにかできる解決方法もない。有線インフラも新しくしなければならないし、無線規格やハードウェアも新しくしなければならない。ボーダー・ゲートウェイ・プロトコル（BGP）などインターネット・プロトコル・スイートの基盤要素までも考え直さなければならなくなるかもしれない。

　BGPなど聞いたこともない人がほとんどのはずだが、このプロトコルは、実のところあっちでもこっちでも使われている。複数ネットワーク間でデータをどこへどのように送るのかを管理するもので、デジタル時代の交通整理係とでも言えばいいだろう。問題は、変化しない非同期ファイルを共有するというインターネット当初の目的に合わせて作られている点である。送られているのはどういうデータなのか（メールなのはライブのプレゼンなのか、それともリアルタイムレンダリングのバーチャルシミュレーションでバーチャルな銃撃を逃れようと操作された入力なのか）関知しないし、送られる方向も（受信なのか送信なのか）関知しない。ほかにも、ネットワークが渋滞していたらどういう影響を受けるのかなど、関知しないものがたくさんある。そのあたりは全部無視し、BGPは、守備範囲が広い画一的な方法で伝送ルートを定める。基本的には一番短いパス、一番速いパス、一番低コストのパスから選ぶ形で、優先順位が高いのは最後の低コストパスだ。だから、接続は維持されていても時間がかかりすぎたり（高レイテンシー）、リアルタイムに配信する必要のない別トラフィックが優先されて接続が切れてしまったりする。

　BGPはインターネット・エンジニアリング・タスクフォースが管理していて改訂可能だ。だが、世界中のインターネット・サービス・プロバイダー、プライベートネットワーク、ルーターメーカー、コンテンツ・デリバリー・ネットワークなどが採用してくれなければ、変更しても実効が得られない。仮に大きな改訂ができたとしても、少なくとも当分のあいだ、グローバルなメタバースにとっては不十分ということだ。

無限のユーザーおよび個別プレゼンス

いつの出来事なのかスティーヴンスン自身はあきらかにしていないが、『スノウ・クラッシュ』は２０１０年代の半ばから終わりにかけての話らしい。このメタバースは地球の2・5倍という巨大なもので、常に、ニューヨークの人口の倍がログインしているという[2]。スティーヴンスンが思い描いた「現実世界」は総人口が80億人ほどで、このメタバースのプロトコルを処理できる高性能コンピューターが使え、好きなときにログインできるのはそのうち1億２０００万人という。いまの現実世界は、とてもそのレベルにない。

我々はどのくらい遅れているのだろうか。面積10平方キロメートルもない非永続性の仮想世界で機能を大きく制限し、かつ、史上トップクラスの成功を収めているビデオゲーム会社がパワフルなコンピューティング機器で運営していても、一緒にプレイできるのは50人から１５０人がせいぜいだ。しかも同時接続ユーザー（ＣＣＵ）が１５０人というのは偉業であり、とてもよく工夫されているからようやく実現できている数字である。

『フォートナイト バトルロイヤル』では、最大１００人がひとつのフィールドにログインしてリッチなアニメーションの仮想世界を楽しむことができる。プレイヤーは描きこまれたアバター姿となり、二桁のアイテムを自在に使える。ダンスや戦闘行動もいろいろとできる。10階ほども高さのある複雑な構造物を作ることもできる。だが、マップは5平方キロメートルと狭く、一度に対戦できるのは10人から20人強が限界だ。また、終盤、戦闘区域が狭くなるころには、プレイヤーの大半が死んでスコアボードに名前が書かれているだけになっている。

『フォートナイト』をソーシャルイベントに使う場合も同じ技術的制約が生じる。たとえばトラヴィス・スコットが２０２０年に行った有名なコンサート。こういうときはマップの狭い範囲に「プレイヤー」が集中するので、レンダリングや計算処理の負荷が大きくなってしまう。だから、まず、1カ所１００人といういつものプレイヤー数制限を外す一方、構造物の構築といったアクションや各種アイテムの機能は無効にして負荷を下げる設定がなされた。このライブコンサートには１２５０万人以上が集まったというエピックゲームズの言葉にうそはないのだが、集まった人々は25万カ所に分けられていたし、フィールドごとにイベントが始まる時間もずれているしで、いわば、25万バージョンものスコットがいてそれを観た形になっている。

大規模多人数同時参加型オンラインゲームの『ワールド・オブ・ウォークラフト』も、同時接続ユーザー数の問題を考える格好の題材である。プレイする際は、まず、「レルム」と呼ばれるサーバーを選ばなければならない。レルムは１５００平方キロメートルほどの仮想世界で、別のレルムは見ることもできなければそちらに連絡を取ることもできない。そういう意味では、ワールドを複数形にすべきなのかもしれない。ただ、別のレルムに移動はできるので、ユーザーの行き来によって全体がひとつの「大規模多人数同時参加型」オンラインゲームになっていると言えないことはない。なお、同じレルムで同時にプレイできるのは数百人が限界で、どこかにプレイヤーが密集すぎた場合、自動的に、そのエリアの一時コピーがいくつも作られ、プレイヤーはそこに割り振られるようになっている。

『イブ オンライン』は参加者全員がひとつの永続的世界にログインするもので、『ワールド・オブ・ウォークラフト』や『フォートナイト』などと大きく違うユニークなものと言える。それを可能にしているのは、前にも触れたように特殊なデザインだ。『イブ オンライン』は戦いが宇宙で行われる設定なのでアクションはバラエティに乏しく、比較的シンプルだし（レーザービームを撃つのとプレイヤーが飛んだり跳ねたりするのとを想像してみればわかるだろう）、戦い自体、そうそう簡単に起きたりしない。アバターふたりがそれぞれ自由に動いて踊ったり飛び上がったり撃ち合ったりするのに比べれば、船で惑星から資源を採掘する、連続で爆発が起きるなどがはるかにシンプルなのは疑いようがないだろう。『イブ オンライン』で鍵を握るのはゲーム内で行われる処理やレンダリングではなく、ゲーム外で人間がどういう計画を立て、なにを決断するのかなのだ。また、ゲーム空間が宇宙で広く、プレイヤー同士も遠く離れているのがふつうなので、CCPゲームスのサーバー側では、必要な場合以外、あちらとこちらは別の仮想世界であるかのような取り扱いができる。さらに「移動時間」なるものがあってプレイヤーがどこかにさっと集結することはできなくなっているし、そもそも移動すると戦略的なコストやリスクが発生する。

そんな『イブ オンライン』も同時性の問題に苦しむことがある。2000年代のことだ。とある大星団で多くのプレイヤーが行き来する惑星のそばにユーライなる星系があり、そこに交易所を設けたらよさそうだと気づいた集団がいた。[3] 狙いたがわず。交易所ができるとほどなく買い手が群がるようになり、買い手がいるならと売り手も集まるようになり、それがまた買い手を呼び込んでと雪だるま式に栄えていった。そして、交易所の取引数が増えすぎてCCPゲームスのサーバーが悲鳴をあげるようになり、『イブ オンライン』の宇宙そのものを作り変えてその交易所を訪れにくくする騒ぎとなった。

ＣＣＰゲームスは「ユーライ騒動」を教訓として、その後、マップのデザインや拡張、改修などを進めている。それでも、問題を完全に避けることはできなかった。戦略的にとても重要な戦いが勃発し、味方を救い、敵をたたこうとプレイヤーが数千人も集結する騒ぎが起きたのだ。

イブ史上最大の戦いが始まったのは、２０２1年1月である。ＰＡＰＩという連合軍とインペリアム軍が7カ月近くも戦い続けたもので、規模は過去最大の倍以上。そうだったはずと言うべきかもしれない。この戦いの敗者はＣＣＰゲームスのサーバーだ。絶対に勝ってやると意気込み、1万２０００人ものプレイヤーがひとつのシステムに集結。だがサーバーの処理が追いつかず、プレイヤーの半分はログインさえできないし、なんとかログインできたらできたで地獄の苦しみを味わうことになってしまった。作戦に参加する前にやられてしまうし、だからといってログアウトもできない。そのサーバースポットで敵がログインし、味方がやられてしまうかもしれないからだ。最後はインペリアムが勝ったことになっている。当たり前と言えるだろう。戦いがまともに行えなければ守備軍が勝つ以外に考えられない。

同時性はメタバースが本質的にはらむ問題だ。同時接続ユーザーが増えると、処理してレンダリングし、同期させなければならないデータの量が指数関数的に増えてしまう。だれも触らないのなら、どれほどすばらしい仮想世界でもレンダリングは難しくない。うまく作られたピタゴラ装置[iii]が動く様を見せるのと変わらないからだ。そして、プレイヤーというか視聴者というかがシミュレーションに働きかけられないのなら、継続的な接続もリアルタイムの同期も不要になる。

ユーザー機能や双方向性、継続性、レンダリング品質などが大きく損なわれることなく大勢が同じイベントを同じ時、同じ場所で体験できなければ、メタバースはメタバースたりえない。スポーツの試合やコンサート、政治集会、美術館、学校、ショッピングモールなどに集まれる人数が50人から150人に制限されていたら、社会はいまのようなものではなく、きわめて限られたものになるはずだ。

ともかく、いまはまだ、密度という意味でも柔軟性という意味でも「現実世界」をコピーすることはできないし、まだ当分のあいだは不可能な状態が続くだろう。2014年、フェイスブックがメタバースへの転換に向けてオキュラスVRを買収したが、その元CTOで現在は顧問CTOを務めているジョン・カーマックは、2021年、フェイスブックのメタバース基調講演で「コンピューターの処理能力が100倍になったらメタバースを実現できるかと2000年に問われたら、たぶん、できると答えたことでしょう」と語っている。それから20年以上もたち、規模という意味でもメタバースへの入れ込みようという意味でも世界有数の企業が後ろ盾についているというのに、メタバースの到来は少なくとも5年から10年は先だし、そのくらいでなんとかするにはトレードオフを覚悟して思い切った最適化をしなければならないという。2000年に数億台だったパソコンの100倍は処理能力を持つコンピューターが何十億台も動いているというのに、である。[4]

---

iii ピタゴラ装置は複雑な連鎖反応によってごくシンプルななにかを実現するものだ。たとえば、ボールをカップに入れたいとしよう。そのため、えんえんドミノ倒しをしたあと、扇風機を回してレール上のボールを動かし、そのボールが空中を飛んだりあちこちぶつかったりしたあと、目的のカップに転がりこむといった具合にするわけだ。

この定義に欠けているもの

さて、私が考えるメタバースの定義をおさらいしておこう。「リアルタイムにレンダリングされた3D仮想世界をいくつもつなぎ、相互に連携できるようにした大規模ネットワークで、永続的に同期体験ができるもの。ユーザー数は実質無制限であり、かつ、ユーザーは一人ひとり、個としてそこに存在している感覚（センス・オブ・プレゼンス）を有する。また、アイデンティティ、歴史、各種権利、オブジェクト、コミュニケーション、決済などのデータに連続性がある」だ。ここに「分散化」「ウェブ3」「ブロックチェーン」といった言葉が登場しないのをいぶかしむ人も多いだろう。驚くのも無理はない。この三つはこのところバズワード化しているし、互いに絡めて語られたりメタバースと絡めて語られたりすることが多いからだ。

いまのインターネットは、グーグル、アップル、マイクロソフト、アマゾン、フェイスブックなどの大手プラットフォームが中心になっているが、ウェブ3は独立系ディベロッパーやユーザーが中心となる新しいタイプのインターネットだ（はっきりとした定義はまだない）。分散化された形のインターネットで、ブロックチェーン技術を基礎とするのが一番いい（あるいは、おそらくはそうなる）と言われている。実はこのあたりを混同してしまう人が多い。

メタバースもウェブ3もいまのインターネットの「後継」となるものだが、中身はまったく違う。ウェブ3は3Dである必要などなく、リアルタイムレンダリングである必要もなければ同期体験である必要もない。逆にメタバースは分散化している必要もなければ分散データベースやブロックチェーンを採用する必要もなく、オンラインの力をプラットフォームからユーザーにシフトさせるものというわけでもない。このふたつをひとまとめに語るのは、社会的変化と統治の問題である民主共和制の登場を技術とその普及を意味する産業化や電化と一緒くたにするようなものだ。

それでも、メタバースとウェブ3は同時進行する可能性がある。技術が大きく変わると社会が変わることが多い。技術の進展で個人の発言力が高まるし、新しい企業が興る（その結果、新しいリーダーが興る）からだ。新興企業は社会に広まっている不満をてこに未来を変えていく。メタバースに注目している企業の多くはブロックチェーン技術も推進しようとしているところが多い。特にテック系やメディア系のスタートアップはそうだ。だから、こういう会社が成功すればブロックチェーン技術も広まることになるだろう。

いずれにせよ、ウェブ3の概念が実現できなければメタバースの成功はないと思われる。競争は健全なる経済につながるものだし、モバイル世代のインターネットとコンピューティングは一部プレイヤーの寡占に近く、よくない状態にあると言われている。

また、米国が米国連邦政府に作られたわけではなく、欧州連合が欧州議会に作られたわけではないのと同じで、メタバースはそれを支えるプラットフォーマーが直接作ることにならないはずだ。物理的な世界と同様、作るのはユーザーでありたくさんのディベロッパーであり、中小企業になるだろう。メタバースが欲しいと思う人なら、いや、別にそうは思わない人であっても、巨大企業ではなくそういう関係者がメタバースを推進し、そういう関係者がメタバースの恩恵にあずかるという構図のほうがいいと思うはずだ。

ほかにもメタバースの健全性や将来性を左右するであろうことがウェブ3関連で議論されている。信用の問題などだ。データベースやサーバーを集中管理するいまのシステムでは、バーチャルな権利やデジタルな権利といったものは見かけだけだというのがウェブ3推進派の見方である。バーチャルな世界では、帽子、土地の区画、映画などを買っても、それを「売った」会社のサーバーから持ち出すこともできないし、売り手が削除したり取り返したり改変してしまったりすることがないようにもできない。本当の意味で自分の好きにすることなどできず、つまりは、本当の意味で自分のものにはできないのだ。

だが、それが消費の妨(さまた)げになっているわけでは必ずしもない。実際、2021年だけでそういうアイテムの購入に1000億ドル前後が使われている。それでもなお、1兆ドルもかけて作られたプラットフォームに消費が依存していること、ユーザーよりプラットフォームの都合が優先されることなどは消費の足を引っぱるものだと考えられる。車を好きなときに引き上げるディーラーから車を買うことはあるだろうか。特に理由もなく国が収用し、補償もされない家をリフォームすることは？　世の中で評価されるようになったら返してもらうという画家から絵を買うことは？　たまにはあるかもしれないが、そうでない場合に比べれば少ないはずだ。

バーチャルな世界に店舗を作って事業を展開し、ブランドを育てていきたいと考えるディベロッパーにとってはとても困る話だ。商売を続けていける保証もなく、続けたければ倍の賃料をバーチャルな地主に払うしかなくなるかもしれないわけだし。物品やデータ、投資に対するユーザーやディベロッパーの権利を保障するよう法整備も進んでいくはずだが、分散化すれば裁判所の決定に頼る必要もなくなるし、そういう決定自体、非効率なものとなる。そういう意見もあるわけだ。

実質無限の永続的な巨大メタバースを集中型サーバーモデルで実現できるのかという問題も考えてみるべきだろう。メタバースに必要なコンピューティング資源を提供できるのは、所有者がばらばらのサーバーや機器をつないで互いに補完し合うようにした分散型ネットワークだけだという意見もある。だが、このあたりの話は次の章に譲ることにしよう。

Chapter 04

次なるインターネット

前章に記した私の定義を読めば、メタバースをモバイルインターネットの後継と考えたり、そういうものだと言われたりすることが多い理由がわかるはずだ。メタバースを実現するには規格も新しく策定しなければならないし、インフラも新しく用意しなければならない。長年お世話になってきたインターネット・プロトコル・スイートもオーバーホールが必要になるかもしれない。新しい機器やハードウェアも必要になるだろう。そしてその結果、テックジャイアント、独立系ディベロッパー、エンドユーザーの力関係が変わる可能性がある。

これはとても大きな変化だ。だから、メタバースの到来はまだとうぶん先のことだし、その影響もよくわかっていないにもかかわらず、取り組みを本格化する企業が相次いでいる。めざとい経営者なら、みな、コンピューティングやネットワークの新しいプラットフォームが登場するたび、世界もそれをリードする企業も大きく変わってきたことをよく知っているからだ。

1950年代から1970年代のメインフレーム時代は、「IBMと7人のこびと」のオペレーティングシステムが支配する世界だった（7人のこびととは、バローズ、ユニバック、NCR、RCA、コントロール・データ、ハネウェル、ゼネラル・エレクトリックの7社である）。1980

年代に始まるパーソナルコンピューターの時代は、当初、ＩＢＭとそのオペレーティングシステムがリードした。だが、最終的には新しく登場した企業が勝者となる。ソフトウェアはマイクロソフト、ハードウェアはデル、コンパック、エイサーなどだ。

なかでもマイクロソフトは、そのオペレーティングシステムのウィンドウズもオフィススイートも世界中のＰＣに搭載されると言っていいほどの大勝ちをした。逆にＩＢＭは、２００４年、シンクパッド事業をレノボに売却し、この分野から撤退することになる。モバイル時代も流れは同じだ。アップルのｉＯＳ、グーグルのアンドロイドという新しいプラットフォームが興り、ウィンドウズはこの分野から撤退、ＰＣ時代をリードしたメーカーも新興のシャオミやファーウェイに取って代わられてしまう。

コンピューティングやネットワークのプラットフォームにこういう世代交代が起きると、必ずと言っていいほど、しっかり保護され停滞した分野にさえも地殻変動が起きる。

たとえば１９９０年代には、ＡＯＬインスタントメッセンジャーやＩＣＱといったチャットサービスが興り、使い方や顧客基盤で電話や郵便と競合するテキストベースのコミュニケーションプラットフォームが提供された。さらに２０００年代に入ると、スカイプなど、ライブオーディオを重視し、昔ながらの電話システムにもつなげるサービスが取って代わる。これがモバイル時代に入ると、こんどは、ワッツアップ、スナップチャット、スラックなどが興り、モバイル機器用スカイプという感じで、使い方やニーズ、さらにはコミュニケーションスタイルについても幅広く対応できるサービスが生みだされた。

スカイプはあらかじめ設定しておいて電話会議をしたり、ときどきだれかに電話したりという使い方だったが、ワッツアップは、ほぼ常時使うことを目的としているし、文字より絵文字という世界になっている。スカイプはもともと「公衆交換電話網」（要するに、電話線につながれた電話機）に格安あるいは無料で電話ができることをめざして作られたものだったが、ワッツアップはこの機能を捨ててしまった。スナップチャットは「モバイル通信は画像が中心である、またスマホはよく使われる高解像度の背面カメラよりフロントカメラが大事である」と考え、その体験を拡張するARレンズ各種を開発した。スラックはさまざまな生産性ツール、オンラインサービスなどと統合できる業務ツールである。

規制が厳しく停滞している支払分野にも例がある。1990年代末、イーロン・マスクのXドットコムやコンフィニティ（両社はのちに合併してペイパルとなる）など、ピアツーピアの電子決済ネットワークが送金に便利だと消費者に広まった。ペイパルの取扱高は、2010年、年間1000億ドルとなり、その10年後には1兆ドルを超えるほどになった（2012年に個人間送金アプリ、ベンモを買収したことも増大の一因である）。

メタバースにつながるものはすでに存在する。プラットフォームやオペレーティングシステムの関連でよく話題に上るのは、『ロブロックス』や『マインクラフト』といった仮想世界プラットフォーム、エピックゲームズのアンリアルやユニティ・テクノロジーズのユニティといったリアルタイムレンダリングエンジンだ。いずれもiOSやウィンドウズなどオペレーティングシステムの上で動くシステムだが、同時に、ディベロッパーからエンドユーザーまで、そのようなプラットフォームの仲立ちをするものでもある。ビデオゲームと仮想世界を中心としたコミュニケーションプラット

---

i モバイル機器の業界をリードする企業にサムスンも入っている。ここは創業80年と例外的に古い。ただし、メインフレームやPCの市場で大きなシェアを握ったことはない。

フォームおよびソーシャルネットワークとして最大手のディスコードもある。また、２０２１年に取引額が16兆ドルを超えたブロックチェーンや仮想通貨のネットワークも、メタバース実現の基礎になると見ている専門家が多い（詳細は第11章）。比較のために申しそえておくと、同じ年、ＶＩＳＡの取引額は10兆５０００億ドルだった。[1]

「次世代インターネット」としてのメタバース

メタバースを「次世代インターネット」だと考えれば、秘められた破壊力を理解しやすいだろう。「インターネット」はあくまで単数だ。つまり、フェイスブックインターネットとかグーグルインターネットとかは存在しない。フェイスブックもグーグルも、インターネット上でプラットフォームやサービス、ハードウェアを運用している企業だ。それぞれが独立し、採用している技術も異なるが、規格やプロトコルを同じくするネットワークをつないだネットワーク――それがインターネット[ii]なのだ。

技術的なことだけを考えるなら、私企業1社がインターネット・プロトコル・スイートを開発し、そのまま掌握・管理していてもおかしくない（実際、ＩＢＭなど数社が独自規格を推し、プロトコル戦争と呼ばれる状態になったことがある）。そんなことになっていたら、インターネットはいまほど大きくなれなかったし、革新的にもなれなかったし、儲かる場にもなれなかったはずだと言われている。[iii]

メタバースについては、これから構築や吸収などの争いが進むだろう。そして、スウィーニーが恐れているように、そのなかから勝者が出るのかもしれない。だがおそらくは、仮想世界のプラットフォームや技術をたくさん、部分的に統合する形でメタバースへと進んでいくのではないかと思われる。このプロセスは時間がかかるはずだ。不完全でもあるだろうし、すべてを網羅することもできないだろうし、その結果、技術的にも大きな制約が生まれるだろう。それでも、これこそ我々が望むべき未来であり、実現に向けて努力すべき未来である。

また、メタバースが実現したからといって、インターネットを支えるアーキテクチャーやプロトコルのスイートに取って代わるとか、そういうものを根本的に変えてしまうとかいうことはない。インターネット上で進化発展し、まったく新しいものが生まれたと感じるようになる。メタバースとはそういうものである。

インターネットの「現状」を見てみよう。いまはモバイルインターネットの時代と言われているが、モバイル機器がやりとりしているデータも含め、トラフィックの大半はいまだにケーブルで伝えられているし、規格やプロトコル、フォーマットのほとんどは何十年も前に設計されたものだ（一応、進化はしている）。ウィンドウズやマイクロソフトオフィスなど、インターネット黎明期に設計されたソフトウェアやハードウェアも使い続けている（いずれも進化はしているが、何十年も前から大きく変わったわけではない）。であるにもかかわらず、「モバイルインターネット時代」は、1990年代から2000年代初頭にかけての有線インターネット時代とはっきり区別することが

ii 「インターネット」とは「インター・ネットワーキング」の短縮形である。

iii インターネットは地域単位に分裂しつつあるとの意見もある。中国のインターネットがいい例だしEUも多少その傾向がある。規制によって規格やサービス、コンテンツに違いが求められ、実際に違いが生じていることがその理由だ。

できる。使う機器も変わったし（メーカーも変わった）、使う場所も変わったし、使う目的も変わったし、使うソフトウェアの種類も変わった（汎用ソフトウェアやウェブブラウザから基本的にアプリになった）。

インターネットは異なる「モノ」をひとくくりにまとめたものという認識もある。インターネットを使うとき、ふつうならウェブブラウザかアプリと呼ばれるソフトウェアを使う。そのソフトウェアが搭載されている機器はインターネット対応であり、さまざまな規格や共通プロトコルでやりとりする各種チップセットを通じてインターネットにアクセスできる。そして、インターネットに流されたデータは物理ネットワークを伝わっていく。このどこか一部でも欠ければインターネットは使えない。だから、インターネットなるもの全体を1社が改良することなどできない。インターネット・プロトコル・スイート全体を私企業1社が掌握していたとしても、だ。

なぜビデオゲームが次なるインターネットを推進するのか

メタバースがインターネットの後継なのだと考えると、その流れをリードするのがビデオゲーム業界なのは不思議に思われるかもしれない。インターネットは大きく異なる流れできたからだ。

インターネットは国立研究所や大学から生まれ、それが大企業へ、中小企業へ、そしてさらに消費者へと広がった。インターネットの活用に関してエンターテイメント業界は後発組だと言われている。その証拠に、「ストリーミング戦争」なるものが勃発したのは2019年で、動画ストリーミングの公開デモが行われてから25年近くもたってからのことだ。インターネットプロトコルで扱いやすいメディア、オーディオでさえ、2021年、米国における音楽販売の3分の2近くが地上波ラジオ放送、衛星ラジオ放送、物理メディアに占められているなど、いまも非デジタルが主流だ。

政府主導ではないモバイルインターネットも、全体的な流れはインターネットに近い。モバイルインターネットが立ち上がった１９９０年代初頭、利用方法もソフトウェアも開発したのは政府系組織や大企業ばかりで、１９９０年代末から２０００年代にかけて中小企業が参入するようになった。大衆市場が対応したのは２００８年にｉＰｈｏｎｅ３Ｇが登場したあとのことであり、それから10年で消費者向けのアプリが次々登場していく。

だがこの歴史を見れば、市場規模１８００億ドルのゲーム業界が95兆ドル規模の世界経済を変えていくと予想されている理由がわかる。注目すべきは、さまざまな制約が技術開発にどう影響したのか、だ。

インターネットが生まれたころ、帯域は狭く、レイテンシーは大きく、コンピューターはメモリーも処理能力も不足していた。だから小さなファイルしか送れないし、送るにはかなりの時間がかかった。写真の共有や動画のストリーミング、密なコミュニケーションなど、いま一般的な使い方はとてもじゃないができない。

だが、メッセージやちょっとしたファイル（たとえばシンプルなエクセルシートや株の買い付け注文書）を送るなど、仕事をやりやすくするのがもともとの目的だからそれでよかった。サービス経済は規模がとても大きいし、物質経済では管理が重要であることから、多少なりとも生産性が高まるならそれは大きな価値だったからだ。モバイルも同様だ。登場したころの機器はゲームもできないし写真を送ることもできなかった。まして動画のストリーミングやフェイスタイムのテレビ通話など夢のまた夢である。それでも、メールが使えるので、ポケベルや電話よりずっと便利だった。

リアルタイムレンダリングの３Ｄ仮想世界やシミュレーションは、複雑な分、ほかのソフトウェアやプログラムより強くパーソナルコンピューターやインターネットの制約を受けてしまう。またそのような状態では、政府系機関や大企業、中小企業にとっては使い道がない。火を正しくシミュレーションできない仮想世界では消防士の役に立たないし、重力で弾道が曲がらないのでは軍のスナイパーも使いようがない。建築事務所も、「太陽の光が当たると暖かくなる」という大ざっぱな話をもとにビルの設計をするわけにはいかない。ビデオゲームは話が違う。ゲームなら、火や重力や熱力学が現実的である必要はない。おもしろければいいのだから。しかも、8ビットの白黒でもおもしろいゲームが作れる。過去70年ほどはそれで十分だったのだ。

とはいえ、実はすでにここ何十年か、家庭や小企業においては、ゲーム機やいわゆるゲーミングPCのCPUやGPUが一番高性能という状態が続いている。ゲームほど負荷が大きいソフトウェアはないのだ。ソニーが2000年に発売したPS2など、ミサイル誘導システムの計算処理など海外でテロに使われるおそれがあると日本政府が輸出を制限する騒ぎになった。[2] またその翌年には、「昨日のスーパーコンピューターは今日のプレイステーションである」と米商務省のドン・エバンス長官が家電業界の重要性を訴えたりしている。[3] 2010年には、米空軍研究所がPS3を1760台組み合わせて世界第33位のスーパーコンピューターを作っている。このコンドルクラスターは、同等の性能を持つシステムの5%から10%の費用で作れるし、消費電力は10%にすぎないそうだ。[4] ちなみにこのスーパーコンピューターは、レーダーの改良やパターン認識、衛星画像の解析、人工知能の研究などに用いていているという。[5]

「気候や新薬開発では市場が小さすぎて投資できません」

ゲーム機やPCの心臓部を作ってきたところは、いま、史上最強クラスのテック企業となっている。たとえばNVIDIA。コンピューティングとSOC（システム・オン・チップ）の巨人で、一般に知られてはいないが、グーグルやアップル、フェイスブック、アマゾン、マイクロソフトといった消費者向けテックプラットフォーム各社と並んで世界10大企業に名を連ねている。

ジェンスン・フアンCEOがNVIDIAを興したとき、ゲーム界の巨人などめざしてはいなかった。汎用コンピューティングでは解けない問題もグラフィカルなコンピューティングなら解けるようになるはずというのが起業理由なのだ。そして、必要となる機能や技術を開発するため、ビデオゲームに目を付けた。フアンは2021年、タイム誌のインタビューでこう語っている。

「大きく、かつ、技術的に難しい市場というのはなかなかありません。パワフルなコンピューターが必要な市場は、気候シミュレーションや分子動力学を活用した新薬開発など、小さなものばかりです。小さすぎて、とてもじゃありませんが、大規模投資などできません。気候研究の会社がないのはそれが理由です。だからビデオゲームに目を向けることにしたのですが、これは、最高の戦略的決断だったと思います」[6]

NVIDIA創業の1年前、例の『スノウ・クラッシュ』が出て、ゲーム業界でも今後が楽しみだと大いに話題になった。だが著者のスティーヴンスンは、メタバースがゲームから生まれるとはまったく想定していなかったという。

「メタバースなるものを思いついたとき、どういう市場メカニズムがあればああいうものが手の届くものになるのだろうかと考えたんです。あのころは3Dイメージングのハードウェアはものすごく高くて、一部の研究所くらいしか買えませんでした。でもそれがテレビ並に安くなることがあるのだとすれば、テレビと同じくらい大きな市場が3Dグラフィックスにもあるときだろう、と思ったのです。ですから、『スノウ・クラッシュ』のメタバースは、テレビのイメージなんですよ……実際に3Dグラフィックスハードウェアの値段を引き下げたのはゲームだったわけですが、まさかそんなことになるとは。我々は20年前に仮想現実を思い描き、語り合っていたわけですが、その生まれ方は、想像したものと違いました。実際にはビデオゲームという形から生まれたわけです」[7]

リアルタイム3Dレンダリングに使える解像度のソフトウェアも、同じ理由から、ゲーム用として登場した。リアルタイムレンダリングの高機能ソリューションといえば、まずはエピックゲームズのアンリアルエンジンとユニティ・テクノロジーズのユニティエンジンだが、ほかにも、さまざまなディベロッパーやパブリッシャーがそれぞれに工夫をこらしたものがたくさんある。

ゲーム以外の選択肢もないではないが、少なくともいまのところ、リアルタイムという面では後れている。そもそも、そんな無理な条件に対応する必要がないからだ。製造業や映画産業に使うなら、30分の1秒とかそれこそ１２０分の1秒とかでレンダリングできる必要などない。それより、微妙な質感まで表現できる、ひとつのファイル形式で設計から製造まで対応できるなど、優先すべきことがほかにある。利用環境も高性能マシンが前提で、ふつうの人がふつうに持つ機器ではない。

大きなポイントなのに意外と見落とされるのだが、インターネットのアーキテクチャーに何十年も苦労させられてきた結果、ゲームのディベロッパーやパブリッシャー、プラットフォームにはメタバースへの移行に有利なノウハウが蓄積されている。

オンラインゲームは１９９０年代末と早い時期から同期・継続のネットワーク接続が必要だったし、２０００年代半ば以降は、Ｘｂｏｘ、プレイステーション、スチームがほとんどのタイトルでリアルタイムのボイスチャットに対応するなどしている。これを支えているのは、ネットワークが一瞬落ちたらプレイを代行し、回復したらプレイヤーに制御を戻す予測ＡＩ、プレイヤーによって情報を受け取るタイミングがずれたらゲームプレイをそっと「ロールバック」する特殊なソフトウェアなどだ。プレイヤーの大半が影響を受けるであろう技術的問題は無視せず、そのあたりを考慮したゲームプレイにするのも大事なノウハウだ。

こういう方向性で来た結果、ゲーム会社は、みながいたいと思う場所を作れるようになっている。インターネット時代のビジネスモデルは、原子でできているものをビットに分解するのが基本だという。スポティファイの創業CEO、ダニエル・エクの言葉だ。[8]

たしかに、昔はめざましといえば枕元に時計を置いていたが、いまはスマホのアプリやスマートスピーカーに保存されたデータという形になっている。であれば、メタバース時代とは、仮想原子からなる3Dめざまし時計をビットを使って作る時代だと考えられるだろう。そして、仮想原子の扱いに一番慣れているのが、何十年も前からそういうことをしてきたゲームディベロッパーということだ。ゲームディベロッパーなら、めざまし時計はもちろん、部屋も建物も、そして、たくさんのプレイヤーが楽しく過ごす村も作れる。人類がいつか「リアルタイムレンダリングされた3D仮想世界の相互運用可能な大規模ネットワーク」なるものに移住するのであれば、そういうスキルが必要になるはずだ。

『スノウ・クラッシュ』で描いた未来で正しかったものとまちがってしまったものはなにかと尋ねられたスティーヴンスンも、『スノウ・クラッシュ』ではみんなが行く場として〈ストリート〉のバーを描いたが、いま実際には、みんな『ウォークラフト』のギルドに集まってレイドにでかけていると答えている。[9]

さて、本書第I部では、「メタバース」という言葉と概念がどこから来たのか、メタバース実現に向け、ここ何十年か、どういう努力が行われてきたのか、メタバースは我々の未来にどういう影響を与えるのかを詳しく見てきた。モバイルインターネットの次に来るものとして企業が熱い視線を注いでいることも確認したし、この大混乱がなぜ重要なのか、これからも重要だと考えられるのはなぜなのかも検討した。メタバースとはなんであるのか、現実的な定義も示した。そして、ビデオゲームのメーカーが最前線にいると思われるのはなぜなのかにも触れた。

ここからは、メタバースを実現するにはなにが必要なのかを見ていこう。

BUILDING THE METAVERSE

メタバースの創り方

Part Ⅱ

Chapter 05

ネットワーク

「だれもいない森で木が倒れたとき、音はするのか」という古典的な思考実験がある。これが長年にわたって話題になるのはおもしろいからだが、そこまでおもしろいのは、これが哲学的で専門的な問いであるとともに重要な問いだからだ。

この問いを発したとされるのは、主観的観念論が専門の哲学者、ジョージ・バークリーである。彼は「存在するとは認知されること」だとした。立っていようが倒れつつあろうが倒れていようが、木は、それを認知する者なりなんなりがいて初めて存在するという考え方だ。「音」とは物質を伝わる振動であり、観測者に認知されようがされまいが存在するという意見もある。その振動が神経に作用したとき脳に生じる感覚が音であり、振動が作用する神経がなければ音もないという見方もある。さらにまた、振動を音と解釈できる装置も何十年か前からあって、人工観測者を通じて音を聞くことができる。これは音がしたことになるのかならないのか。ちなみに、量子力学の世界では、観測者がいなければ存在は推測が限界で、あるともないとも証明できないとされている。木はあるのかもしれないしないのかもしれないというわけだ（量子力学理論の確立に大きな功績があるアルベルト・アインシュタインは、この見方に賛同できないとしている）。

さて、第Ⅱ部では、メタバースを作り、動かすにはなにが必要なのかを見ていこう。最初はネットワークと計算処理能力、続けてメタバースを構成する個別仮想世界を動かすゲームエンジンとプラットフォーム、それらをつなぐのに必要な規格、アクセスする機器、そして、仮想世界の経済を支える決済手段へと話を進めていく。バークリーの木を念頭に読み進めていただきたい。

なぜか。メタバースは、完璧に実現された状態でも本当に存在しているわけではないからだ。そこにある木々やたくさんの葉、周囲の森林など、すべて、広大なサーバーネットワークに保存されたデータにすぎない。そのデータが存在するかぎりメタバースもそのコンテンツも存在すると言って言えないことはないが、データベース以外のものにとってそれが存在すると言えるにはさまざまなステップや技術が必要になる。さらに、「メタバーススタック」を構成する要素から他社にとってなにが可能でなにが不可能なのかがわかるし、それをうまく使えば影響力を発揮することもできる。

さて、いま、本物そっくりの木が倒れるのを観察できるのは、数十人が限界だ。どうすればもっと多くの人に見てもらえるのか。仮想世界をコピー、である。言い換えれば、木が1本倒れる音をたくさんの人に聞かせたければたくさんの木が倒れなければならない（これをどう解釈するのかバークリーに尋ねてみたいものだ）。観測者ごとに時間差を設ける手もある。その場合、倒れる木に影響を与える行為はできないし、因果関係をあきらかにすることもできない。木肌の質感を省略して単なる茶色にし、倒れる音もどさっというありがちなものに単純化する方法も考えられる。

こういう制約条件やその影響を解き明かしていくにあたり、いま、技術的にもっとも進んでいると私が思う仮想世界を実例として取りあげることにしたい。『ロブロックス』でもなければ『フォートナイト』でもない。この仮想世界を体験する人は、その総数が『ロブロックス』や『フォートナイト』の1日分にも満たないほど少ない。そもそもゲームと呼ぶべきではないのかもしれない。この仮想世界が再現するのは、退屈だとかうっとうしいとか、怖いとかそういう言葉で表現されがちな体験、飛行機の操縦なのだから。

いま最強の仮想世界は『フライトシミュレーター』

1979年、『フライトシミュレーター』が発売され、コアなファンを獲得した。その3年後にはマイクロソフトに買収され（Xbox発売の20年ほども前だ)、2006年までにもう10タイトルがリリースされている。2012年のギネスに世界一長く続いたビデオゲームシリーズとして載ったりしたが、知名度は低いままだった。だが、2020年、12作目となる『マイクロソフトフライトシミュレーター』（MSFS）がリリースされると、がぜん、世間の注目を集めることになる。今年の最高傑作だと言えるとタイム誌が絶賛。ニューヨークタイムズ紙も、MSFSは「デジタル世界を理解する新しい方法だ」「窓の外に見える景色よりもリアルで、現実の理解を彩る写真よりもリアルだ」と報じている。[1]

MSFSはゲームだと思われているし、一応はそのとおりである。起動するとすぐ、マイクロソフトのXboxゲームスタジオが製作・販売しているものだと表示されたりする。だがMSFSの目標は、ほかのプレイヤーに勝つことでもなければ殺すことでもない。相手を撃つでもなければ打ち負かすでもなく、なぐったり得点したりでもない。目標は、バーチャルな飛行機を飛ばすこと。しかも、リアルなフライトそっくりに手間暇をかけて、だ。航空交通管制官や副操縦士といろいろやりとりしなければならないし、離陸許可が出るまで待たなければならない。高度計やフラップの確認、燃料残量の確認、混合気の調整などを終えたらブレーキを外し、スロットルをゆっくり前に倒す。飛び上がったら飛び上がったでコンフリクトを避け、ほかのバーチャル機の飛行経路をじゃましたりせず、予定した飛行経路や割り当てられた飛行経路を飛んでいかなければならない。

このあたりは昔のMSFSでもできた。2020年版がすごいのは、一般販売のシミュレーションとして一番リアルで一番広大である点だ。なにせマップは5億平方キロメートル以上とリアルな地球に匹敵するし、個別レンダリングの木が2兆本もあるし（1本を2兆回コピーペーストしたのでもなければ、数十本をコピーしたのでもない）、建物も15億棟、さらには、実際地上にある道、山、都市、空港もほぼすべてあるのだ。[2] すべてがリアルにそっくり。MSFSの仮想世界はリアルを高精度スキャンしたイメージがもとになっているからだ。

完璧なレンダリングですべてを再現できているわけではない。それでも十分に驚異的だ。「プレイヤー」が自宅の上を飛べば、前庭のぶらんこや郵便ポストまで見ることができる。夕方の光景もすごい。夕日が湾に反射し、それがまた翼に反射する。その様は、MSFSのスクリーンショットなのか現実世界の写真なのか区別がつかないほどだ。

ここまでやるためにMSFSの「仮想世界」は2・5ペタバイト近いサイズとなっている。250万ギガバイト――『フォートナイト』の1000倍ほどもある巨大なものだ。これほどの量は消費者機器に収まらない（企業の設備でも難しい）。ゲーム機器もPCも1000ギガバイトがいいところだし、1台750ドルもする消費者向けNAS（ネットワーク接続型ストレージ）でさえ2万ギガバイトくらいなものだ。2・5ペタバイトも記録できる機器など、あったとしても置き場に困ってしまう。

ともかく、仮に、2・5ペタバイトが記録できるハードドライブが買えて置き場も確保できたとしよう。でも、MSFSはライブなサービスだ。つまり、天候（風向・風速、気温、湿度、降雨量、光の射し方など）、航空交通、地上の変化など、現実世界を反映してどんどんアップデートされる。だから、現実世界でいま吹き荒れているハリケーンに飛び込むこともできるし、実際に飛んでいる商用航空機をまったく同じ飛行経路で追うなどもできる。逆に言えば、MSFSのすべてを「あらかじめ購入」したり「あらかじめダウンロード」したりはできない。なにせ、データはかなりの部分がまだ存在していないのだから。

『マイクロソフトフライトシミュレーター』の場合、消費者側の機器に保存されるのは「ゲーム」のごく一部、具体的には150GBほどだ。ゲームのコード、各種機体の外観、マップ類などで、これだけあれば一応はゲームができる。つまり、オフラインでもMSFSは遊べる。しかしオフラインでは、環境もオブジェクトもプログラムが生成したものになり、たとえばマンハッタンならマンハッタンだとわかるが、よく見るとビルは基本的にコピーペーストで描かれていて現実世界とは似て非なるものだ。飛行経路もある程度作り込まれているが、その瞬間の経路とは異なるものだし、ほかのプレイヤーの飛行機を見ることもできない。

MSFSが真価を発揮するのはオンラインでプレイするときだ。オンラインなら、マップやテクスチャー、気象データ、飛行経路など、ユーザーが必要とするであろうデータが次々マイクロソフトのサーバーからストリーミングされてくる。だから、現実世界のパイロットと同じ体験ができるのだ。山を越えたり巻いたりして向こう側まで飛ぶと、光の粒子という形で新しい情報が目に飛び込んでくる。そして、そこになにがあるのか、初めてわかる。その瞬間まで、そこになにかがあるはずだとしかわかっていない本物のパイロットと同じように、だ。

オンラインのマルチプレイヤーゲームなんだからそんなの当たり前だと思うかもしれない。だが実際は、できるかぎり多くの情報をあらかじめユーザー側に送っておき、プレイ時に送るデータはできるかぎり少なくするのがふつうだ。だから『スーパーマリオブラザーズ』のように比較的小さなゲームでさえ、ゲームファイルが何ギガバイトも記録されたデジタルディスクを買ったり何時間もかけて必要ファイルをダウンロードしたり、さらには、何時間もかけてインストールしたりしなければならない。アップデートがあれば、またまた何ギガバイトものデータをダウンロードしてインストールしなければならない。そうなるのは、ゲームのコードからロジック、ゲームのテクスチャーまで、ゲームの環境が必要とする樹木、アバター、ボス戦、武器などの各種アセットにそのゲームのほぼすべてがこのファイルに収められているからだ。

オンラインゲームは実は「ほとんどオフライン」

では、マルチプレイヤーのオンラインゲームでサーバーからはどういうデータが送られてくるのか。実はすごく少ない。たとえば『フォートナイト』の場合、PC用もゲーム機器用もゲームファイルは30GB前後と大きい。対してオンラインでプレイするときダウンロードするデータは1時間あたり20〜50MB（0・02〜0・05GB）にすぎない。PCやゲーム機器にインストールされているデータをどう処理するのか、その指示だけが送られてくるのだ。『マリオカート』なら、対戦相手がどのアバターを使っているのか、その情報が任天堂のサーバーからユーザーのニンテンドースイッチに送られてくるのでそれをダウンロードする。対戦中はサーバーと常時接続となり、対戦相手がどこにいるのか（位置データ）、なにをしているのか（アカこうらを投げてきた）、通信（チームメートの音声）、残っているプレイヤーの数などのデータがストリーミングされてくる。

オンラインゲームが実は「ほとんどオフライン」だと言われると、熱心なゲーマーでさえ驚く。音楽も動画もいまはストリーミングが主流で、あらかじめダウンロードしたりしないし、CDなどの物理媒体を買ったりしない。ましてビデオゲームは技術的に高度で進歩的な世界のはずだ。だがだからこそ、ゲームというのはとても複雑だからこそ、インターネットをなるべく使わずにすむ作りになっている。インターネットは信頼性が低くあてにできないからだ。接続の信頼性も低ければ帯域の信頼性も低いし、レイテンシーの信頼性もだ。それでもオンライン体験の大半はなんとかなる（第3章で確認した）。ゲームは無理である。だから、インターネットになるべく頼らない作りになっているわけだ。

基本的にうまい方法だと言えるが、制限もいろいろと生まれてしまう。サーバーから個別ユーザーに対して送られるのが、どのアセット、どのテクスチャー、どのモデルをレンダリングすべきなのかだけということは、アセット、テクスチャー、モデルはすべて確定され、記録されていなければならない。これを必要に応じてレンダリングデータ自体を送る形にすれば、バーチャルオブジェクトの種類を増やすことができる。だから『マイクロソフトフライトシミュレーター』では、一つひとつの街をほかと違うユニークなものにするだけでなく、現実そっくりにすることができる。雲も100種類を記憶させておき、どの雲をどういう色でレンダリングしろと指示するのではなく、雲が実際のところどう見えているのかを伝えられる。

『フォートナイト』における友だちとのやりとりも、いまは、プリロードされているアニメーション（『フォートナイト』では「エモート」と呼ぶ）でしか行えず、ウェーブやムーンウォークなど種類が限られてしまう。だが将来的には、ユーザーの顔や体が実際にどう動いているのかが仮想世界で再現されるようになると期待されている。友だちに会ったとき、自分のマシンにプリロードされている20種類のウェーブから17番目を選ぶのではなく、1本1本、正確に再現された指を自分のやり方で動かすようになる、と。

また、メタバースにつながっている仮想世界のどれにでもバーチャルなアイテムやアバターを持っていけるようになるとも期待されている。ＭＳＦＳのファイルサイズを考えればわかるはずだが、それほどのデータをあらかじめユーザー側に送っておくことは不可能だ。そんなことをすればあり得ない容量のハードドライブが必要になってしまうし、そもそも、もしかしたら作られるかもしれないものや行われるかもしれない行動のすべてを想定し、組み込んだ仮想世界が必要になってしまう。

生きた仮想世界を「あらかじめユーザー側に送っておく」とほかにも問題が生じる。目的地や車両、ＮＰＣ（ノンプレイヤーキャラクター）が追加されるなど『フォートナイト』の仮想世界が変更されるたび、ユーザーは、そのアップデートをダウンロードし、インストールしなければならない。追加が多ければ多いほどダウンロードやインストールにかかる時間も延び、ユーザーの待ち時間も長くなる。アップデートの頻度も、高くなればなるほどプレイ前の待ちが長くなってしまう。

こういうバッチ型アップデートでは、真に生きていると感じられる仮想世界にならないのも問題だ。仮想世界そのものをサーバーが送りだす形にすれば話は変わってくる。アップデートがあれば、次のバージョンの仮想世界を送ればいいからだ。このやり方なら、各エディションも不変である必要がなく、大晦日に特別イベントをする、降る雪が日々増えていくなど、プログラムされたアップデートという形で変化を組み込むこともできる。

バッチ型ではユーザーが行ける場所も制約される。トラヴィス・スコットが『フォートナイト』でおこなった10分間のイベントで、約３０００万人のプレイヤーは、ゲームのコアマップから初登場の海の底へと移動し、さらに、初登場の惑星へ、そして外宇宙へと移動した。メタバースでも似たようなことができる――仮想世界から仮想世界へ、ロードで待たされることなくさっとジャンプできると期待する人が多い。

だがこのコンサート時、ユーザーは事前に『フォートナイト』のパッチをダウンロードしておかなければならなかった（これをインストールしないとイベントに参加できない）。また、それぞれのセットにいる間に、バックグラウンドで次のセットに必要なデータのダウンロードが行われる仕組みになってもいた。場所が変わるたび小さく、シンプルになってゆき、最後など、特徴らしい特徴のない外宇宙をユーザーが飛んでいく「オンレール」体験になっていた点にも注目すべきだ。モールを好き勝手探索するのと、動く歩道に乗って移動していくのの違いとでも言ったらいいだろうか。

このコンサートがクリエイティブであり偉業であったことはまちがいない。しかしながら、いまのオンラインゲームではよくあることなのだが、メタバースでは使えない手法で実現されたものであったこともまた事実である。いまのメタバース的仮想世界はローカルデータとクラウドからストリーミングされるデータのハイブリッドモデルで、コアゲームはプリロードしておき、その何倍にも達する量のデータを必要に応じて送るのがふつうだ。アイテム数が少なく環境も変化にとぼしい『マリオカート』や『コール オブ デューティ』はそこまでする必要がないが、『ロブロックス』やMSFSなどではこうする以外に方法がない。

ちなみに『ロブロックス』は大人気だしMSFSは広大だ。ということは、いまのインターネットインフラでもメタバース型のライブデータストリーミングができるはずだと思うかもしれない。実際には、どちらにも、大きな制約がかかっている。

『ロブロックス』では、インゲームアイテムの大半が「プレハブ」部品でできているので、クラウドからストリーミングするデータは少なくてすむ。ダウンロードしてあるアイテムをどう細工し、どういう色にして、どう組み合わせるのかさえプレイヤー側機器に指示すればいいわけだ。グラフィックスの迫真度もあまり高くないので、テクスチャーや環境に使うファイルのサイズもわりと小さくてすむ。だから『フォートナイト』の1時間あたり30～50MBに比べれば100～300MBとデータ量は多くなるが、処理できる範囲には収まるわけだ。

MSFSは『フォートナイト』の25倍近く、『ロブロックス』の5倍と広い時間帯域が必要になる。家のデータをダウンロードしておいてその色を変えるといったやり方はせず、数キロにわたって広がる雲の形や密度、色をユーザー機器に送ったり、メキシコ湾の海岸線をほぼ正確に再現できるデータを送ったりしているからだ。だがこれも、実は、「メタバース」では使えない手法で実現されている。

MSFSの場合、必要なデータは膨大だが、その伝送スピードは特に速くなくてもよい。現実世界と同じくMSFSでもニューヨークからニュージーランドまでテレポートなどできないし、マンハッタンの上空3万フィートからオールバニーの街を見下ろすこともできない。高い空の上から地上まで2～3分で急降下することもできない。だからデータをダウンロードする時間的余裕がたっぷりあるし、プレイヤーが決める前に行き先を予測し、必要なデータをダウンロードしはじめることも可能だ。ダウンロードがまにあわなくても大きな問題にはならない。建物の一部をプログラムで生成しておき、実物データが届いたらリアルなものに描き直せばいいからだ。

MSFSの仮想世界はジオラマ模型に近く、活気に満ちていてなにが起きるかわからないニール・スティーヴンスンの〈ストリート〉にはほど遠いのだ。〈ストリート〉は展開が予想しづらく、データも、公園や森林がどう見えるのかの詳細データとは比べものにならない量が必要になる。1時間あたり1GBを軽く超えるはずだ。だから、次は、いまのインターネットでおそらく一番理解されていない側面、レイテンシーについて検討してみよう。

帯域とレイテンシー

帯域とレイテンシーは混同されることが多いが、それは無理からぬことかもしれない。いずれも、単位時間あたりに送ったり受け取ったりできるデータの量に影響を与えるものだからだ。両者を区別するには、インターネット接続を高速道路にたとえて考えるといい。「帯域」とは高速道路の車線数であり、「レイテンシー」とは制限速度だ。車線数が多ければ車やトラックが増えても渋滞しない。だがカーブが多かったりして制限速度が低くなると、車線に余裕があっても車の流れは遅くなる。一方、制限速度が高くても1車線しかなければ渋滞ばかりで、制限速度など現実と関係ない理想値にすぎなくなってしまう。

リアルタイムにレンダリングされた仮想世界が難しいのは、ある場所から別の場所まで車1台を送ればすむ話ではなく、行きも帰りも車列が途切れないことが必要だからだ（「継続的接続」が必要）。車を事前に送り出すことは不可能。積み荷が出発の数ミリ秒前まで決まらないからだ。しかも、移動はできるだけ高速でなければならないし、回り道も許されない（回り道すると、最高速を維持できても輸送時間が延びてしまうし、接続が継続的にならない）。

この条件を常に満たせる道路網を世界に張り巡らすのは大変だ。超低レイテンシーを必要とするオンラインサービスは、いま、ほとんどないことを第I部で確認した。ワッツアップのメッセージを送ったり開封証明を受け取ったりするなら、100ミリ秒や200ミリ秒かかっても問題ないし、それこそ2秒遅れてもそれがどうしたという話である。ユーチューブでポーズボタンをクリックしてから再生が止まるまで20ミリ秒とか150ミリ秒とか300ミリ秒とかかかっても問題はなにもない。というか、20ミリ秒でも50ミリ秒でも違いが感じられる人はほとんどいないだろう。ネットフリックスで映画を観るなら反応速度より、動画がきれいに再生されることのほうが大事だ。ズームのビデオ通話でレイテンシーが大きいといらいらするが、それでも大きな問題にはならない。スピーカーがしゃべるのをやめたあと、ちょっと待つのに慣れればいいだけの話だ。レイテンシーが1秒（1000ミリ秒）あってもなんとかならないことはない。

インタラクティブな体験では、レイテンシーに対する要求が大きくなる。なにか操作したらその効果がすぐに得られたと感じられなければいけないし、反応が遅れると、新しい決断をしたあと古い決断の動きをしているように感じてしまう。だから、相手のレイテンシーが小さいと、対戦相手は未来の人、まだくり出せていない突きさえ受け流せるほどの反応速度を持つ人であるかのように感じてしまったりする。

映画やテレビ番組を機内で観た場合、iPadで観た場合、映画館で観た場合を思い浮かべてみてほしい。音と映像がわずかにずれていると感じたことはないだろうか。45ミリ秒以内なら音が早すぎても、あるいは、125ミリ秒くらいなら遅すぎても、ふつうは、ずれていることに気づかない（ずれ幅は170ミリ秒ある）。許容限度はもっと広く、「90ミリ秒早すぎる」から「185ミリ秒遅すぎる」までなら（合計275ミリ秒）大丈夫だ。ユーチューブのポーズといったデジタルボタンの場合、おかしいと感じるのは、反応に200ミリ秒から250ミリ秒以上かかったときだ。

『フォートナイト』や『ロブロックス』、『グランド・セフト・オート』といったゲームでは、レイテンシーが50ミリ秒で一部ゲーマーがいらつき始める（パブリッシャー側は20ミリ秒以内にしたいと考えている)。110ミリ秒になると、初心者も、負けたのは自分が下手だからではない、ゲームの反応が鈍かったからだと考えるようになる。[3] これが150ミリ秒に達すると、反応速度が重視されるゲームは遊べる状態でなくなる。

実際のところ、レイテンシーはどのくらいあるのだろうか。米国の場合、都市間通信速度の中央値が35ミリ秒といったところだ。夜間、サンフランシスコとニューヨークを結ぶなど人口が多い都市同士で需要のピーク時には、これより大きな値になることも珍しくない。しかも、都市間ということはデータセンターからデータセンターでこれなのだ。そのセンターからユーザーまでもまた時間がかかるし、通信速度が落ちやすいのもその部分だったりする。

人口密度が高い都市、地域ネットワーク、さらには各マンション内も渋滞が起きやすいところだし、そういうところにかぎって広帯域の光ファイバーではなく帯域が狭い銅線だったりする。郊外に住んでいれば、何十キロからそれこそ何百キロも銅回線で信号が送られてくることも考えられる。最後が無線だと、4Gで40ミリ秒、レイテンシーが増えてしまう。

このように問題だらけなのだが、それでも、米国のデータ通信は、たいがい、往復で許容限度内にレイテンシーが収まる。ただし、「ジッター」も考えなければならない。各パケットのレイテンシーが中央値からどれほどずれているのか、だ。基本的には中央値付近のことが多いが、他の電子機器と干渉した、家族やご近所が動画のダウンロードやストリーミングを始めたりしてエンドユーザーのネットワークがおかしくなったなど、回線がどこか渋滞すると何倍にもはね上がることがある。一時的にせよそうなると展開のはやいゲームなら簡単にぶち壊しになるし、ネットワーク接続が切れてしまうことも考えられる。くり返しになるが、ネットワークとは信頼性がないものなのだ。

オンラインゲームの業界では、部分的にせよレイテンシーを抑える方法やその影響を受けずにすむ方法がいろいろと開発されている。リアリティの高いマルチプレイヤーゲームはサーバーがある地域を中心にマッチメイキングするようになっているのもそのひとつだ。プレイヤーを北米だけとか西ヨーロッパだけ、東南アジアだけにすれば、レイテンシーを抑えることができる。そもそもゲームは暇な時間にするものだし、一緒にプレイするのは友だち2～3人くらいまでのことが多いので、こういうやり方をしても問題になりにくい。時間帯がいくつもずれたところの人とチームを組みたいと思うことは珍しいし、対戦相手はどこのだれでも気にしないのがふつうだ（言葉を交わしさえしないことが多いのだから）。

「ネットコード」という方法も使われている。同期性や整合性を確保し、プレイが続けられるようにする方法だ。そのひとつ、ディレイ方式のネットコードとは、反応が遅いプレイヤー（対戦相手）の入力が届くまでレンダリングを遅らせろとPS5など使っている機器に指示するものだ。低レイテンシーに慣れているといらつくが、うまく機能するのも事実である。ロールバック方式という高度なネットコードもある。この方法では、相手の入力が届くのに時間がかかった場合、こうなるだろうという予想で処理を進めてしまう。予想がまちがっていたら、表示中のアニメーションを中断し、「正しい」ものを改めて表示する。

いずれも有効な対策だが、大規模にしにくいという欠点がある。プレイヤーからの入力が予測しやすいドライビングシミュレーターや、同期しなければならないプレイヤーの数が少ない対戦ゲームなどには効果的なのだが、プレイヤー数が増えると、正しく予測し破綻なく同期するのが指数関数的に難しくなってしまう。

ましてそれがサンドボックス型の仮想世界で、環境やアセットのデータがクラウドからストリーミングされるとなればなおさらだ。だから、『フォートナイト』や『コール オブ デューティ』など緻密なレンダリングがリアルタイムに行われる仮想世界に問題なく参加できる回線を持つのは、米国でもブロードバンドに対応した家庭の4分の3にすぎないし、中東にいたっては4分の1に満たないと、リアルタイム帯域を確保する技術の会社、サブスペース社は判断しているのだ。

おまけに、レイテンシーを許容限度内に抑えられれば万事解決という話でもない。サブスペースによると、平均レイテンシーが10ミリ秒増えたり減ったりすると、週間プレイ時間が6%減ったり増えたりするという。しかも、ヘビーゲーマーでさえ気にしないレベルまでレイテンシーが下がってもこの相関は成立するという。つまり、25ミリ秒だったものが15ミリ秒になれば、プレイする時間が1週あたり6%増えるのだ。影響をこれほど強く受ける事業はほかにないし、ゲームとはエンゲージメント事業であることから収益への影響も計り知れないものがある。

これはゲームに特有の問題であってメタバースには関係がないように感じられるかもしれない。どころか、ゲーム収益に対しても部分的にしか影響しない問題だったりする。『ハースストーン』や『ワーズ・ウィズ・フレンズ』など順番にプレイするターン制のヒット作も多いし、『王者栄耀』や『キャンディークラッシュ』のようにリアルタイムではあるがミリ秒単位・ピクセル単位で正確に入力を反映する必要のないものもある。

それでもメタバースは低レイテンシーでなければならない。人と人が会話するときには、ちょっとした表情の変化がとても大事だからだ。動きやタイミングの微妙な狂いもすごく気になってしまう。

ピクサー映画のキャラクターはまんがチックなので口がどう動いていても気にならないが、CGIですごくリアルに描かれた人の唇だと動きが少し狂っただけで気持ち悪く感じてしまう（この現象は「不気味の谷」と呼ばれている）。母親に話しかけ、100ミリ秒遅れて反応が返ってくると、それだけで背筋に冷たいものが走ったりする。ピクセル単位の精度が求められる弾丸に比べれば時間的な制約は緩いが、メタバースで人間関係を実現するほうが必要なデータ量ははるかに多いのだ。レイテンシーも帯域も、単位時間あたりに送れる情報量を左右することを思い出してほしい。

ソーシャルな製品は、また、何人までなら使えるのか、そして、実際に何人が使っているのかで成否が左右される。マルチプレイヤーゲームは同じ時間帯かせいぜい隣の時間帯の人とプレイすることが多いが、インターネット上のコミュニケーションは地球の反対側を相手にすることも少なくない。米国の北東部から南東部までデータを送るのに35ミリ秒ほどかかるという話をしたが、大陸間の通信は時間がもっとかかる。米国北東部からアジア北東部で中央値が350〜400ミリ秒にも達するし、ユーザー間では700ミリ秒とかそれこそ1秒とかかかったりする。

友だちや家族が1000キロ以内にいないとフェイスタイムやフェイスブックが使えないとしたらどう感じるだろうか。自宅でしか使えないとしたら？　仮想世界を通じ、海外など遠くにいる人にも働いてもらいたいと産業界が考えるには、遅延を500ミリ秒以下に抑えたいところだ。なのだが、仮想世界に参加する人が増えれば増えるほど、同期は難しくなっていく。

拡張現実はレイテンシーの要求がことさらに厳しい。頭と目の動きが重要な役割を果たすからだ。拡張現実用のメガネをかけていても、ふり返ればそちらの状況に目がすぐ順応し、0・00001ミリ秒後には光の粒子をとらえるはずだと思ってしまう。であるのに、その情報を受け取るのに10〜100ミリ秒もかかったらどう感じるだろうか。

メタバースの前に立ちはだかる「最大の障害」

レイテンシーはメタバースの実現をはばむ最大の障害だと言える。いま、超低レイテンシーでなければならないサービスやアプリケーションがほとんどなく、そのためプロバイダーも技術会社もリアルタイム配信に注力しづらいのも問題だ。ただこの点については、今後メタバースが発展していけば、低レイテンシーのインターネットインフラに対する投資も増えるはずだ。

だが、お金さえかければレイテンシー問題を解決できるわけでもない。物理法則が立ちはだかるからだ。クラウドゲームも手がけるゲームパブリッシャーのＣＥＯも、光の速度と戦い続けているが、なにをどうがんばっても光速に勝つことはできないと指摘している。

ニューヨークから東京やムンバイまで超低レイテンシーで１バイトのデータを送るとしよう。距離が１万１０００キロから１万２５００キロもあるので、光でも移動だけで40～45ミリ秒もかかってしまう。要求の厳しいビデオゲームの許容限度を10～20％下回るのがやっとというレベルだ。それでも下回っているのだから物理法則など気にする必要はない、とはならない。40～45ミリ秒というのは物理的な限界であり、現実にはもっと時間がかかる。アマゾンが米国北東部に持つデータセンター（ニューヨークを担当している）から東南アジアに持つデータセンター（ムンバイや東京をカバーする）までパケットを送ると、平均でレイテンシーは２３０ミリ秒に達してしまう。

ここまで遅くなる理由はいろいろとある。ひとつは石英ガラスだ。光ファイバーなら光の速度でデータを送れると思われているが、これは、ある意味正しくある意味まちがった理解だ。光速は不変量であり、光そのものは光速で進む。だが、光ファイバーをまっすぐにしても、その中を進む光はまっすぐ進めない。真空と違って光ファイバーは光を反射するからだ。だから光はファイバーの外周部ではね返り、ジグザグに進む。結局、光は、ファイバー長より31％ほど長い距離を進まなければならなくなる。これだけで伝送時間は58ミリ秒とか65ミリ秒とかかかることになってしまう。

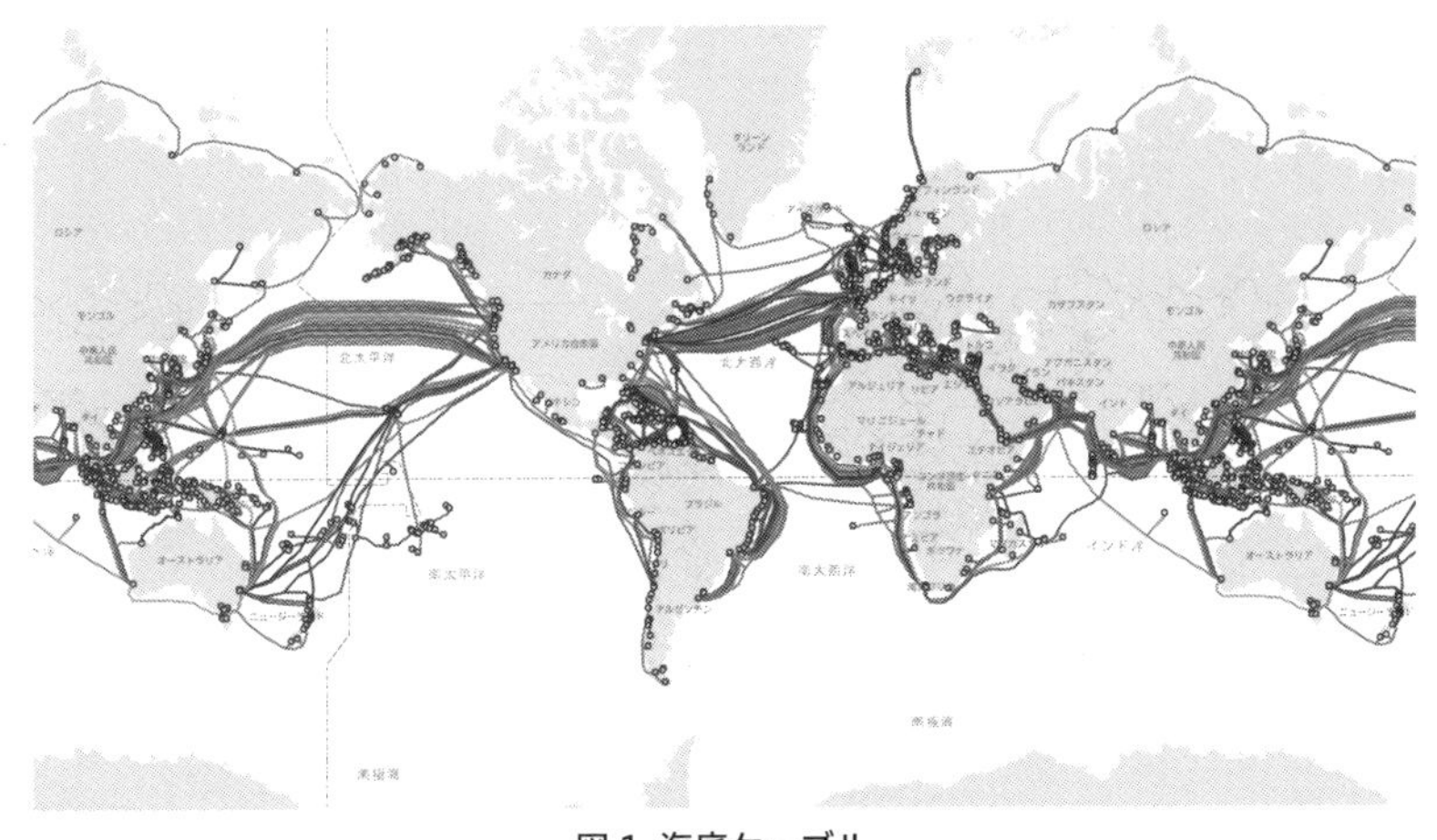

図 1. 海底ケーブル
500 本近い海底ケーブルと 1250 カ所ほどの陸揚げ拠点が世界をつないでいる。
TeleGeography

さらに、インターネットのケーブルはカラスが飛ぶようにまっすぐ敷設されるものではなく、各国の権利や地形的な制約に配慮しなければならないし、コストパフォーマンスも考えなければならない。だから主要国同士、主要都市同士でも直接には結ばれていなかったりする。

ニューヨークは海底ケーブルでフランスと直接つながっているが、ポルトガルとは直通回線がない。米国から東京へはデータを直接送れるが、インドへはアジアやオセアニアの海底ケーブルを何本も乗り継がなければならない。米国からインドまで直通回線を用意することも可能だが、その場合でもタイかその周辺を回っていく形にせざるをえず、数百キロから場合によっては数千キロも距離が伸びてしまう。しかも、そこまでして解決できるのは国から国までの伝送だけである。

驚くかもしれないが、実は、国際的なインターネットインフラより国内インフラのほうが改善しにくい。ケーブルの新設も交換も、網の目のように張り巡らされた輸送インフラ（高速道路や鉄道など）や人口密集地（それぞれに政治情勢も異なれば住民の意識もインフラ整備に対する意欲も異なる）、公園などの保護区を避けて行わなければならない。私有地と公有地が入り乱れる山岳地帯に比べれば、公海の海山を越えるケーブルのほうが敷設はずっと簡単なのだ。

「インターネットバックボーン」は、その言葉から、しっかりとした計画のもとにケーブルを敷設してネットワークを構築し、共同運用されている印象を受ける。現実は、プライベートネットワークがなんとなくつながっているだけだ。いずれも地域の都合で作られていて、総体的な効率は考慮されていない。とあるプライベートネットワーク事業者が住宅地２カ所あるいはビジネスパーク２カ所を光ファイバーでつなぐとしよう。許認可の手間暇や既存施設の活用効率などを考えればほかのインフラと一緒に作るほうがいいと、カラスが飛ぶようにまっすぐケーブルを引かず、曲がりくねった形になるのがふつうである。

ニューヨークからサンフランシスコでもロサンゼルスからサンフランシスコでも、２都市間でデータを送る際には、異なるネットワークをいくつも乗り継ぐ形になったりする（一つひとつのネットワークはホップと呼ばれる）。しかも、どのネットワークも両都市間の距離や伝送時間を短くすることなど考えずに作られている。だから、データがたどる距離はユーザーとサーバーの直線距離よりずっと長くなりがちだ。

この欠点については、ＴＣＰ／ＩＰのアプリケーション層を構成する主要プロトコルのひとつ、ボーダー・ゲートウェイ・プロトコル（ＢＧＰ）も一因だ。第３章でも触れたが、ＢＧＰは航空交通管制官のようなもので、次にどのネットワークにデータを渡せばいいのかを各ネットワークに指示し、インターネットにおけるデータの流れを管理する。ただそのとき、なにが送られているのかも考慮しなければ、どこに向かって送られているのかも、送られているデータの重要性も考慮しない。考慮するのはコストだけと言ってもいいだろう。

BGPのルールセットは、インターネット創設当時に想定された非同期ネットワークに合わせたものとなっている。目標は、なるべく安価に、かつ、取りこぼすことなくデータを送り届けることだ。それしか考えないため、伝送ルートは必要以上に長くなりがちだし、どんどん変化してしまう。

たとえば、マンハッタンのあるビルに住むプレイヤーふたりが『フォートナイト』で戦うとしよう。バージニア州の担当サーバーとのやりとりがオハイオ州経由となり、伝送距離が50%も伸びたりする。片方のプレイヤーに戻されるデータがシカゴ経由になって伝送距離がもっと伸びることもありうる。あげくに接続が切れたり、150ミリ秒レイテンシーの発作に見舞われたりするわけだ。メールなど、リアルタイムに伝える必要のないデータの流れを優先したがゆえに。

データパケットの平均伝送時間がニューヨークから東京で光の到達時間の4倍以上、ニューヨークからムンバイで5倍、ニューヨークからサンフランシスコで状況により2倍から4倍になるのは、こういう要因が積み重なった結果というわけである。

伝送時間の短縮はあきれるほど難しく、費用も時間もかかる。ケーブルインフラの交換やグレードアップは費用も半端なくかかる上、あちこちから許認可も取り付けなければならない。そして、ケーブルをまっすぐにしようとすればするほど許認可は取りにくくなる。住宅地や商業地、公有地、さらには公園など保護された場所を通ることが増えるからだ。

そういう意味では無線インフラのほうがグレードアップは簡単だ。5Gネットワークは超低レイテンシーの無線接続が売りで、原理的には1ミリ秒、現実にも20ミリ秒程度になると言われている。現行の4Gネットワークに比べると20~40ミリ秒、レイテンシーが減るわけだ。だがこれで改善されるのは、データ通信の最後数百メートルだけである。基地局までは無線でも、そこから先は有線インフラの問題になってしまう。

スペースXの子会社で衛星インターネットを運営するスターリンクは、米国から始めて最終的には世界をカバーする形で広帯域・低レイテンシーのインターネット接続を提供する、としている。だが、衛星インターネットで超低レイテンシーは不可能だ。特に長距離は無理である。スターリンクによると、2021年現在、地上の家庭から衛星の往復で伝送時間は18~55ミリ秒とのこと。だがニューヨークからロサンゼルスまでの往復になると、衛星をいくつも渡り歩いたり既存の地上ネットワークを通ったりしなければならず、レイテンシーが大きくなってしまう。

スターリンクでは伝送距離の問題が悪化するおそれもある。ニューヨークからフィラデルフィアまでは直線距離で160キロメートルほど、ケーブル長でも200キロというところだが、低軌道衛星まで往復すると1000キロをゆうに超えてしまう。

損失も問題になる。レーザーで大気を突っ切ると光ファイバーよりずっと大きな損失が発生する。曇っていたりしたらなおさらだ。人口が密集している都市部はノイズが多く、干渉が起きがちなのも問題だ。だからか、スターリンクはほかのやり方ではインターネット接続が提供しにくい場所を中心に展開すると、2020年、イーロン・マスクも語っている。[4] メタバースのレイテンシー要件をすでに満たしている接続をさらに改善するという話ではなく、その要件を満たす人を増やすという意味であれば、たしかに、衛星にも一定の役割が期待できるだろう。

改善策としては、ボーダー・ゲートウェイ・プロトコルを改定する、補足プロトコルを追加する、まったく新しい規格を導入するなどが考えられる。

いずれにせよ、我々としては、ロブロックス社やエピックゲームズ社、あるいはクリエイター個人の心や創造力以外にはばむものはないと考えたいし、実際、彼らにネットワーク関連の制約をたくみに回避する力があることは証明されている。今後、帯域やレイテンシーの問題に社会が対処していくあいだも、彼らは、そういう工夫を次々と生み出してくれるはずだ。

だが当面、これらリアルな制限により、メタバースも、メタバース内のあれもこれも、足を引っぱられ続けるのはしかたがないのだろう。

Chapter 06

コンピューティング

十分な量のデータをタイミングよく送るのは、同期型仮想世界を運営するプロセスの一部にすぎない。そのデータがなにを意味するのか解釈もしなければならないし、コードも走らせなければならないし、入力の評価やロジックの判断もしなければならない。環境のレンダリングも必要だ。このあたりは中央処理装置（CPU）とグラフィックス・プロセッシング・ユニット（GPU）の担当で、最近はコンピュートと呼ばれるようになっている。

コンピュートとはデジタルな「仕事」をこなす資源を指す。過去何十年か、コンピューティング資源はどんどん作られて増えているし、すごくパワフルになってきている。にもかかわらず、いままでも、そしてこれからも、コンピューティング資源は足りない状態が続く。能力が上がれば上がるほどややこしい処理をさせてきたし、これからもさせるであろうからだ。

その結果、ゲーム機もこの40年でだいぶ大きくなった。1994年発売の初代プレイステーション（PS）は幅269ミリ、奥行き186ミリ、高さ52ミリの約1・5キロだった。それが2020年発売のPS5になると幅390ミリ、奥行き260ミリ、高さ104ミリの約4・5キロだ。大きくなったのは、基本的に、処理能力を高めるため、そして、高い処理能力に見合う大きな冷却ファンを装備するためである。光学ドライブなしの初代プレステだけならクラッチバッグにも入ってしまうし、25ドルも出せば買えてしまう。それでも、みな、新しいものを買う。

2013年の『モンスターズ・ユニバーシティ』を制作するため、ピクサーがスーパーコンピューターを用意した話を第3章で紹介した。産業用コンピューター2000台、2万4000コアを連結したやつだ。このデータセンターは建設に数千万ドルと当時売られていたPS3をはるかに超える費用がかかっているが、同時に、生み出す映像も比べものにならないほど詳細で美しく、大きなものだった。あの映画のフレーム12万枚は、1枚をレンダリングするのに30コア時間もかかっているのだ。[i] 映画公開後、ピクサーはコンピューターやそのコアを新しくて処理能力が高いものに順次交換。同じショットなら短い時間でレンダリングができるようになったわけだが、その処理能力は、時間短縮ではなく、レンダリングの向上につぎ込まれている。

2017年のピクサー映画『リメンバー・ミー』には、個別にレンダリングされた光が800万点近いショットも登場する。最初は1フレームのレンダリングに1000時間かかったし、それなりに工夫をしても450時間までしか減らなかったそうだ。最終的には、縦方向と横方向、それぞれ20度ずつ視線をずらしてかなりの光点を「焼き込む」方法で、つまり、カメラに対する応答性を少し引き下げることで1フレーム55時間まで減らすことに成功した。[1]

こういう例を出すのはずるいと思うかもしれない。800万もの光点やリアルタイム仕様が求められることなどまずないし、350平方メートルと巨大なIMAXスクリーンでじっくり映像を観

---

i 念のため申し添えておくと、時間が30時間かかったという話ではない。30コア時間である。1コアで30時間レンダリングしても30コアで1時間レンダリングしても同じく30コア時間となる。

られることもまずないからだ。それでもなお、メタバースに求められるレンダリングや計算のほうが難しいと言える。0・016秒以内に、いや、理想的には0・0083秒以内に完了しなければならないのだから。スーパーコンピューターのデータセンターなど企業でもめったに持てないし、まして個人には夢のまた夢という話である。そう考えると、いまの仮想世界がいかに乏しい処理能力で実現されているのか、ただただ驚くばかりである。

アイデアは昔からあったが技術がなかった

『フォートナイト』と『ロブロックス』に話を戻そう。どちらもすごくクリエイティブだが、その元となったアイデアは昔から存在する。ライブのプレイヤー数十人（できれば数百人、数千人）がひとつのシミュレーションにログインしたらどういう体験ができるだろうか、ユーザー個々の想像力でいかようにもできるバーチャル環境が作れたらどういう体験ができるだろうかと、多くのディベロッパーが何十年も前から夢想していたのだ。ただ、技術的に実現不可能だった。

数百人から数千人の同時接続ユーザー（CCU）に対応した仮想世界も1990年代後半には生まれているが、当時は、仮想世界にもそこにログインするユーザーにも大きな制約があった。たとえば『イブ オンライン』なら、アバター姿でプレイヤーが集まることはできない仕様となっている。プレイヤーにできるのは、大きくて変化に乏しい船を操縦して宇宙を移動し、大砲を撃ち合うくらいだ。

『ワールド・オブ・ウォークラフト』の場合、ひとつところに数十人分のアバターをレンダリングすることはできるが、細かなところまで描きこまれてはいないし、引き気味の視点になってしまうし、アバターの動きも限られている。プレイヤーが集まりすぎるとその一時コピーを作成し、プレイヤーを分けてしまうといったことも行われる。リアルタイムにレンダリングするのはプレイヤーと一部のインゲームＡＩだけとし、背景はあらかじめ描いておくというやり方のゲームもある。背景部分にプレイヤーが干渉することはできないわけだ。さらに、このようなゲームに参加したければ、１台数千ドルもするゲーミングＰＣを買う必要があった。そこまでしなくても参加できないことはないが、その場合は、だいたい、レンダリング設定を低くしたりフレームレートを半分に落としたりすることになる。

一般消費者向けの機器でも『フォートナイト』などのゲームができるようになったのは２０１０年代も半ばである。きれいなアニメーションでさまざまな動きのできるアバターが何十体も参戦し、冷たい空間が広がる宇宙ではなく、活力に満ちた世界で戦う――そういうゲームに。ちょうどこのころ、サーバーも価格が下がり、たくさんの機器から届く入力をさばき、同期できるだけのものをそれなりの費用で用意できるようになった。

コンピューターの進化を受け、ビデオゲーム業界は大きく変わっていく。数年で、人気の（つまりは収益性の高い）ゲームは、同時接続ユーザー数が多く、ＵＧＣ（ユーザー生成コンテンツ）が楽しめるものになっていった（『フリーファイア』、『ＰＵＢＧ』、『フォートナイト』、『コール オブ デューティ ウォーゾーン』、『ロブロックス』、『マインクラフト』）。さらに、『フォートナイト』におけるトラヴィス・スコットのライブや『ロブロックス』におけるリル・ナズ・Ｘのライブなど、それまではリアル世界の出来事しか報じなかったメディアに取りあげられるものが出てくる。

このようにジャンルが増え、イベントが増えた結果、ゲーム業界はどんどん成長。２０２１年には、バトルロイヤルゲームだけで（つまりＣＣＵ数が大きいジャンルひとつで）、１日３億５０００万人もプレイするようになったし、参加したいと思えばできる人は何十億人もいる。リッチな3D仮想世界をレンダリングできる機器を持つ人など、２０１6年には世界で3億５０００万人しかいなかったというのに。

ちなみに『ロブロックス』は、２０２1年、月間ユーザー数2億２５００万人を達成している。これは、史上最高の販売台数を誇るＰＳ２の累計販売台数を3割以上も上回る数字であり、スナップチャットやツイッターといったソーシャルネットワークに参加している人の3分の2という数字である。

バトルロイヤルは制限との戦い

ここまで読み進められた方にはおわかりかと思うが、このようなゲームが未来的に感じられるのは、処理の制約を回避できる設計になっていることが大きい。

たとえばバトルロイヤルゲーム。１００人参加できるものが多いが、マップが広大で、かつ、興味を引く場所があちこちに用意されているので、プレイヤーは散りがちだ。この場合、サーバーが各プレイヤーの行動を追跡する必要はあるが、各プレイヤーの機器は他プレイヤーをレンダリングする必要もなければ、その行動を追跡したり解析したりする必要もない。最終的にはプレイヤーがそれこそ1部屋など狭い場所に集まることになるが、それまでに大半は負けて戦場を去っている。なにせバトルロイヤルなのだし、マップが小さくなればなるほど生き残るのは難しくなるのだ。というわけで、プレイヤーはほかの99人を気にしなければならないかもしれないが、その機器はもっと少ない人数のことだけ考えていればいい。

だが、このような工夫で万事解決とはならない。たとえば、世界トップクラスの人気を誇るモバイル専用バトルロイヤル『フリーファイア』。東南アジアや南アメリカのプレイヤーが多く、使っている機器も、高性能なｉＰｈｏｎｅやハイエンドアンドロイドではなく、基本的にローエンドからミドルレンジのアンドロイドだ。そのため『フリーファイア』は、バトルロイヤルに参加できる人数を１００人ではなく50人に制限している。ユーザーにできることも、一般的なゲームより制限がきつい。ビルド機能がオフになっていたり、ふつうなら10～20種類はあるダンスムーブの数がプリセットのいくつかだけだったりという具合だ。

プレイヤーの平均より性能の低い機器でアクセスすると制限がさらに増える。古めの機器だと他プレイヤーのカスタムアウトフィットがロードできず、デフォルトの姿で表示される（プレイそのものに影響が出ないからだ）。『マイクロソフトフライトシミュレーター』（ＭＳＦＳ）はとてつもなくすばらしいが、最低のグラフィックス設定でも対応できる能力を持つのはＭａｃやＰＣの１％以下だ。しかも、本当にリアルなものをマップ、天候、飛行経路に絞っているから走らせることができている、とも言える状況だ。

もちろん、処理能力は年々向上する。だから、リアリティ低めの『ロブロックス』は、いま、最大２００人の同時接続をサポートできているし、７００人のベータテストもしている。しかし、創造性以外に制約がないという状態にはほど遠い。

メタバースでは、ひとつのシミュレーションに何十万人もログインするし、バーチャルアイテムも好きなだけ作れる。フルのモーションキャプチャーもできる。10種類の選択肢から選ぶとかではなく仮想世界を好きにカスタマイズできるし、カスタマイズには永続性がある。レンダリングもたかだか１０８０ｐ（いま「高精細」と言われている解像度）ではなく、４Ｋやそれこそ８Ｋで行える。そうならなければならないのだ。

だが、これだけのことをリアルタイムにこなすとなると、最高級機種でも難しい。アセットやテクスチャー、解像度などが増えれば増えるほど、また、フレーム数やプレイヤー数が増えれば増えるほど、いまでも不足しがちなコンピューティング資源を消費することになるからだ。

次世代の没入型シミュレーションが実現するのはもっとリアルに感じられる爆発や動きがもっといいアバター程度のことではないとNVIDIAの創業CEO、ジェンスン・ファンは言う。素粒子物理や重力、電磁気、光や無線波をはじめとする電磁波、圧力・音などの法則をきちんと適用する段階に入るというのだ。[2]

物理法則を厳密に反映したメタバースにすべきか否かは議論の余地があるかもしれないが、処理能力が上がれば、その分、大事ななにかが進歩するから処理能力は常に不足するというのは大事なポイントだ。ファンのように、物理法則を仮想世界に持ち込みたいというのはさすがに行きすぎだし、そんなことをしても意味はないと感じるかもしれないが、そう結論づけるためには、そうしたときにどういうイノベーションが起きるのかを予測し、それはいらないと切り捨てる必要がある。100人でバトルロイヤルができるようになったら世界が変わると考えた人などいないだろう。

どれほどの「コンピュート」が使えるのか、その「コンピュート」にどういう制限があるのかで、いつ、どこで、だれが、どういう経験をメタバースでできるのかが決まる。それだけはまちがいのない事実である。

同じ問題の裏表

メタバースを実現するにはコンピュートが不足しているわけだが、では、どれだけあれば大丈夫なのかはよくわからない。オキュラスの元CTOで現在は顧問CTOを務めているジョン・カーマックの言葉を第3章で紹介した。メタバースの構築は倫理的に必要なことだと考える彼は、2021年10月、コンピューターの処理能力が100倍になったらメタバースを実現できるかと20年前に問われたら、できると答えただろう、だが、そのくらいの性能を持つ機器が掃いて捨てるほどあるようになったいま、メタバースの到来は少なくとも5年から10年は先だし、10年先でもトレードオフを覚悟して思い切った最適化をしなければならないと考えているそうだ。その2カ月後には、インテルのシニアバイスプレジデントでアクセラレーテッド・コンピューティング&グラフィックス部門のゼネラルマネージャー、ラジャ・コドゥリも、同様の意見をインテルの投資家向けサイトに書いている。

「メタバースは、ワールドワイドウェブ、モバイルに続く次なるコンピューティングプラットフォームになる可能性がある……真に永続的で没入型のコンピューティングで何十億人もがリアルタイムにアクセスできるものとなると、現状では不足が否めない。計算効率がいまの高性能マシンの1000倍にならなければだめだと思う」[3]

どう実現するのか。そこは意見が分かれるところである。

まず、なるべく多くの「処理」を消費者側機器から産業用データセンターに移し、リモートで行うべしという意見がある。いま、仮想世界関連の処理は大半が各ユーザーの機器で行われている。それはつまり、同じ体験を実現するためにたくさんの機器が同じ処理を同時に行っているわけで、無駄が多いと感じられる。逆に、仮想世界の「オーナー」が運用するサーバーはめちゃくちゃパワフルなのに、ユーザーの入力を追跡する、必要に応じてそれをほかに伝える、処理に矛盾が生じたときに審判役を務めるくらいしかしていない。レンダリングなどかけらもしていない。

どういうことか、具体的な例で考えてみよう。『フォートナイト』で樹木に向けてロケット弾を放ったとしよう。その情報（使われたアイテム、その属性、弾道）がプレイヤーの機器から『フォートナイト』のマルチプレイヤーサーバーへ送られ、そこから、その情報を必要とするプレイヤーに転送される。情報を受け取ったプレイヤーの機器は、その情報に適した処理をする。つまり、爆発の映像を示す、自プレイヤーのダメージを判定する、爆破された樹木をマップから取り除く、そして、樹木があった場所も通れるようにするなどだ。

同じ弾頭が同じタイミング、同じ角度で同じ樹木に当たり、同じロジックで処理が行われても、爆発はプレイヤーごとに見え方が違ったりする。機器ごとにレイテンシーが違い、ロケット弾の発射位置や発射タイミングの判定が微妙に変わるからだ。たいがいは気にする必要もないくらいしか違わないが、その違いが問題になるケースもある。たとえば、プレイヤー1側は樹木の爆破でプレイヤー2を殺したと判定したが、プレイヤー2側は重傷であって致命傷ではないと判定したようなケースだ。どちらも「まちがい」とは言えないのだが、「真実」がふたつあるのではゲームを進められない。そういうときは、サーバーが審判役を務めることになる。

いまのように処理の大半をユーザー側が担う形式では、ほかにも制約が生じる。使っている機器が処理できる範囲でしか体験できないという点だ。同じ『フォートナイト』でも、２０１９年のｉＰａｄと２０１３年のＰＳ４、２０２０年のＰＳ５では見え方が違う。ｉＰａｄは1秒30フレームが限界だが、ＰＳ４なら60フレーム、ＰＳ５なら１２０フレームまで対応できる。ｉＰａｄはマップテクスチャーもおそらくは一部しかロードできないし、アバターのアウトフィットさえスキップしてしまう可能性がある。対してＰＳ５なら、ＰＳ４では見えない反射光や影まで見ることができる。言い換えれば、スペックが一番低い機器でも処理できるレベルまでしか仮想世界は複雑にできないということだ。『フォートナイト』ではアバターやアウトフィットの処理で調整し、ゲームプレイそのものに違いが生じないようにエピックゲームズはしているわけだが、この方針が変わることがあれば、たくさんのプレイヤーが切り捨てられることも考えられる。

処理やレンダリングを産業用データセンター側でなるべく処理するほうがどう見ても効率的で、メタバースを構築するならこの方法しかないようにも思える。実際、そちらに向けて動いている会社がいくつもある。グーグルのステイディアもアマゾンのルナも、リモートのデータセンターでゲームプレイのすべてを処理し、レンダリングした結果を動画ストリーミングの形でユーザーに送り出す方式だ。ユーザー側の機器は送られてくる動画を再生し、左に移動、Xを押すなどの入力を送り出すくらいしかやることがない。ネットフリックスで動画を見るのと似たようなものだ。

このアプローチを支持する人は、家庭への電力供給を個別発電機ではなく大規模発電所と送電網でするのと同じだと言う。クラウドモデルなら、あまりアップグレードされない家庭用マシンを小売業者の儲け分が上乗せされた価格で買わず、エンタープライズ機器へのアクセスをレンタルするだけでよくなるし、エンタープライズ機器のほうが処理能力のコストパフォーマンスは高いし、更新も容易だ。

このやり方なら、ユーザー側機器が1500ドルのiPhoneだろうがWi-Fi対応で動画を見ることができる古い冷蔵庫だろうが、計算処理の負荷が大きい『サイバーパンク2077』をフルレンダリングで楽しむことができる。仮想世界を運営する会社が持つ数百万ドル規模からそれこそ数十億ドル規模のサーバー群で処理ができるものを、なにが悲しくて、色つきプラスチックに覆われた小さな消費者機器で処理しなければならないのか。

この説明には一理あると感じられるし、ネットフリックスやスポティファイなどサーバーサイドのコンテンツサービスは成功してもいるのだが、ゲームパブリッシャーがみなリモートレンダリングに賛同しているわけでは必ずしもない。

エピックゲームズのティム・スウィーニーCEOも「レイテンシーという壁のまちがった側にリアルタイム処理を置こうとする試みはいままでもあったが、すべて失敗に終わる運命にある。たしかに帯域もレイテンシーも改善しているが、世間一般のコンピューティング性能はそれ以上のスピードで上がっているからだ」[4]と指摘している。言い換えれば、ユーザーが持つ機器よりリモートのデータセンターのほうが体験がよくなるかという問題ではないということだ。この問いに対する答えはイエスに決まっている。だが、ネットワークという障害物があるし、その状況はまだしばらく変わらないと思われる。

ここが発電・送電と話が異なる部分だ。先進国なら、暮らしに使う電力を受け取るのに苦労するとか手に入れるのに時間がかかるといったことはまずない。送る電力（データに相当）がごく少ないにもかかわらず、である。対してリモートでレンダリングする場合、1時間あたり何ギガバイトものデータをリアルタイムで届けなければならない。現状、1時間あたりたった数メガバイトをタイミングよく届けるだけでも苦労しているというのに、である。

レンダリングの正解は？

レンダリング効率も、リモートのほうが本当にいいのか、実はわかっていない。いろいろな問題が絡みあっているからだ。

まず、GPUは仮想世界全体のレンダリングを常にくり返しているわけでもなければ、それこそ、大部分をレンダリングしなおしているわけでもない。レンダリングするのは、ユーザーが必要としたとき、そのユーザーが必要とするものだけ、である。『ゼルダの伝説 ブレス オブ ザ ワイルド』で自分のキャラクターが振り向いたら、ニンテンドースイッチに搭載されたNVIDIA GPUは、過去にレンダリングしたすべてをアンロードして視界の変化に対応する。「ビューフラスタムカリング」と呼ばれる処理である。「オクルージョン」という手法もある。プレイヤーの視界にあるオブジェクトでもほかのオブジェクトにさえぎられていればロードやレンダリングを行わない処理だ。「LOD（詳細度）」というのもある。こちらは、プレイヤーが見られる場合にのみカンバの木肌が持つ微妙なテクスチャーなどの情報をレンダリングするというものだ。

カリングもオクルージョンもLODもユーザーから見えるものに処理能力を集中するもので、リアルタイムレンダリングに必須の手法である。

だがこの手法を使うと、あるプレイヤーのGPUがレンダリングした結果をほかのプレイヤーに流用することはできなくなる。そんなはずがない、NINTENDO64の『マリオカート』ならスクリーンを4分割し、ドライバー4人でプレイできたのだからと思う人もいるだろう。『フォートナイト』も画面を2分割し、1台のプレイステーションかXboxでふたりプレイができる。だが、いずれのケースも、同じGPUが全員分のレンダリングをしているだけだ。

この違いは大きい。同じGPUでレンダリングする場合、全員、マッチもレベルも同じにしなければならないし、だれかが先に抜けるといったこともできない。機器の処理系がロードし、管理できる情報量に限りがあるし、樹木やビルなども毎回一からレンダリングせずRAM（ランダムアクセスメモリー）に置いておき、必要に応じて各プレイヤーが参照するというやり方になるからだ。

さらに、プレイヤー数が増えれば、その分、解像度やフレームレートが落ちてしまう。1台のテレビを2分割するのではなく2台のテレビでプレイしても、2プレイヤーの『マリオカート』では1秒あたりに表示されるピクセル数が半分になる。[ii]

ひとつのGPUでまったく違うゲームふたつのレンダリングをすることも不可能ではない。NVIDIA GPUの最上位モデルなら、2D横スクロールの『スーパーマリオブラザーズ』をふたつ同時にエミュレーションすることも、『スーパーマリオブラザーズ』ひとつと同じくらい処理の軽いタイトルをふたつ、エミュレーションすることもできる。

だがコンピュート効率はよくない。だから、たとえば、ハイエンドのゲームAを最高のレンダリング設定でプレイ可能なNVIDIA GPUも、設定を半分に落とせばふたつ同時に走らせられるわけではないし、設定を3分の1に落としてもやはり無理である。また、子どもふたりの勉強と寝かしつけを両親ふたりでするように、ゲームごとにいつどれだけ必要なのかに応じて処理能力を振り分けることもできない。ゲームAだけではGPUの処理能力が余るとしても、それをほかに振り分けることはできないのだ。

発電所は電力をたくさんの家庭に分配できるし、CPUサーバーもバトルロイヤル参加者の入力データ、位置データ、同期データを100人分処理できるが、GPUのレンダリング「能力」は分割・流用できるものではない。GPUは「ロックされたインスタンス」として、プレイヤーひとりのレンダリングに専念させるしかない。対応を模索しているところも多いが、この問題が解消されるまでは、大型の産業用発電機やタービンなどのように使える「メガGPU」を作れば効率が上がるということにならない。発電機は大型になればなるほど単位出力あたりのコスト効率が上がるが、GPUはむしろ逆という現実もある。ざっくり言えば、処理能力を2倍にしようとすると製造コストが2倍以上になってしまうのだ。

GPUは「分割」したり「共有」したりが難しいから、マイクロソフトがクラウドに用意したXbox用ゲームストリーミングサーバーファームは、はだかのXboxをずらりと並べ、1プレイヤーに1台を割り当てるようになっている。マイクロソフトの発電所は家庭用発電機をたくさんつないだネットワークになっていて、全体をカバーできるサイズ1台にはなっていないと表現することもできるだろう。もちろん、消費者向けXboxのGPUとCPUを使うのではなく、特注のGPUとCPUでクラウドを構成することもできる。だがそうすれば、別「タイプ」のXboxでも動くようにXboxゲームを開発しなければならなくなってしまう。

クラウドレンダリングのサーバーには、利用率の問題もある。たとえばクリーブランド地区で必要になるサーバーの台数は、日曜の夜8時には7万5000台だが、平均では2万台で、月曜朝4時なら4000台だったりする。このサーバーをゲーム機やゲーミングPCという形で消費者が持っているのであれば、それが使われていなかろうがオフラインだろうが気にすることはない。それをデータセンターにしてしまうと、需要に最適化しなければ経済性が悪化する。だから、利用率が低いハイエンドGPUを借りると高いのだ。

アマゾンウェブサービス(AWS)では予約すると料金が安くなるが、その理由がこれだ。予約したリザーブドインスタンスは料金を払ってあるわけで、ユーザーにとっては、1年間、まちがいなくアクセスできることが保証され、アマゾンにとっては運用コストと料金の差額が儲けとなる(P

---

ii 21年前に発売されたNINTENDO64バージョンの『マリオカート』を最新のニンテンドースイッチでプレイするなど、GPUの能力があまっている場合にはその限りでない。

S4相当の最安リナックスGPUリザーブドインスタンスで料金は年間2000ドルを超える)。必要なときだけアクセスしたいと思っても(「スポットインスタンス」)空きがなくて使えなかったり、GPU性能の低いインスタンスしか使えなかったりする。最後が大事なポイントである。リモートサーバーをコスト的に引き合うようにする方法がサーバーを入れ替えずもっと使う以外にないのだとすれば、処理能力の不足は解消されないことになってしまう。

コスト効率を高める方法はもうひとつある。設置場所を減らしてサーバーを集約するのだ。クラウドのゲームストリーミングセンターをオハイオ州、ワシントン州、イリノイ州、ニューヨーク州に置くのをやめて1カ所か2カ所にしてしまう。こうすればユーザーの数が増えて多様になり、結果、需要が安定して平均利用率が高くなる。だがこの方法ではリモートGPUとエンドユーザーが離れ、レイテンシーが増えてしまうし、ユーザー間の距離という問題も手つかずになる。

コンピューティング資源をクラウドに移すと発生するコストもある。データセンターはたくさんのマシンをぎっしり並べて動かすため、大量の熱が発生する。1台ずつ居間に置いていたら発生したであろう熱の合計よりもはるかに多くの熱が発生するのだ。また、機器のメンテナンスや保全、管理にもかなりのコストがかかる。高解像度・高フレームレートのコンテンツをストリーミングするということは、帯域も広くなければならず、その分、コストがかさむ。ネットフリックスなどはそのコストをかけて収益を上げているわけだが、そのようなサービスのストリーミングは1秒60フレームや120フレームではなく30フレームがいいところだし、解像度も低いし(1Kか2K。対してグーグルはステイディアを4Kか8Kにすると宣言している)、リアルタイムではないし、高負荷のコンピューティングをしているサーバーからではなく、ファイルを保存しているだけのサーバーから、それも、ユーザーにほど近いサーバーから送っているしと条件がまるで違う。

これからしばらくは、私が「スウィーニーの法則」と呼ぶものが成立すると思う。すなわち、ネットワークの帯域やレイテンシー、信頼性の向上より速いスピードで世間一般のコンピュートが向上していく、だ。

集積回路のトランジスタ数は2年で倍増するとしたムーアの法則は、1965年の登場からずいぶんと時間がたったいま、さすがにペースが落ちてきたと言われているが、それでも、CPUもGPUも処理能力が急速に伸びていることはまちがいのない事実である。また、最近はメインに使うコンピューティング機器の買い換え頻度が高く、エンドユーザーのコンピュートは2年から3年で様変わりするようになっている。

分散型コンピューティングという夢

もっともっと処理能力が欲しい、できればユーザーの手元に欲しい、少なくとも近くの産業用サーバーファームには欲しい。このあくなき欲望を考えると、第3の選択肢が浮かんでくる。分散型コンピューティングだ。いま、どの消費者も手の中にパワフルな機器を持っているし、住宅にはパワフルな機材が置かれている。しかもそれが遊んでいることが多い。であれば、その処理能力を活用しない手はない。そう考えるのは自然なことだろう。

「所有は個々人だが共有のインフラ」という概念は、少なくとも文化としては一般的だ。自宅の屋根に太陽光パネルを取り付け、余剰電気を電力会社に売電する（間接的に近所の家に売っていることになる）のは、いま、当たり前のことだ。自家用車は99％の時間、自宅ガレージに駐車しているのがふつうだが、その間、完全自動運転機能を搭載したテスラが勝手に走り回って運送業をしてくれる日がもうすぐ来るとイーロン・マスクはさかんに吹聴している。
消費者機器を活用する分散型コンピューティングは、1990年代にはもう登場している。なかでも有名なのは、宇宙人を探すプロジェクトに消費者が自宅コンピューターを提供するカリフォルニア大学バークリー校のSETI@HOMEだろう。スウィーニーも、ファーストパーソン・シューティングゲームの『アンリアル・トーナメント』を1999年に出荷したとき、「ゲームサーバー同士が対話することで、ひとつのゲームセッションに参加できるプレイヤー数の上限をなくす」ことがやることリストに入っていたと語っている。もっとも、その20年後、いまだ願望の域を出ていないとも語っているが。[5]
GPUを分割利用する技術やデータセンター以外のCPUを共有する技術はまだこれからの段階だが、ブロックチェーンを活用すれば分散型コンピューティングも実現できるし経済的な側面もカバーできるはずだとの意見もある。CPUやGPUの余力を提供すれば、その対価が所有者に仮想通貨で支払われるようにすればいいというわけだ。処理したい「ジョブ」を持つ側がアクセスに入札する、逆に余力を持つ側がジョブに入札するなどそういう資源に対するアクセスをオークションにかけるなども可能だろう。
そういう市場が生まれれば、メタバースに必要となる膨大な処理能力にもめどが立つのだろうか。[iii] 没入型の空間にダイブしているときは、近くにいる人（隣を歩いている人かもしれない）が持っているモバイル機器にコンピューティングタスクの入札を自分のアカウントがくり返し、そうやって買った処理能力で眼前に広がる光景がレンダリングされる。逆に、機器を使わず遊ばせているあいだは逆のことが行われ、トークンを稼ぐことができる（このあたりは第11章で詳しく取りあげる）。このの方式を推す人々は、そのうちこれが標準機能になると考えている。ごく小さいものも含め、コンピューターはすべて、余力をオークションにかける機能を搭載するようになる、と。

何十億個ものプロセッサーがフレキシブルに協力し、大手企業の重要処理もこなせば、メタバースを支える広大無辺のコンピューティングメッシュも実現するようになる、と。木が倒れる音をだれでも聞けるようにするには、その木に全員で水をやるしかないのかもしれない。

---

iii ニール・スティーヴンスンが『スノウ・クラッシュ』の7年後、１９９９年に書いた『クリプトノミコン』には、このような技術やそのあたりにまつわるあれこれが詳しく描かれている。

Chapter 07

仮想世界のエンジン

バーチャルな森でバーチャルな木が倒れる。前2章で、この木をレンダリングするにはなにが必要なのか、倒れたという処理にはなにが必要なのか、それを共有し、観測者にもわかるようにするにはなにが必要なのかを検討した。だが、そもそもこの木とはなんなのだろうか。どこにあるのだろうか。森とはなんなのだろうか。答えはデータとコード、である。

大きさや色といったバーチャルオブジェクトの属性を記述するのがデータだ。バーチャルな木をCPUで処理しGPUでレンダリングするためには、このデータをコードにかける必要がある。その木を切り倒して木材とし、それでベッドや照明を作ったり火をおこしたりしたければ、このコードは、仮想世界を動かすコードという大きなフレームワークの一部でなければならない。

現実世界も似たような構造になっている。木が倒れる理由から、それがどう空気を振動させるのか、その振動が人の耳まで到達し、シナプスをいくつも経由して電気信号という形で情報が伝えられていく。この連鎖を読み解き、実行しているコードが物理法則である。同様に、人間という観測者が木を「見る」とは、太陽などで発生した光がその木で反射し、その反射光を人の目と脳が受けとり、処理することを意味する。

大きな違いがひとつある。現実世界は完璧にプログラミングされている、という点だ。現実世界の場合、見えないけれどもX線の情報は存在している。それがゲームだと、データとさまざまなコードを用意しなければX線も音響探知も存在そのものがなくなってしまう。現実世界では、ケチャップと石油を混ぜ、それを飲んだりどこかに塗ったりしたら、どういうものにせよ、ともかく、物理法則に従った結果が出る。ゲームで同じことをしようとしたら、ケチャップと石油を混ぜたらどうなるのかがわかっていなければならない（おそらくは混合比率による違いも含めて）。あるいは、両者がそれぞれなんであるのか、ゲームのロジックが判断できるだけの情報が用意されていなければならない。しかも、ゲームにそういう機能があるとして、の話である。

仮想世界の場合、ロジック次第で、石油はほかのものと混ぜられないことになっているかもしれない。油としか混ぜられないことになっているかもしれない。ほかのものを混ぜたら、使いようがないスラッジになるかもしれない。もっと複雑な結果が欲しければ、データも大きく増やさなければならないし、ロジックももっと作り込む必要がある。石油をどのくらい混ぜたらケチャップは食べられなくなるのか。ケチャップをどのくらい混ぜたら石油は使い物にならなくなるのか。混合比率によって色や粘度はどう変わるのか。数え上げれば切りがない。

そんなこと、いちいち気にする必要などない――この事実にこそ、仮想世界を創る側にとって大きな価値がある。『ゼルダの伝説』の勇者は宇宙に行かない。だから、宇宙関連の物理法則はいらない。『コール オブ デューティ』のプレイヤーはカヤックも魔法も焼き菓子の材料もいらない。だから、そのあたりを処理するコードは書く必要がない。任天堂もアクティビジョンも、ゲームでは意

i 木も、葉や幹、枝、樹皮などさまざまなバーチャルオブジェクトをまとめるコードという形の可能性がある。

味のないさまざまな組み合わせは無視し、それぞれの仮想世界が必要としているデータとコードに集中することができる。

このやり方は効率がとてもいいのだが、メタバースのような仮想世界を創りたい場合には障害になってしまう。特に相互運用性に問題が出る。たとえば『マイクロソフトフライトシミュレーター』では、フットボール競技場の横にヘリコプターを着陸させることはできるが、その競技場でフットボールの試合が行われることはなく、見ることも参加することもできない。試合を見たり参加したりできるようにするためには、フットボールのシステムを一から作る必要がある。そういうシステムなら他社があちこち開発しているし、ノウハウも蓄積されていていいものになっていることが多いというのに、だ。それではとフットボールに特化した他社の仮想世界を組み込もうとすれば、データ構造にもコードにも互換性がないという問題に直面してしまう。

ネットワークの章とコンピューティングの章では、ユーザー側の機器はあちらもこちらも同じ処理をしていることが多いと指摘した。ディベロッパー側の状況は、ある意味、もっと悲惨だ。フットボール競技場からボールにいたるまで、すべてを、なんどもなんども創っているのだ。ボールがどういう軌跡で飛んでいくのかといったところも含めて。

これに拍車をかけているのがCPUとGPUの進化だ。世界的なビデオゲームパブリッシャー、ネクソンによると、『ゼルダの伝説』や『アサシン クリード』のようなオープンワールドのアクションゲームでは、クレジットされるスタッフの数が2007年の1000人前後から2018年の4000人以上へと急増しているし、開発予算は同期間に10倍になっているという（増加スピードはスタッフの2・5倍）[1]。

木が倒れられるようにするには——フットボール競技場の近くで倒れられるようにしたり、決勝点のタッチダウンで巻き起こる歓声に木が倒れた音を上乗せしたりするには、プログラマーを山のように動員し、膨大なデータを一定のやり方で処理するコードを山のように書かなければならない。

メタバースに必要なデータとコードを共有し、動かし、レンダリングするにあたり、どういうネットワークや処理能力が必要なのかはすでに検討した。だから、この章では、それ以外に必要となるものについて考えてみよう。

ゲームエンジン

ここまで見てきたように、メタバースは概念も過去も未来も、すべて、ゲームと切っても切れない関係にあるし、仮想世界の基礎となるコードについては特にそうだと言えるだろう。このコードは、ふつう、「ゲームエンジン」の一部となっている。ちなみにゲームエンジンとは、ゲームを構築したりレンダリングしたり、そのロジックを処理したり、メモリーを管理したりするさまざまな技術とフレームワークをひとまとめに指す言葉である。バーチャル宇宙の法則を定めるもの、なにが起こりうるのか、なにがどこにどういう影響を与えるのかを定めるルールセットだと思えばいいだろう。

昔は、ゲームメーカーごとにゲームエンジンを構築・整備していたが、15年ほど前から状況が変わり、いまは、エピックゲームズからアンリアルエンジンのライセンスを受ける、ユニティ・テクノロジーズからユニティエンジンのライセンスを受けるという選択肢がある。

ライセンスを受けるにはコストがかかる。ユニティは年額制で、使える機能とディベロッパーの規模によって400ドルから4000ドル、アンリアルは売上の5%が基本だ。自社開発も少なくないが、その理由はライセンス料金以外にもある。展開の速さとリアル感が大事なファーストパーソン・シューティングゲームなど、あるジャンル、ある種の体験については、自社開発したほうが性能が上がり、いい感じに仕上がると考えるところもある。他社の製品や戦略に依存するのは危ないと考えたり、ゲームやその性能をライセンス元にすべて把握されるのはいやだと考えたりするところもある。だから、大手パブリッシャーは自社でエンジンを用意することが多い（アクティビジョンやスクウェア・エニックスのように何種類も開発しているところさえある）。

だがディベロッパーの多くは、ユニティやアンリアルのライセンスを受け、カスタマイズするほうが差し引きで大きくプラスになると考えている。少人数だったり経験があまりなかったりしても、ライセンスを受ければ、自作では望めないほどパワフルで検証もしっかりされているエンジンでゲームを作れるし、そのほうが失敗のおそれも小さくなれば予算オーバーの心配もなくなるからだ。

ゲームを支える基礎技術に時間を取られない分、レベルデザインやキャラクターデザイン、ゲームプレイなど、仮想世界を差別化する要素の作り込みに集中できるというメリットもある。独自エンジンは開発要員が必要だし、採用したディベロッパーに慣れてもらう必要もあるが、ユニティやアンリアルなら、使い慣れたディベロッパーが山のようにいて即戦力になる。同じ理由からサードパーティーのツールも使いやすくなる。スタートアップを立ち上げてアバター用の顔認識ソフトウェアを作るとき、使ったこともない独自エンジン用に開発しようとは考えない。一番多くのディベロッパーが使っているエンジン用にするのが当たり前だ。

家の設計・建築を例に考えてみるとわかりやすい。家を建てるとき、木材の規格や接合金物、単位系、工法、工具などを独自開発しようとする建築家やインテリアデザイナーはいない。そのほうがクリエイティブな作業に力を入れられるし、大工さんや電気屋さん、水道屋さんに仕事を頼むのも簡単になる。将来的にリフォームという話になったときも、ほかの人が問題なく担当できる。新しい技術や工具、やり方を勉強する必要がないからだ。

このたとえ話ではカバーできない大事なポイントがひとつある。家は建てる場所が決まっているし、一度建てたらそれでおしまいだ。対してゲームは、なるべくたくさんの機器・オペレーティングシステムをサポートしたい。できれば、リリースどころかまだ開発されていないものも含めて。言ってみれば、ゲームは、英国の240Vと米国の120Vなど電圧も複数対応にしておきたいし、単位系もヤードポンド法にもメートル法にも対応したいし、電話線が埋め込み式か空中式かなど社会慣習もいろいろなパターンに対応したいわけだ。ユニティもアンリアルも、各種プラットフォームを単にカバーできるというレベルではなく、それぞれに最適化した形でゲームエンジンを開発・整備している。[ii]

ゲームエンジンは共有の研究開発ツールと考えることもできよう。エピックゲームズもユニティも利益を求める企業だが、ゲームのコアロジックを管理する独自システムにディベロッパー各社が個別に開発予算をつぎ込むより、クロスプラットフォーム技術のプロバイダー数社が資金を集中投下し、エコシステム全体にメリットのある高性能エンジンを開発した方がいいという考え方はある。

有力なゲームエンジンが開発されるのと時期を同じくして、種類の異なるゲームソリューションが登場した。ライブサービスのスイートである。ユーザーアカウントのシステム、プレイヤーデー

[ii] GPUとCPUの議論からわかるように、多くのゲーミングプラットフォームと互換性があるからといって、アンリアルやユニティならどのゲームでも動かせるという話にはならない。

タの保存・管理、ゲーム内取引の処理、バージョン管理、プレイヤー同士のコミュニケーション、マッチメイキング、リーダーボード、ゲーム解析、チート防止など、仮想世界を動かし、マルチプレイヤー体験を提供するのに必要なものの大半を提供する会社が、プレイファブ（いまはマイクロソフトのアジュールが所有している）やゲームスパーク（アマゾン）など、いくつも登場したのだ。いまは、ユニティもエピックもライブサービスを提供している。自社エンジン以外でも使えるし、料金も格安か無償である。世界最大のPCゲームストア、スチーム（第10章で詳しく取りあげる）も、スチームワークスというライブサービスを提供している。

今後、世界経済が仮想世界にシフトしていくと、こういうクロスプラットフォーム・クロスディベロッパーな技術がグローバル社会の中核を担うようになる。特に、これから増える仮想世界のビルダーは――つまり、ゲームメーカーではなく小売店や学校、スポーツチーム、建設会社、自治体などは、このようなソリューションを使うところが多いだろう。

そういう意味で、ユニティやアンリアル、プレイファブ、ゲームスパークなどはいいポジションを確保したと言える。仮想世界に共通する特徴のようなもの、共通語のようなものになれるのだから。メタバースにおける「英語」や「単位系」だと表現してもいいだろう。海外旅行をするときには英語を使い、長さや重さといった単位系の知識をなにがしか活用するのと同じように、いま、なにかをオンラインで作ろうとすれば、それがなんであっても、おそらくはこういう会社の製品を使うことになるし、そこにお金を落とすことになるわけだ。

実はもっと大事なポイントがある。複数の仮想世界に共通するデータ構造とコーディング方法を定めるなら、そのロジックを決めている企業以上の適任者はいない。仮想世界間で情報やバーチャルな物品、貨幣を交換する際、それを仲介するところがあるとしたら、仮想世界の内側でそういうものを実質的に処理している企業以上の適任者はいない。仮想世界をつないだネットワークを作るとしたら、ウェブのドメインやIPアドレスを管理・調整しているICANNのような役割を果たす適任者はどこになるのだろうか。このあたりはあとで詳しく検討することにして、まずは、メタバースの実現をめざす一番楽な道、言い換えれば一番いい道について考えてみよう。

統合仮想世界プラットフォーム

ここ20年ほどで開発されたさまざまなゲームエンジンやライブサービスのスイートを組み合わせ、統合仮想世界プラットフォーム（IVWP）とする動きも生まれた。『ロブロックス』、『マインクラフト』、『フォートナイトクリエイティブ』などだ。

IVWPは、ユニティやアンリアルと同じくクロスプラットフォームに対応した汎用ゲームエンジンで動く（『フォートナイトクリエイティブ』はエピックゲームズなので、当然、エンジンはアンリアルである）。特徴は、コーディングが不要であること。シンボルやオブジェクトをグラフィカルインターフェースで組み合わせるだけでゲームや体験や仮想世界が作れるのだ。

テキストベースのMS-DOSとビジュアルなiOSのような違いと言うべきか、ウェブサイトをHTMLで作るかスクエアスペースで作るかの違いと言うべきか。ともかく、IVWPは簡単に構築できて、開発の人員も予算もノウハウもスキルも少なくてすむように作られている。だから『ロブロックス』では子どもを中心に1000万人近くがさまざまな仮想世界を生み出している。

こういう作り方で生み出された仮想世界は、アカウントやコミュニケーションのシステム、アバターのデータベース、バーチャル通貨などが、すべて、プラットフォームが提供するライブサービスイートのものとなる。アクセスも、必ずＩＶＷＰ経由となる。ＩＶＷＰは共通インストーラーであり、体験を統合するものなのだ。

言い換えれば、『ロブロックス』で世界を創るのは、スクエアスペースでウェブサイトを作るよりフェイスブックのページを作るのに似ている。クリスマスツリーや雪が降り積もった木、枯れ木、ピンク色の樹皮テクスチャーなど、ディベロッパーが自分の仮想世界で作ったモノをアップロードできる共通市場も提供されている。つまり、ディベロッパーとプレイヤーの取引に加え、ディベロッパー間の取引でも収入が得られるようになっている。この市場で必要なものを買えば、新しい仮想世界の構築がさらに易しく、安く、早くできるようにもなる。バーチャルなオブジェクトやデータの統一も進む。

アンリアルやユニティを使うよりＩＶＷＰのほうが簡単に仮想世界が作れるわけだが、ＩＶＷＰの開発はゲームエンジンよりずっと難しい。ＩＶＷＰではすべてが最優先事項だからだ。クリエイターが創造性を発揮できるようにしたい、同時に、基盤となる技術は標準化したい、作られた仮想世界同士の接続性は高めたい、プログラミング知識のないクリエイターでもトレーニングなしに使えるようにしたいという具合だ。イケアが組立家具方式で米国のような国ひとつの建物すべてを作るようなものだ。加えて、通貨やガス・水道、警察、税関なども用意しなければならない。

ＩＶＷＰの運営がいかに難しいかよくわかる事例を『セカンドライフ』の元ＣＥＯ、エッベ・アルトバーグから聞いたことがある。

２０１０年代の半ば、バーチャルな馬とそのエサを売るビジネスを『セカンドライフ』で始めたディベロッパーがいた。ところが、『セカンドライフ』が物理エンジンをアップグレードしたときバグが混入し、馬がエサをすり抜けるようになってしまった。エサが食べられなくなった馬は死んでしまう。『セカンドライフ』がこのバグに気づくまでかなりの時間がかかってしまったし、修復にはさらに時間がかかった。最終的にはバグの影響を受けた人に適切な補償をしたのだが、こういうことがあると『セカンドライフ』の経済には下押しの圧力がかかるし、市場に不信感が広がって売り手も買い手も損をすることになる。既存部分に不具合が出ないようにしつつ機能を拡張していくのはとても難しいことなのだ。

似たような問題はゲームエンジンでも起きる。だが、たとえばエピックゲームズがアンリアルをアップデートする場合、そのアップデートを採用するか否かはディベロッパーが決められるし、アップデートするならするでどのタイミングでするのかもディベロッパーが決められる。十分に試験を重ね、ほかのディベロッパーとの関係でもアップデートが悪さをすることはないと確信が持ててから採用するなどができるのだ。『ロブロックス』は、アップデートすると、その瞬間から、そこで動いている仮想世界のすべてに影響が出てしまう。

「バーチャルイケア」はパーティクルボードではなくプログラミングで作られるわけだが、ということはつまり、物理的な制限はなく、制限がないに等しいソフトウェアによる制限しかないことになる。『ロブロックス』内で作られたものは、ロブロックス社が作ったものでもディベロッパーが作ったものでも、ほぼコストゼロでいくらでも複製したり流用したりできてしまう。改良もできる。IVWPに参加しているディベロッパーは、広がり続け、可能性もどんどん拡大していく仮想世界とオブジェクトのネットワークを豊かにする作業をみんなで協力して進めていると言える。

このネットワークがよくなればなるほどユーザー数もユーザーひとりあたりの支出も増え、それがネットワークの収益を押し上げる。そうなればディベロッパーも投資も増え、その結果、ネットワークがもっとよくなる。好循環が生まれるのだ。エンジンの研究開発だけを共有するのではなく、あらゆるものの研究開発を共有すれば、ここまでのメリットが手に入るわけだ。

現実にはどんな感じになるのだろうか。『フォートナイトクリエイティブ』を運営するエピックゲームズは株式非公開だし、マインクラフトの財務情報もオーナーのマイクロソフトが公表していないので、現時点では、ロブロックス社を例に考えてみるのが一番だろう。

バーチャル系の巨人ロブロックス社のお金の使い方を分析してみる

まずはエンゲージメントを見てみよう。２０２２年1月、『ロブロックス』の月間利用は平均で40億時間以上となっている。この1年前は約27億５０００万時間、そのまた1年前は15億時間、２０１８年末時点では10億時間だった。

なお、これにはユーチューブで『ロブロックス』の動画を見ている時間が含まれていない。ユーチューブは世界で一番よく使われている動画サイトであり、そこでゲームは一番人気のカテゴリーであり、『ロブロックス』はゲームのなかで二番人気だというのに（一番人気は同じくＩＶＷＰの『マインクラフト』である）、だ。

比較のために挙げると、ネットフリックスは視聴時間を月間１２５億〜１５０億時間と見ている。『アダプトミー』や『タワーオブヘル』、『ミープシティ』など、この『ロブロックス』でも人気のゲームは、いずれも、経験がないに等しいディベロッパーがひとりかふたりで作ったものだし、いまでも10人から30人くらいのスタッフで運営されている。なのに、累積プレイ回数は１５０億〜３００億回に達している。1日にプレイする人の数も『フォートナイト』や『コール オブ デューティ』の半分ほどに達しているし、『ゼルダの伝説 ブレス オブ ザ ワイルド』や『ザ・ラスト・オブ・アス』との比較では累積プレイ人数の半分ほどに達している。バーチャルオブジェクトの数もすごい。２０２１年だけで、２５００万アイテムが新たに作られているし、買うなどして取得されたものは58億アイテムに達している。[2]

『ロブロックス』のエンゲージメントが急増している理由のひとつに、ユーザーベースの拡大がある。２０１８年の第４四半期から２０２２年１月までのひと月の平均プレイヤー数が７６００万人（推定）から2億２６００万人以上と２００％も増えているし、１日あたりの平均プレイヤー数も１３７０万人から５４７０万人へと３００％も増えている。月単位より日単位のユーザーベースが伸びているということは、エンゲージメントの伸び率はさらに上がっていることになる（数字は４００％である）。『ロブロックス』は社会全体でも人気が高まっているが、同じように既存ユーザーにおける人気も高まっているわけだ。

このネットワーク効果は財務の数字にも表れている。２０１８年第４四半期から２０２１年第１四半期で４６９％も売上が伸びているし、『ロブロックス』で世界を創っている人々（ディベロッパー）に対する支払も６６０％伸びている。言い換えれば、１時間あたりのユーザー支出がかつてないペースで増えていて、その結果、収益もかつてないペースで増えている。しかも、支出や収益の増大は、ユーザー数の増加さえも上回っているし、ディベロッパーに対する報酬の伸びはそれをまた上回っている。そういう状況である。

上の年齢層で人気が高まっている点も特筆に値する。２０１８年末、13歳以下がデイリーアクティブユーザーに占める割合は60％だった。3年後はそれが21％に下がっている。言い換えると、２０２１年には14歳以上のユーザーが3年前の13歳以下の2・5倍近くまで増えているわけだ。

『ロブロックス』のはずみ車を強烈に回しているのは、おそらく、研究開発投資だろう。コロナ禍が始まる直前の２０２０年の第１四半期、売上１億６２００万ドルに対して研究開発費は４９４０万ドルだった。ユーザーがロブロックスに払った１ドルのうち、30セントがプラットフォームに還元された計算になる。それに続く７四半期で売上は２５０％以上も伸び、２０２１年第４四半期には５億６８００万ドルとなった。

だが、その使い道は利益でもなければほかの目的でもなく、やはり研究開発投資だった。研究開発費の割合がほとんど横ばいなのだ。その結果、２０２１年第４四半期の研究開発費は、２０２０年第１四半期の売上さえも上回るレベルだった。２０２２年の年間研究開発費は７億５０００万ドルに達し、年末時点の年換算研究開発費は10億ドルに迫るものと思われる。

比較のため、ロックスター社の『グランド・セフト・オートＶ』と『レッド・デッド・リデンプション２』について見てみよう。『グランド・セフト・オートＶ』は歴代２位の売上を誇る人気ゲームで、１億５０００万本以上も売れた（トップは２億５０００万本近い『マインクラフト』）。『レッド・デッド・リデンプション２』も、４０００万本と、第８世代ゲーム機（ＰＳ４、Ｘｂｏｘワン、ニンテンドースイッチ）用として一番売れたタイトルである。５年以上にわたる開発に２億５０００万ドル～３億ドル、大々的なマーケティング、パブリッシングなどに４億ドル～５億ドルもかかったと言われており、史上最高レベルにお金のかかったゲームでもある。

ロブロックスの研究開発予算とソニープレイステーショングループの研究開発予算も比べてみよう。後者は２０２１年に12億５０００万ドルを研究開発に支出しているが、これは、10社前後もあるゲームスタジオ、クラウドゲーム部門、ライブサービスグループ、ハードウェア部門を合計した数字である。また、２０２１年、エピックゲームズのアンリアルエンジンの売上は１億５０００万ドル以下と言われている。ユニティのエンジンは約３億２５００万ドルとかなりいい成績をたたき出しているが、それでも、ロブロックスの研究開発費より20％も少ない。

ロブロックスの研究開発投資は、ディベロッパー向けツールやソフトウェアの改良から同時接続ユーザー数が多くても同期できるサーバーアーキテクチャーの実現、機械学習によるハラスメント検出、人工知能、仮想現実のレンダリング、モーションキャプチャーなど、多岐にわたる。

ここまでプラットフォームに投資できるのは驚きである。投資をすればするほどディベロッパーがすばらしい仮想世界を作れるようになり、それがユーザーを惹きつけて収益を増やし……そうなればロブロックスも研究開発費も増やせるし、そこで世界を創っている独立系ディベロッパーも投資を増やせて、それがまたユーザーのエンゲージメントを高めてロブロックスに落ちるお金が増え、それがまた研究開発費の増額につながる、と頭ではわかっていても、だ。

バーチャルのプラットフォームやエンジンは増えているが、メタバースはまだ

メタバースとはなにか、私なりの定義を第3章で示した――「リアルタイムにレンダリングされた3D仮想世界をいくつもつなぎ、相互に連携できるようにした大規模ネットワークで、永続的に同期体験ができるもの。ユーザー数は実質無制限であり、かつ、ユーザーは一人ひとり、個としてそこに存在している感覚（センス・オブ・プレゼンス）を有する。また、アイデンティティ、歴史、各種権利、オブジェクト、コミュニケーション、決済などのデータに連続性がある」だ。

これを思い出すと、『ロブロックス』がかなりいい線まで行っていると思うかもしれない。同期性と永続性とユーザー数実質無制限は実現できていない。リアルタイムレンダリングでこれを実現できている仮想世界はいまだ存在しないのだから当然だ。だが、それができるようになれば、『ロブ

ロックス』もそうなるのはまちがいない。

それでも、『ロブロックス』は、大事な点がひとつ欠けている。作ったモノをその仮想世界の外に持ち出せるという点だ。だからいまの『ロブロックス』は、メタバースではなくメタギャラクシーでしかない。

『ロブロックス』はメタバースになれるのだろうか。エピックゲームズのIVWP『フォートナイト』クリエイティブ』やゲームエンジンのアンリアル、ライブサービスのエピックオンラインサービスを統合したらメタバースになるのだろうか。

こういう会社がバーチャル体験をすべて提供し、メタバースサイズのメタギャラクシーを実現する未来が想像できるはずだ。『スノウ・クラッシュ』や『ゲームウォーズ』でも、そういう流れが描かれている。

だが、技術の進み方からは別の未来が予想される。なぜか。バーチャル系巨人の成長もたしかに著しいが、それを上回る速度でバーチャルな体験やイノベーター、技術、チャンス、ディベロッパーが増えているからだ。

『ロブロックス』と『マインクラフト』は世界トップクラスの人気ゲームだが、それでも、利用者はまだ少ないと言わざるをえない。45億〜50億人というインターネット利用者に対し、この2ゲームのデイリーアクティブユーザーは3000万〜5500万人にすぎない。イメージとしては1990年代のICQといった段階で、まだ使ってみたことのないユーザーが何十億人、ディベロッパーが何百万人もいるわけだ。そういう人の受け皿として『ロブロックス』や『マインクラフト』が最有力候補であるのはまちがいないだろうが、歴史をふり返れば、そうなると言い切れないものがある。

2014年にマイクロソフトが買収したとき、『マインクラフト』は販売数量もゲーム史上最高なら月間アクティブユーザー数も2500万人とAAAビデオゲームで史上最高を誇っていた。また、それから7年間で月間ユーザー数が5倍近くと急成長する。

だが、同期間に『ロブロックス』が月間ユーザー数を500万人以下から2億人以上と伸ばし、トップの座を奪われてしまった。しかも、月間ユーザー数の倍近くが『ロブロックス』のデイリーアクティブユーザー数という完敗状態である。

さらに、このころIVWPがいくつも立ち上がっている。『フォートナイト』が配信されるようになったのが2017年、『フォートナイトクリエイティブ』がその翌年だ。2021年には、デイリーアクティブユーザーが世界で1億人を数えるバトルロイヤルゲーム、『フリーファイア』にクリエイティブモードが搭載される。『グランド・セフト・オートV』も2013年の発売から10年近くをかけ、シングルプレイヤーのゲームから後付けでIVWP、『グランド・セフト・オート・オンライン』へと転換を果たしている。近いうちに新作も発表される予定だ。それが、『ロブロックス』や『マインクラフト』、『フォートナイトクリエイティブ』の成功やそこで得られた知見を活用するものになるのはまちがいないと言える。

潜在ユーザーが数十億人もいれば、いや、それが数千万人でも、IVWPへの新規参入は続くだろう。バトルロイヤルの人気に火を付けた『PUBG』で知られる韓国最大のゲーム会社、クラフトンも、IVWPの準備を進めているはずだ。中国で一番人気のゲーム、『リーグ・オブ・レジェンド』を作るライアットゲームズも、2020年にハイピクセルスタジオを買収。ハイピクセルスタジオは、世界最大の『マインクラフト』サーバーを運営したあと、『マインクラフト』に似たプラットフォームの開発を進めていた企業だ。

新しいIVWPは、採用する技術もそれぞれに異なる。『ディセントラランド』、『ザ・サンドボックス』、『クリプトボクセルズ』、『ソムニウムスペース』、『アップランド』などブロックチェーンベースのＩＶＷＰも登場しているが、２０２１年末現在、人気のところでもデイリーアクティブユーザーが『ロブロックス』や『マインクラフト』の1％以下という状況だ。だが、インワールドアイテムの所有権をきちんと整備したり、プラットフォームの運営方法にユーザーが意見を述べられるようにしたり、ユーザーにも利益が還元されるようにすれば、従来型ＩＶＷＰよりずっと速く成長できるはずだというのが提供側の見方である（詳しくは第11章で検討する）。

フェイスブックの『ホライズンワールド』は没入型ＶＲ・ＡＲに特化したものではないが、そこに重きを置いている点が『ロブロックス』と異なる。『ロブロックス』は没入型ＶＲも利用できるが、ｉＰａｄやPCなど従来型スクリーンで使うことを中心にすえている。没入型ＶＲによる世界生成を主力とするものにはレックルームやVRチャットなどのアップスタートもあり、いずれもユーザーを急速に増やしている。だが会社の評価は２０２１年末時点で10億ドルから30億ドルとまだ小さい。もっともユニティ・テクノロジーズもロブロックスも２０２０年の頭には１００億ドル以下、42億ドル以下とそれほどでもなかった。それがわずかに2年でどちらも５００億ドルを突破したわけだ。『スナップ』や『ポケモンＧＯ』のメーカーとして知られるナイアンティックも、拡張現実と位置情報を活用した仮想世界プラットフォームの開発を進めている。

新たな市場リーダーはだれだ？

なかにはつまずくところもあるだろうが、基本的に各社肩を並べて成長し、新たな市場リーダーとなる可能性がある。このあたりはフェイスブックを例にするとわかりやすいだろう。

ソーシャルネットワークの巨人、フェイスブックは、２０１０年の頭に月間アクティブユーザーで5億人以上に達していたが、それから10年間に登場しヒットするソーシャルメディアプラットフォームの取り込みには失敗する。２０１１年にスナップチャットが登場したのをうけ、フェイスブックもスナップチャット風アプリ（クローンと言ってもいい）、ポークを２０１３年にリリースするがわずか1年で撤退。２０１６年にはふたつ目のスナップチャットクローン、ライフステージをリリースするが、これも1年で撤退となる。同年、スナップチャットで人気の「ストーリーズ」機能をインスタグラムにコピーし、翌年には本家フェイスブックにも導入。加えて２０１９年にスナップチャット風アプリ、「スレッド・フロム・インスタグラム」を導入するが、話題にもならない体たらくである。

ツイッチを狙い撃ちにするFBゲームとティックトックに対抗するラッソも２０１８年に立ち上げている。２０１９年にはフェイスブックデートもリリースしているし、２０２０年にはインスタグラムに「リールズ」というティックトック風機能を搭載してもいる。他サービスはフェイスブックの攻撃に足を引っぱられたはずだが、いずれも伸びが止まらない。２０２１年末現在、ティックトックはユーザー数が10億人を突破しているし、ウェブドメインの訪問数ランキングでグーグル、フェイスブックを抑えてトップを飾ったと言われている。

ＩＶＷＰには力もあるし伸びてもいるが、それでも、ゲーム業界におけるシェアはソーシャル系に占めるフェイスブックに比べてごく小さなものにとどまっている。２０２１年、『ロブロックス』、『マインクラフト』、『フォートナイトクリエイティブ』を合計しても売上はゲーム業界の2・5％以下だったし、プレイヤー数もゲーム業界全体で25億～30億と言われるうちの5億にも届いていない。ゲームの場合、クロスプラットフォームエンジンという化け物の存在も大きい。いま、世の中で提供されているゲームの半分はユニティを採用しているし、３Ｄ没入型の写実的世界の15％から25％はアンリアルをエンジンとしている。ロブロックスの研究開発費はアンリアルとユニティの合計を上回るが、この計算には両社エンジンのライセンスを受けたディベロッパーが行っている投資、数十億ドルが含まれていない。わかりやすいデフォルメデザインで気軽にプレイできる『キャンディークラッシュ』などのゲームを除くと、2大人気ゲームは『ＰＵＢＧモバイル』と『フリーファイア』になるが、どちらもエンジンはユニティだ。

『マインクラフト』でモッドをしたり『ロブロックス』でゲームを作ったりしたユーザーは数百万人に上るわけだが、このようなＩＶＷＰを使っているプロディベロッパーの数も数万人規模だと言われている。対してアンリアルとユニティだけで、スキルもやる気もあるディベロッパーが数百万人もいるという。これに加えてアクティビジョンのＩＷ（『コール オブ デューティ』のエンジン）やソニーのデシマ（『ホライゾン ゼロ ドーン』や『デス・ストランディング』のエンジン）など、独自エンジンもたくさんあり、投資も旺盛ならそのようなエンジンを使うゲームの人気もどんどん高まっている。

　仮想世界とメタバースに関心が集まるなか、技術をみずから開発しようというインセンティブが強く働くようになっている。そのほうが技術面で差別化もしやすいし、自社に便利な技術にしやすいし、ライバルになるおそれのあるサードパーティーに依存する危険も減らせる。[iii] 利益率も高められる。もちろん、ゲームエンジンはアンリアルやユニティだったりするだろうし、ライブサービスはゲームスパークやプレイファブだったりするわけだが、このあたりは好きなものだけ選んでつまみ食いができるようになっているし、カスタマイズの自由度も高い。

　ＩＶＷＰと異なり、アカウントシステムやインゲーム経済の運営もディベロッパーが行える。利用料金もかなり安くてすむ。『ロブロックス』の場合、ディベロッパーの取り分は課金総額の25％以下だ。[iv] 対してエピックのアンリアルエンジンなら、ロイヤルティーとして売上の５％を支払うだけでいい。ユニティエンジンの場合、利用料金は人気ゲームなら売上の１％以下というところだ。『ロブロックス』はコストがかさむサーバーや顧客サービス、料金の請求・回収などをディベロッパーの代わりに負担しているという面はあるが、それでも、仮想世界はＩＶＷＰで立ち上げるよりスタンドアローンで立ち上げたほうが収益を増やせる可能性が高い。だから、『ロブロックス』や『マインクラフト』はいくら伸びたところで、ゲームの過半を占めるようにはならないだろう。ゲームとゲームエンジンは中核だが、それだけでメタバースをすべてカバーしているわけではな

---

iii 『フォートナイト』でエピックゲームズがなにをしたのかを見れば、こういう懸念が生まれる理由がよくわかるだろう。２０１７年から２０２０年にかけ、『フォートナイト』は売上トップを走っていて、プレイヤー数という面でもプレイ時間という面でも、また、課金という面でも、他ゲームを食っていたことはまちがいない。エピックのアンリアルエンジンを採用した他パブリッシャーのゲームも含めて、である。さらに、いま大人気のバージョン、「バトルロイヤル」は、リリース時に用意されていたモードではない。２０１７年７月に配信が始まった当初は協力型のサバイバルゲームで、複数プレイヤーが協力してゾンビを倒していくものだった。バトルロイヤルモードが追加されたのは２０１７年の９月。しかも、アンリアルエンジンを採用した人気ゲーム、『ＰＵＢＧ』によく似ていた。似すぎていると『ＰＵＢＧ』のパブリッシャーから著作権侵害で訴えられたほどだ（訴訟は取り下げられている。示談が行われたか否かは不明）。２０２０年には独立系スタジオが開発したゲームをリリースするパブリッシング部門を立ち上げたことから、アンリアルを採用することもある他パブリッシャーとの競合関係はさらに深刻化している。

iv 多少は交渉の余地があり、支払率は今後上がっていくという見方が多い。詳しくは第10章で検討する。

い。レンダリングやシミュレーションのソフトウェアが開発されている領域はほかにもある。たとえばピクサーは、独自開発のレンダーマンでアニメーション映画の世界やキャラクターを実現している。ハリウッド映画は、オートデスクのマヤというソフトウェアを使うことが多い。車や建物、戦闘機などをバーチャルで設計し、現実世界で作るという作業を進める場合は、オートデスクのオートCADにダッソー・システムズのCATIAとソリッドワークスを組み合わせるのが基本だ。

ユニティもアンリアルも、近年、エンジニアリング、映画、コンピューター援用設計（CAD）など、ゲーム以外の分野に進出しつつある。そして、すでに紹介したように、2019年には香港国際空港がユニティで「デジタルツイン」を構築し、空港各所に設置したセンサーやカメラをつないで乗客の流れやメンテナンスなどをリアルタイムに追跡・評価するという成果も出ている。ゲームエンジンでそのようなシミュレーションをしていれば、リアルとバーチャル、両方の航空機が登場するメタバースの構築に役立つことまちがいなしだ。

ただし、このような動きが活発化すれば、逆にオートデスクやダッソーなどがシミュレーションに乗りだしてくるのも当然のことで、競争は激化するだろう。また、アンリアルもユニティもそれだけでゲームが作れたり運営できたりできるわけではないように、他分野についてもそれだけですべてが行えるわけではない。だから、デフォルトのエンジンを仕入れ、独自コードや独自機能を追加するなどして、土木や建築、エンジニアリング、設備管理などに合わせて「商品化」するソフトウェア企業が増えている。

ディズニーの特殊効果部門、インダストリアル・ライト・アンド・マジック（ILM）もその1社だ。『ライオン・キング』（2019年）でユニティを、テレビシリーズ『マンダロリアン』の第1シーズン（2019年）でアンリアルを使ったあと、ILMはヘリオスというリアルタイムレンダリングエンジンを自社開発している。『マンダロリアン』の第2シーズンではエンジンがアンリアルからヘリオスに変わったが、その変更に『スター・ウォーズ』の大ファンでさえ気づけなかったことを考えると、今後、レンダリングのソリューションやプラットフォームが次々登場してくるであろうことは想像に難くない。

アセットの構築件数で比較するなら、バーチャル用ソフトウェアの成長株は現実世界をスキャンするタイプかもしれない。たとえばマターポート。ここのソフトウェアを使うと、iPhoneなどで建物の内装写真を撮るだけで、リッチな3Dモデルに変換してくれる。主なユーザーはジロー、レッドフィン、コンパスといったサイトで不動産のバーチャル内見を提供したい貸主や、建築関係者などだ。

このやり方のほうが設計図や写真よりも、それこそ場合によってはリアルな内見よりも空間をしっかり把握できたりする。無線ルーターや観葉植物をどこに置くかやどういう照明器具にするかなども、バーチャルで検討する日がもうすぐ来るのかもしれない（選んだ照明器具は、当然、マターポートが売るわけだ）。電気、セキュリティ、空調など、スマートホームの運用もバーチャルで行えるようになるだろう。マターポートは、いま、評価額が数十億ドルに達している。

プラネットラボも紹介しておこう。こちらは衛星経由で地球のほぼ全域を8スペクトルで毎日スキャンし、高解像度の画像を得るとともに、温度やバイオマス、煙なども詳細に検出している。目標は、地球全体について微妙な違いまでソフトウェアで検知し、そのデータを毎日あるいは毎時間、更新できるようにすることだという。

メタバースのプラットフォームがひとつになってはならない

変化のスピード、技術的難度、アプリケーションの多様性などから、仮想世界も仮想世界プラットフォームも人気のところだけで何十もあるようになると思われるし、それを支える技術プロバイダーは数がもっと多くなることだろう。いいことだと私は思う。ひとつのプラットフォームやエンジンでメタバース全体を運用するのは避けるべきだ。

「メタバースは比べるものがないほど世の中に浸透し、圧倒的なパワーを持つようになる。それをどこか1社が仕切るようになったら、そこは国を超え、神にも等しい力を持つことになる」というティム・スウィーニーの警句を思い出してほしい。

そんな大げさだと思うかもしれないし、実際、大げさにすぎる話かもしれない。だが、いま我々は、評価額がそれぞれ1兆ドルを超えるグーグル、アップル、マイクロソフト、アマゾン、フェイスブックの5大テクノロジー企業が力を持ちすぎた、我々がなにをどう考えるのか、なにを買うのかなど、さまざまなことに影響を与えるようになったと懸念している。

また、いまはまだ、我々の暮らしは基本的にオフラインだ。インターネットで就職活動をしたりiPhoneを仕事に使ったりする人は何億人もいるかもしれないが、そういう人も、仕事そのものをiOSのなかでしているわけでもなければiOSのコンテンツを作ることを仕事にしているわけでもない。学校の授業がズームのリモートという場合も、学生はiPadやマックからズーム経由で学校にアクセスしていることになるが、学校そのものがiOSプラットフォームのなかで運営されているわけではない。電子商取引の割合は西側諸国で20%から30%に達しているが、そのほとんどはリアルな品物の購入だし、小売業が経済全体に占める割合も6％にすぎない。

メタバースに移行したら、世の中はどうなるのだろうか。物理法則から不動産、関税、通貨、そして、人間なる存在の新たな面にいたるまで私企業1社が掌握したらどういうことになるのだろうか。そう考えると、スウィーニーの言葉もあながち大げさとは言い切れない。

純粋に技術的な意味からも、プラットフォームひとつがなにをどう目的としてどういう投資をするのかでメタバースの進化が左右されるのは避けたい。スウィーニーが思い描いたような企業は、まずまちがいなく、経済性やディベロッパーやユーザーよりメタバースの支配を優先するだろう。そして、利益のなるべく多くを手に入れようとするだろう。

だが、メタバースのプラットフォームなりオペレーターなりがひとつに絞られることはないのであれば、また、そうなって欲しくないのであれば、複数のプラットフォームやオペレーターの相互運用性が問題になる。ここでまた登場するのが、例の木だ。木の存在はリアルよりバーチャルのほうが確かめにくいという話は冗談ではないのである。

Chapter 08

相互運用性

メタバース関連では「相互運用可能なアセット」という表現をよく見るが、こう呼ぶのはまちがいだ。バーチャルなアセットというものは存在しない。存在するのはあくまでデータである。そして、ここが、ここここそが、相互運用性という問題の起点である。

物理的な物品の「相互運用性」について考えてみよう。たとえば靴。「現実世界」であれば、客も含めアディダス店内でナイキの靴を履いてはならないと店長が決めることも可能だ。商売上の決断で、どう見ても下策だし、実現などまずもって無理であるが。ナイキを履いた客も、ドアを開けて店内に入れてしまう。そうなるのは物理法則が普遍的で、原子は「一度書き上げればどこでも実行できる」存在だからだ。ナイキの靴が物理的に存在しているという事実は、アディダス店内でも揺らがない。店内でナイキの靴を禁じたければ、アディダス店長は、アディダス以外の靴が入ってこれなくする方法を編み出し、それを店の方針として強制する必要がある。

仮想原子は話が違う。バーチャルナイキ店のバーチャル物品がバーチャルアディダス店で認識されるためには、後者が、ナイキの靴という情報を受け入れ、その情報を処理するシステムを動かし、靴を靴として機能させるコードを走らせるところまでやらなければならない。なにもしなくても自然に店内に入ってこられたものが、あれこれ手を尽くさないと入ってこられなくなるのである。

いま、データを構造化したり保存したりするのに用いられているファイル形式は無数に存在する。リアルタイムレンダリングエンジンも、人気のものだけで何十もあるし、その多くはコードがいろいろにカスタマイズされていてさらに分化している。[i] 結果、仮想世界やソフトウェアシステムは、別世界や別システムの「靴」（データ）なるものさえ正しく理解できないし、まして、理解したものを使う（コード）ことなどできない。

ＪＰＥＧやＭＰ３のような汎用ファイル形式があると知っていたり、ほとんどのウェブサイトがＨＴＭＬを使っていると知っていたりすれば、ここまで違うことに驚くかもしれない。だが実は、オンラインの言語やメディアが標準化されているのは、「営利目的」事業体のインターネット参入が遅かったことが大きい。ｉＴｕｎｅｓの登場は２００１年と、インターネット・プロトコル・スイート確立の20年近くもあとである。だから、すでに広く使われていたＷＡＶやＭＰ３といった規格を無視するのは無理があったわけだ。

ゲームは展開が異なる。業界が生まれた１９５０年代、バーチャルオブジェクトもレンダリングエンジンも規格など影も形もなかった。各社、パイオニアとしてコンピューターベースのコンテンツを生み出そうとやっきになっていた時代なのだ。アップルのＡＩＦＦは、アップルのコンピュー

---

i ユニティもアンリアルもx軸、y軸、z軸で表される座標系でバーチャルオブジェクトを表現している。だが、ユニティはy軸が上下を表すのに対し、アンリアルはz軸が上下でy軸は左右を表す。このくらいの違い、ソフトウェアなら簡単にコンバートできるわけだが、これほど基本的なところでさえ食い違っているのを見れば、エンジンによる違いがとても大きいことが理解できよう。

図2．ウェブコミック xkcd（xkcd.com）をもとに作成。

ターで音声を記録するのにいまも一番よく使われているファイル形式だが、これは、ゲームメーカーのエレクトロニック・アーツ社が1985年に提唱した汎用ファイル形式、IFFを基礎として1988年に作られたものだ。ビデオゲームはインターネットなどのネットワークに組み込まれることを念頭に置いていなかったという側面もある。ソフトウェアを書き換えることなくオフラインで使うのが基本だったのだ。

だから、いまの仮想世界は技術的にすごく多様化してしまった。ゲームは計算処理も大変ならネットワーク負荷も大きいため、すべてを専用設計として個別に最適化しなければならないということもある。ARなのかVRなのか。2Dなのか3Dなのか。リアルなのかデフォルメされたマンガチックなものなのか。開発予算は豊富なのかあまりないのか。3Dプリンターは使えるのか。

それぞれに状況が異なり、その状況に合わせてデータの保存方法も保存形式も選ぶ必要がある。無理に標準化すれば、いまいちになってしまうアプリケーションはもちろん、使い物にならなくなるアプリケーションも出てきてしまう。どこがどうなるか、予想さえ難しい。

ファイル形式にとどまらず、存在論的な話も大きな問題になる。画像なら2次元だし動かないので（動画も画像がどんどん切り替わっているにすぎない）、なにをもって画像というかはわりと簡単に合意が得られるだろう。これが3Dになると、特にインタラクティブなオブジェクトになると、話がすごくややこしい。

靴はひとつのオブジェクトなのか、それともオブジェクトの集合体なのか。集合体ならいくつのオブジェクトの集合体なのか。靴ひものエンドキャップは靴ひもの一部なのか独立したオブジェクトなのか。靴ひもを通すハトメはひとつずつカスタマイズしたり取り外したりできるものなのか、セット扱いなのか。靴でもこれなのに、現実の人間を表現するアバターはもっとややこしい。木の話はとりあえず横に置き、なにをもって人というかを考えてみよう。

見た目以外に、「リギング」と呼ばれる動きの問題もある。インクレディブル・ハルクとクラゲは当然に動き方が違うわけだが、ということは、それぞれのアバターについて、どう動くのかを詳細に記述し、関連付けておかなければならない。しかも、ほかのプラットフォームが理解できる形でそうしなければならない。サードパーティーのオブジェクトを受け入れるためには、その妥当性（はだの露出度、暴力、言葉使いなど）を記述するデータも必要になる。

水着のレーティングがPGなのかRなのかわからなければ、幼児向けゲームは困ってしまう。殺伐とした戦争シミュレーションなら、木と見分けにくいギリースーツを着ているスナイパーなのか、スナイパーに見えるが実は人型の木なのかが判別できなければならない。また、それぞれにデータの変換が必要になるし、おそらくはシステムも追加しなければならない。３Ｄのアバターを２Ｄゲームにインポートする場合もその逆も、デザインの調整が必要になる。

だから相互運用可能なメタバースを実現するには、まず、技術規格、規則、システムを整備しなければならない。しかも、それだけでは不十分だ。

ｉＣｌｏｕｄから祖母のＧｍａｉｌに写真を送ると、その写真はｉＣｌｏｕｄとＧｍａｉｌの両方に存在するようになる。メールサービスのプロバイダーにもコピーがある。メール経由でダウンロードすれば、祖母の手元も含め、全部でコピーが四つあることになる。バーチャルな物品に価値を認め、取引の対象にするのであればこれはまずい。ある世界から別の世界、あるいはあるユーザーから別のユーザーに共有されるたび、いくらでもコピーが増えてしまう。つまり、データを安全に共有できる仕組みも必要なら、バーチャルな物品の所有権を追跡・検証・改定するシステムも必要なわけだ。

アクティビジョン・ブリザードの『コール オブデューティ』で買ったアウトフィットをエレクトロニック・アーツの『バトルフィールド』で使えるようにするには、どうすればいいのだろうか。その所有権情報をアクティビジョンがエレクトロニック・アーツに送り、そのアウトフィットがまた別の場所に転送されるまでエレクトロニック・アーツ側で管理するのか。アウトフィットの管理はあくまでアクティビジョンが行い、その一時的使用権をエレクトロニック・アーツに与えるのか。利用料金はどうすればいいのか。アクティビジョンのアカウントを持たないユーザーにそのアウトフィットが売られたらどうすればいいのか。その取引はどちらの会社が処理するのか。エレクトロニック・アーツのゲーム内でそのアウトフィットをカスタマイズしたい場合はどうなるのか。記録の更新はどうやればいいのか。バーチャルアイテムがさまざまなゲームに散っているとき、自分はなにを持っていて、どこならそれが使えてどこでは使えないのか、どうすればわかるのか。

どの3D規格を採用するのか（あるいはしないのか）、どういうシステムを構築するのか、データはどう構造化するのか、どことどう連携するのか、どうすれば価値のあるデータを保護しつつ共有できるのかなどは、いずれも、現実世界に金銭的な影響をおよぼす問題だ。なかでも大事なのは、相互運用可能なバーチャルオブジェクトの経済をどう管理するのか、だろう。

であるのだが、ビデオゲームはもともと「GDPを最大化」するようには作られていない。おもしろくなるように作られている。バーチャルな物品を買ったり売ったり、交換したり、手に入れたりできるバーチャル経済が組み込まれていることは多いが、それはあくまで、プレイの一環として、また、パブリッシャーの収益モデルの一部として組み込まれたものだ。だから、パブリッシャーは価格や交換レートを固定したり、売買・交換できるモノを制限したりしがちだし、現実世界のお金に「キャッシュアウト」することは禁じるのがふつうだ。

オープンな経済、無制限の取引、サードパーティータイトルとの相互運用は、いずれも、ゲームの持続可能性を引き下げてしまう。お金が儲かるのはプレイヤーにとって仕事的なインセンティブになるが、ゲーム本来の目的である楽しさは減じてしまう。ゲームというのは同じ条件で戦うからおもしろいという側面もあるわけだが、がんばって獲得しなくてもアイテムが買えるとなれば、その点も狂ってしまう。

また、いま、パブリッシャーは、装飾品といった各種オブジェクトのゲーム内販売が大きな収益源となっていて、他社で買ったバーチャルアイテムをインポートできるようにしたら収益が減るという懸念もある。これでは、ゲームをおもしろくすること、ゲームの魅力を高めること、ゲームの人気を高めることにパブリッシャー各社が注力するのもしかたがないと言わざるをえない。バーチャル物品の市場はまだできてもおらず、金銭的にどれほどの価値を持つかもまだわからない上に、その市場につながるためには技術的な妥協もよぎなくされるはずなのだから。

それなりの相互運用性を実現するためには、まず、インターチェンジソリューションなどと言われるものがゲーム業界で広く採用される必要がある。すなわち、共通の規格、慣行、「システムのシステム」、「フレームワークのフレームワーク」などだ。これがなければ、情報の安全な受け渡し、変換、解釈をサードパーティーとのあいだで実現することはできない。

また、ライバル同士が相手のデータベースを「読む」ことも「書く」こともできる、それこそ、価値あるアイテムやバーチャル通貨を引き出すこともできる、そういう前代未聞だが安全で合法的なデータ共有モデルも広く採用される必要がある。

相互運用性はグラデーション

木について仮想世界が合意するのは難しい。靴についても、あるいは、木のところに行って切り倒し、それを三つ向こうの仮想世界にクリスマスツリーとして売れるようにするやり方についても仮想世界が合意するのは難しい。そう言われると、相互運用可能なメタバースをそれなりの形で実現することなどそもそもできるのかと思うだろう。それはできる。だがいろいろとややこしい。

現実世界で衣服は基本的に相互運用可能だ。ベルトなら、どのパンツにも使えると思って大きなまちがいはない。もちろん例外はあるが、どのベルトもパンツを選ばず使える。いつ買ったのかも、メーカーも、どの国で買ったのかも関係ない。ただ、どのパンツにも等しくしっくりはまるとは限らない。ちなみに、ベルトやパンツについては欧米共通規格が存在するが、同じウエスト30インチ、股下30インチでもジェイクルーのパンツとオールドネイビーのパンツではフィット感が異なる（婦人服は違いがもっと大きい。靴にいたっては、欧州と米国で規格そのものが異なる）。

世界には、商用電源の電圧、速度や距離、重量の単位など、異なる技術規格がいくつも存在する。だから電圧変換器などを使わなければ機器が動かないこともあるし、現地の排気ガス規制に対応するため車の排気系を交換するなど、機器の一部交換が義務づけられていることもある。

パンツなら世界中どこに行っても穿ける（ジーンズでは入れてもらえない場所があったりはするが）。映画館はどういう服装でもたいがい入れてくれるし、クレジットカードも各種対応している。だが、飲み物や食べ物の持ち込みはできない。米国の場合、山の中ならショットガンを持ち歩いても問題ないことが多いが、街中だと難しいし、学校には持ち込めない。車は道ならどこでも乗れるが、ゴルフコースを走るならゴルフカートを借りなければならない（自分のゴルフカートを持っていても、だ）。どこの通貨でもお店で使えるわけではないが、手数料を払えば使える通貨に替えてもらうことができる。各種クレジットカードも使えるお店が多いが、まったく使えないお店もある。貿易はほとんどの国とできるが、できない国もあるし、できるところも、なんでもではなかったり、量の多寡によってできなかったり、関税がかかったりする。

アイデンティティはやっかいだ。関係するものとしては、パスポートもあればクレジットスコアもある。学歴、法的記録、社員IDなどもある。このどれをなんのために使うか、このどれなら第三者が参照できるのか、このどれなら第三者が手を入れられるのかなどは、その人物がいまどこにいるのかなど、状況次第である。

インターネットも似たようなものだ。パブリックネットワークもあればプライベートネットワークもある。オフラインのものさえある。共通ファイル形式のほとんどが使えるが全部ということではないネットワーク、プラットフォーム、ソフトウェアもある。広く使われているプロトコルはほとんどがオープンで無償だが、有償の独自プロトコルもたくさんある。

ゲームも終わらなくなれば、みんなもっとお金を使う

メタバースの相互運用性は可か否かというものではない。仮想世界間の共有がなされるかなされないかという問題でもない。いくつの仮想世界が共有するのか、どこまで共有するのか、いつ、どこで共有するのか、その費用はいくらなのか。そういう問題なのだ。ここまでややこしい話なのに、私はなぜ、メタバースが成立すると楽観的に見ているのだろうか。経済だ。

まずは課金について考えてみよう。メタバースを疑いの目で見る人は、『フォートナイト』のピーリースキンを『コール オブ デューティ』で使いたい人などいるはずがないなどと言う。たしかに、コミカルな巨大人型バナナは『コール オブ デューティ』にそぐわないし、それを言うならバーチャル教室にもそぐわないだろう。

だが、たとえばダース・ベイダーのコスチュームやロサンゼルス・レイカーズのジャージ、プラダのハンドバッグとかならいろいろな世界で使いたいと思う人がいるのはまちがいない。特に、あっちでもこっちでもくり返し同じモノを買いたいと思わないのもまちがいない。いまならしかたないと思うかもしれないが、それは、バーチャルアパレルへのシフトが始まったばかりだからだ。2026年にもなれば、あれこれプレイしてきたゲームのあっちにもこっちにも同じアウトフィットを抱えていて、同じものをまた買うのに抵抗を感じる人が山のようにいるはずだ。購入品を購入場所から解放すれば、ユーザーはもっと買うようになるし、値段も上げることができる。

視点を変えてみよう。着たり使ったりできる場所をテーマパークに限定したら、ディズニー商品の販売は増えるだろうか減るだろうか。サンティアゴ・ベルナベウ・スタジアムでしか着られないレアル・マドリードのジャージ、いくらなら買うだろうか。『ロブロックス』でプレイヤーのアウトフィットをほかの『ロブロックス』ゲームに持っていけなくしたら、ユーザーの課金はどのくらい減るだろうか。

どのゲームもいつか終わる。そう思うから、消費者は、いま、支出を抑えているということはないだろうか。電子メモパッドでも二重ステンレスボトルでも、メキシコの祝日、死者の日のコスチュームでもいい。家に持ちかえれないものを旅先で買う気になるだろうか。そのうち使わなくなると思えば、人は、買うのをためらうものだ。

所有権の制限もモノの利用価値を引き下げている。アウトフィットやアイテムをほかのユーザーにあげることも、インゲーム通貨と引き換えに売ることも禁じられていることが多い。許されている場合も、厳しく制限されているのがふつうだ。たとえば『ロブロックス』の場合、転売を認めているのは「一部アイテム」のみだし（そうしなければユーザー間の取引で『ロブロックス』公式ショップの売上が落ちる）、売買できるのはロブロックスプレミアムのユーザーのみとしている。

しかも、我々は「買った」と思っているが、実際には利用許可をもらったにすぎず、売った企業はいつでもアイテムを「回収」できてしまう。それが10ドルのスキンやダンスならまだしも、1万ドルもするバーチャル資産だったりすれば、いつ取りあげられるかわからないし、そのとき代金が返ってくるかどうかもわからないのに買う人などいないだろう。

２０２１年のはじめにサウスチャイナ・モーニング・ポストのジョシュ・イェ記者が報じたケースを紹介しよう。ゲームアイテムが取引できるプラットフォームを相手取り、中国最大のゲーム会社、テンセントがゲーム内の通貨やアイテムはだれのものなのかをはっきりさせる訴えを起こしたのだ。このようなゲーム内アセットは「現実世界で実質的価値を持たない」、インゲームコインを買うとき払う現実のお金は「実態としてサービス料である」というのがテンセントの主張である。[1] この主張に裏切られた、ひどすぎると多くのゲーマーが感じ、大騒ぎとなった。

所有権は投資や価格の基礎であるし、儲かるチャンスは大きなインセンティブである。投機も、バブルをもたらすなど負の側面もあるが、新興産業に資金を提供する役割を果たしてきた（いま格安で使えている米国の光ファイバー網は、ドットコムバブルで整備された）。時間、エネルギー、資金をめいっぱいメタバースに投資したいのであれば――メタバースを実現したいのであれば――所有権をきちんと確立する必要がある。

仮想世界のステークホルダーには、そちらに向かうインセンティブとリスクがある。ディベロッパーにしてみれば、製品やサービスがプラットフォームの人気やその経済性（経済面のポリシー）に制限されてしまうのでは危なくてしかたがない。投資が減り、その結果、製品の数も質も下がる要因は、ディベロッパーにとってもユーザーにとってもマイナスだし、ゲームやそのプラットフォームにとってもマイナスである。

アイデンティティやプレイヤーデータが利用できる範囲の制限も、メタバース経済の足を引っぱることになる。ゲームは有害だと考える人は多いし、そこには一理がある。だがいまは、暴言や人種差別がひどすぎると『コール オブ デューティ』追放の処分をアクティビジョンから受けても、エピックゲームズの『フォートナイト』に場所を変えて同じことができてしまう（ツイッターやフェイスブックに移動してもいい）。プレイステーションネットワークのアカウントを作り直してもいいし、Ｘｂｏｘライブに移ることもできる。プラットフォームにひも付けられているものなどアチーブメントの一部は失われるだろうが。ライバルのゲームをよくする手助けをしたいと思うパブリッシャーはいないし、プレイデータを他社に提供してもいいと考えるところもまずない。だが、毒をまき散らすユーザーがゲーム会社にとってプラスになることはないし、関係者全員がマイナスの影響を受けてしまう。

そのような中、標準化を進め、相互運用性を高めていくのは経済だ。

そのあたりは、プロトコル戦争をふり返るとわかりやすい。１９７０年代から１９９０年代にかけ、ネットワーキング規格が乱立していてそれがひとつにまとまるなど考えられない状況だった。それも非営利・非公式の作業委員会が編さんしているものにまとまるなどあり得ないとみな思っていた。サイバースペースは分裂する、それでしかたないのだ、と。

銀行をはじめとする金融機関が信用情報を共有することも昔はなかった。価値が高く、守るべきものと考えられていたからだ。だが結局、豊富なデータに基づいてクレジットスコアを出したほうがいいし、広い範囲をカバーできたほうがお互いにいいと気づいたわけだ。民泊の分野でしのぎを削っているエアビーアンドビーもＶＲＢＯも、いまは、おかしなゲストを締めだすため、他社と連携するようになっている。締めだされる人は困るだろうが、ほかのゲストにとってもホストにとっても、また、プラットフォームにとってもプラスになる措置である。

「経済的な重力」の力は、ゲームエンジンを見るとよくわかる。メタバースの地下で配管工事を担当してきたところだ。いま、仮想世界はチャンスに満ちているが、市場全体をカバーするのもかつてないほど難しくなっている。

１９８０年代には、ゲーム機１機種のゲームを作っただけで潜在プレイヤーの70％がカバーできたし、そういうディベロッパーが２社もあれば、潜在プレイヤーの全員もカバーできた可能性があ

ネットワークゲートウェイ：分裂したサイバースペース

大手コンピューターネットワークがまとまって大きなマトリックスを構成している。マトリックスとはコンピューターネットワークのグローバルな集合体であり、その中ではメールのやりとりができる。オンラインコミュニケーションの基盤はインターネットで、商用オンラインサービスは、それぞれ、インターネットとつながるコミュニケーションプロトコルやデータプロトコル、さらにはメールのゲートウェイを用意する形になっている。フランスのミニテル（http://www.minitel.fr/）など国営サービスにも、インターネットにつながるゲートウェイが用意されている。

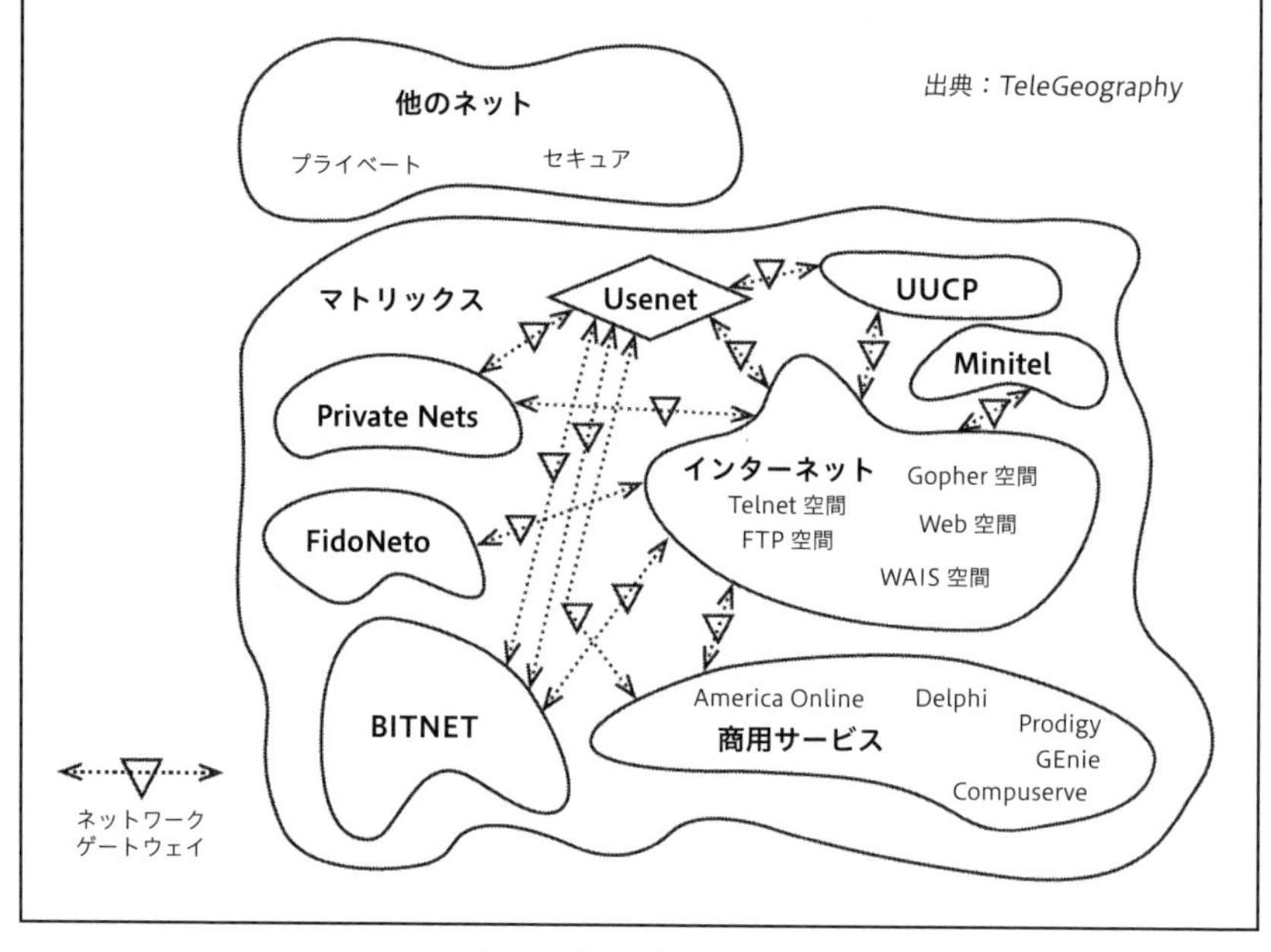

図3．電子通信の地勢図

これは1995年当時のマップとそのキャプションで、当時、オンラインネットワークはこうなっていくと考えられていた。すなわち、ネットワークもプロトコルスイートも乱立している状態だ。インターネットも、ネットワークを統合したネットワークではなく、直接は通信ができないものも含む各種ネットワークをつなぐ基盤的な位置づけとなっている。ほとんどのネットワークはマトリックスに含まれるが、その外に位置するものもある。だが、この予想は外れた。実際には、プライベートであるかパブリックであるかを問わず全ネットワークのコアゲートウェイにインターネットがなり、どのネットワーク同士でもコミュニケーションが行えるようになった。　出典：*TeleGeography*

る。それがいまは、ゲーム機メーカーは3社あるし、うち2社はそれぞれ2機種を製造しているし、それに加えて、NVIDIAのGeForceナウ、アマゾンのルナ、グーグルのスティディアと独自技術によるクラウドベースのものもある。

PCのプラットフォームもマックとウィンドウズで2種類あるし、ハードウェアそのものを見れば仕様の異なるものが何百種類、何千種類もある。モバイルコンピューティングのプラットフォームも主要なものだけでiOSとアンドロイドの2種類あるし、OSのバージョンやGPU、CPU、チップセットの違いまで考えたらすさまじい種類に上ってしまう。

プラットフォーム、機器、ビルドがひとつ増えれば、そのハードウェアに特化したコードを書くか、最底辺に合わせたパフォーマンスとすることなくさまざまな条件をカバーできるコードを書くかしなければならない。そのようなコードを書いて維持するのは、費用も時間もかかる大変な仕事である。市場のけっこうな範囲を無視する手もあるが、それもまた高くつく選択である。

このような課題もあり、バーチャル世界がどんどん複雑になっていることもありで、ユニティやアンリアルといったクロスプラットフォームのゲームエンジンが人気となっているわけだ。細分化への対応策として登場した上、費用もあまりかからないし、関係者全員に利がある形で細分化を解決してくれる。籠城しているようなプラットフォームにとってさえも、だ。

iOS用のゲームを新しく開発するとしよう。アップルのモバイルエコシステムは米国スマートフォンの60%を占めている。ティーンエージャーに話をかぎれば80%だ。世界的に見てもモバイルゲーム収益の3分の2を占めている。また、10機種前後のiPhoneに対応するだけでiOSユーザーの90%近くをカバーできる。世界市場でアップル以外の部分はアンドロイド数千機種が分け合っている。この状況でiOSかアンドロイドかを選ぶならiOS一択となるのが当然だ。それがユニティを採用すれば、全プラットフォームを簡単にカバーできる（ウェブ版もカバーできる）。つまり、費用をもう少しだけかければ、収益の可能性を1・5倍以上に高められるということだ。

専用にしてほしい、ハードウェアの能力を極限まで使うよう最適化してほしいとアップルは思うかもしれないが、iOSのユーザーにとってもアプリストアにとっても、また、ユニティを使うモバイルディベロッパーの多くにとっても、ユニティ版にメリットがある。収益が増えれば新しいゲームも開発できるしゲームの内容をよくすることもできるし、そうすることによってユーザーの課金を増やすこともできるからだ。

ソニーの方針変更が意味するもの

ユニティやアンリアルなどクロスプラットフォームのゲームエンジンが増えたのもあり、いまはばらばらの仮想世界もだんだんまとまり、メタバースになっていけるのではないかと思われる。

いや、実際、すでにそうなりつつある。ゲーム機がオンライン対応になって10年あまり、ソニーは、プレイステーション（PS）とほかのプラットフォームのクロスプレイ、クロスパーチェス、クロスプログレッションを拒否してきた。つまり、PS用とXbox用のバージョンがあるゲームで、対応機種の違うバージョンを友だちが持っていても一緒にプレイすることはできないわけだ。ひとりがPS用とPC用、両方を買った場合も、ゲーム内のお金や攻略品の大半はそれぞれにひも付けられていて共有することはできない。

市場を支配する地位にあるからソニーはこんなことをするのだと、このやり方には批判が集まった。初代PSは次点のNINTENDO64に比べて3倍、Xboxに比べれば10倍多く売れた。P

S2はXboxとニンテンドーゲームキューブ合計の6・5倍だ。PS3はXbox360をかろうじて上回ることしかできなかった（Xboxがオンラインゲームで先行したため）し、任天堂のWiiに後れを取ったが、2010年代半ば、PS4は、Xboxワンの倍、Wii Uの4倍とふたたび首位に返り咲いている。

このような状況からは、PSがクロスプラットフォームのゲームを脅威とみなしているように感じられる。ゲーム機ユーザーの多くはPSを使っているわけだが、PSでなくてもそういう人と一緒にプレイができるのであれば、新しいユーザーがPSを買おうとする意欲も下がりがちだろうし、既存ユーザーも他社品に浮気するかもしれない。ソニー・インタラクティブエンタテインメントの社長も、プレイステーションネットワークのクロスプレイ対応について「技術的側面が一番簡単だ」とこの見方を肯定するような発言をしている。[2] だがそのわずか2年後、PSはクロスプレイ、クロスパーチェス、クロスプログレッションに対応。そして、それから3年で、サポート可能なゲームはすべて対応を完了する。

ソニーが方針を変えたのは、社内の風向きが変わったからでもビジネスモデルが変わったからでも、圧力に屈したからでもない。クロスプラットフォームを重視したエピックゲームズの『フォートナイト』が成功したから、それが偶然ではないと思われたからだ。

『フォートナイト』は発売時からユニークだった。AAAゲーム[ii]として初めて、世界の主なゲーム

---

ii 「AAA」は非公式な種別で、大手のゲームスタジオやパブリッシャーが出す制作予算もマーケティング予算も潤沢なビデオゲームを指す。映画業界の「ブロックバスター」に近い。どちらも、商業的成功を必ずしも意味しない。

機ほぼすべてで遊ぶことができた。ＰＳとＸｂｏｘは最新型とひとつ前の型、ニンテンドースイッチ、マック、ＰＣ、ｉＰｈｏｎｅ、アンドロイドとなんでもござれなのだ。また基本プレイ無料なので、複数プラットフォームでプレイしたいからソフトを何本も買うということにならない。ソーシャルゲームになっていて、プレイする友だちが増えれば増えるほど楽しくなる。ライブサービスで作られていて、物語は固定されていないし、オフラインのプレイもない。終わりのないゲームであり、アップデートも週に2回など頻度が高い。クリエイティブ面もすばらしい。その結果、２０１８年末には中国を除く世界中で一番人気のＡＡＡゲームとなった。月間収益もゲーム史上最高をたたき出した。

『フォートナイト』のクロスプラットフォームサービスにソニー以外は対応した。ＰＣとモバイルは、昔からクロスプラットフォームを否定したことがない。そもそも、ウィンドウズも各種モバイルプラットフォームも、自プラットフォーム専用のゲームを提供したことがないのだ。任天堂も、『フォートナイト』のリリース当初からさまざまなクロスプラットフォームサービスに対応した。ただ、ソニーと違ってオンラインネットワーク事業を持っていないため、あまり力は入れなかった。マイクロソフトは、昔からクロスプレイを積極的に推進してきている（ソニーが反対したのと同じ理由からだろう）。

ＰＳは、当然、クロスプラットフォームに対応しなかった。これは、最悪バージョンの『フォートナイト』しかプレイできないという見方もできるし、ＰＳならほかにおもしろいゲームがいろいろあってそちらなら課金なしで楽しめるという見方もできる。これこそ、ソニーが方針を変えた原因だ。

『コール オブ デューティ』ならそのあたりに対応しなくてもアクティビジョンの販売本数が若干

下がるだけかもしれないが、『フォートナイト』では収益機会の大半を逃していることになるし、ユーザーがPS以外を買う動機を提供していることにもなる。もちろん、iPhoneよりPSのほうがプレイ体験はずっといいが、『フォートナイト』の場合、スペックよりソーシャルな要素を重視するプレイヤーが多い。また、エピックが「うっかり」PSでクロスプレイを可能にしたことが少なくとも3回あり（ソニーの許可は受けていないと言われている）、対応してくれとの要望がソニーに殺到したし、対応していないのはあくまでポリシーであって技術的な問題からではないと証明されてしまった。

　このようなことから、ソニーも方針を転換せざるをえなくなった。関係者全員が勝者となる決断だ。いま、ほぼ機種を問わず遊べる（つまり、だれでもがいつでもどこでも遊べる）人気ゲームがたくさんあるし、そのときあっちこっちにお金を払う必要もなければ、アイデンティティ、成果、プレイヤーネットワークがずたずたになる心配もない。さらに、プレイもプログレッションも購入もクロスプラットフォームに対応なら、ゲーム機自体の競争は純粋にハードウェア、コンテンツ、サービスの勝負ということになる。ソニーはいまも首位を走っていて、『フォートナイト』の収益も45％以上をPSがたたき出している（販売台数も、PS5はXboxのシリーズS／Xの倍以上となっている）[3]。

　ここで注目すべきは、この決断が相互運用性の経済的解決策につながりうる点だ。収益の漏出を防ぐため、ソニーは、実態を反映した支払いをエピックゲームズに求めた。PSで100時間、ニンテンドースイッチで100時間、『フォートナイト』をプレイしたプレイヤーの課金がPSで40ドル、ニンテンドースイッチで60ドルだった場合、任天堂に対する手数料は60ドルの25％となるが、PSは40ドルの25％に加え、時間比率から推定される分の10ドルも払えと求めたのだ。10ドルを2

回支払え、と。いまもこのやり方が続いているのか否かは不明だ。わかっているのは、エピック対アップルの訴訟がこのやり方の原因になったことくらいである。ともかく、これは、クロスプラットフォームのゲームが広まれば市場関係者全員にプラスとなることを示す好例だろう。

ディスコードの成功もまた好例と言える。ニンテンドー、PS、Xbox、スチームなどのゲーミングプラットフォームは、いずれも、プレイヤーネットワークとコミュニケーションサービスをクローズドとして固く守っている。だから、Xboxライブのユーザーがプレイステーションネットワークのユーザーをフレンド登録することはできないし、直接話をすることもできない。プラットフォームが違うユーザーと遊べるのは『フォートナイト』などクロスプラットフォームのゲームにおいてのみであり、しかも、そのゲームのIDを通じてだけなのだ。

それでも、どのゲームで遊ぶつもりかログイン前にわかっている同士なら問題はないが、偶然の出会いを求める場合やその場限りのプレイを楽しみたい場合などには問題となる。ゲームが生活の中心になっている人ほど困る形になっているのだ。

ゲーマーのメリットを満載し、そこをなんとかしようと登場したのがディスコードだ。PC、マック、iPhone、アンドロイドと主なコンピューティングプラットフォームはすべてカバーしていて、人間関係をひとまとめにできる（ゲーマーでなくても参加できる）。APIも豊富に用意されていてほかのゲームから使えるし、さらには、スラックやツイッチといったある意味競合するソーシャルサービスからも使える。同社が配信や運営に関わっていないスタンドアローンのゲームからも使える。その結果、ディスコードのコミュニケーションネットワークは、没入型ゲーミングプラットフォームひとつでは太刀打ちできない規模となり、やりとりもすごく活発になった。

携帯電話でディスコードアプリとそのチャット機能を使うのを止める手だてがプラットフォーム

側にないのが特に大事なポイントだ。結局、ＸｂｏｘもＰＳもディスコードに対応せざるをえなくなる。垣根を越える形でプレイヤー同士のつながり、コミュニケーション、オンラインの友だち作りができる新たな方法、「融通ソリューション」とでも言うべきものが生まれたわけだ。

共通3D形式と取引方法の確立

ゲームエンジンとコミュニケーションスイートの標準化に比べれば、３Ｄオブジェクトの扱い方が変化してきた経緯はシンプルだ。

まずは３Ｄアセットの現状を確認しよう。標準化されていないバーチャルなオブジェクトや環境に対し、映画、ビデオゲーム、土木、生産管理、ヘルスケア、教育など、さまざまな分野合計で何十億ドルもの支出がなされている。しかも、これから当分、増えることはあっても減ることはない。新しいファイル形式やエンジンが登場するたびオブジェクトを作り直すのは費用もかさむし、基本的に無駄である。追加コストゼロでいくらでも再利用ができることこそ、デジタルな「モノ」、最大のメリットなのだから。

ばらばらの状態で蓄積されたアセットのライブラリは「バーチャルな金鉱脈」だとして、さまざまなソリューションが登場している。そのひとつがＮＶＩＤＩＡのオムニバースだ。２０２０年にリリースされたプラットフォームで、各種ファイル形式の３Ｄアセットと環境、エンジン、レンダリングソリューションにより、他社と協力してバーチャルシミュレーションを作ることができる。たとえば自動車会社なら、アンリアルで作った車をユニティベースの環境に持ち込み、ブレンダーで作ったオブジェクトと組み合わせるといったことができるわけだ。

もちろん、なんでもサポートできるわけではない。メタデータも機能もサポートできないものがある。でもだからこそ、標準化しようという気にディベロッパー各社がなるわけだ。こういう形で連携すれば、慣行も公式・非公式にすりあわせが進む。

オムニバースを支えているユニバーサルシーンディスクリプション（ＵＳＤ）はピクサーが２０１２年に開発し、２０１６年にオープンソース化した融通フレームワークである。ＵＳＤなら共通言語で３Ｄの定義、パッケージング、アセンブル、編集ができるのだ。[4] 融通プラットフォームと３Ｄ規格の両方を推進するものと言ってもいいだろう。

もうひとつ好例と言えるのはインダストリアル・ライト・アンド・マジックがリアルタイムレンダリングに使用している独自エンジン、ヘリオスだろう。ヘリオスも各種のエンジンやファイル形式をある程度はカバーしている。

３Ｄ関連で協力が増えれば、規格が自然に生まれてくるはずだ。２０１０年代初頭、グローバル化の波に押され、世界的企業の多くが英語を社内の公式言語にした。日本最大の電子商取引会社、楽天もそうだし、フランス政府とドイツ政府が2大株主の航空大手、エアバスもそうだ。ほかにも韓国最大の企業、サムスンなど数えていけばキリがない。２０１２年にイプソスが行った調査でも、海外在住の人とやりとりしなければならない仕事をしている人の67％が英語を一番よく使うと回答している。次点はスペイン語だがわずか5％にすぎない。また、61％が海外とのやりとりに母国語を用いていないと回答していることから、英語が母語の人が多いから英語が一番よく使われているわけではないことがわかる。[5]

グローバル化で通貨も事実上標準化された（米ドルとユーロ）。ほかに単位（メートル法）、輸送方法（インターモーダルコンテナ）など、こちらも数えていけばキリがない。

オムニバースの例からわかるように、ソフトウェアの場合、必ずしも全員が同じ言語を話せなくていい。欧州連合のようなものだ。欧州連合は24言語が公式に認められているが、そのうち英語、フランス語、ドイツ語の3言語が「手続き」言語となっている（なお、EUの首脳や議員、事務局は手続き言語2種類は使うことができる）。

ひとつの「アセット」（実際にはデータの権利）を複数環境で活用できるデータ規格の開発もエピックゲームズが進めている。エピックゲームズはサイオニックスを買収したのち、そのヒット作『ロケットリーグ』をエピックオンラインサービスに移し、基本プレイ無料で提供することにした。そしてその数カ月後には「ラマラマ」イベントの開催を発表。期間限定のモードで、『フォートナイト』のプレイヤーが『ロケットリーグ』のチャレンジを攻略すると、限定のアウトフィットや報酬を獲得することができる（獲得したものは、『フォートナイト』と『ロケットリーグ』の両方で利用できる）。

そのさらに1年後、こんどは『フォールガイズ』をはじめとするゲームのメーカー、トニックゲームスグループを買収する。「メタバース構築に向けた」動きとのことだ。[6] エピックゲームズは『ロケットリーグ』で試した実験をトニックのゲームでもしていくだろうし、独立系スタジオに開発資金を提供し、そのゲームを配信するエピックゲームズパブリッシングが今後リリースするゲームでもしていくだろう。

エピックゲームズは、クロスプラットフォームと同じことをクロスタイトルのアセットや報酬で狙っているのだろう。別ゲームに参加する敷居を低くすることにも、友だちやアイテムを別ゲームに動かすのを簡単にすることにも、新しいゲームを試してみる理由をプレイヤーに提供することにもメリットがある、つまり、利益があると考えているのだ。

そうすればプレイ時間は長くなるし、一緒にプレイする友だちが増えるし、プレイするタイトルも増えるし、そうこうしているうちに課金も増えるわけだ。そうなれば、どんどん増えているサードパーティーのゲームも、エピックが提供する仮想ＩＤやコミュニケーション、権利確認のシステム（つまりエピックオンラインサービスの一部）を使いたいと言うようになるはずだし、それはエピックゲームズの製品を中心に標準化が進むことにもつながるだろう。

「フェイスブックでログイン」の企業側メリット

エピックゲームズ以外にも、バーチャル品の共通規格や共通フレームワークを自社の強みを生かして確立しようともくろむソーシャル系の大企業がいくつもある。

そのひとつ、フェイスブックは、フェイスブックコネクトという認証ＡＰＩセットに「相互運用可能なアバター」を追加しようとしている。フェイスブックコネクトと言われてもよくわからないかもしれないが、ウェブサイトやアプリにログインできる「フェイスブックでログイン」ボタンならよく知っているという人が多いだろう。

ディベロッパーとしては、アカウントを作ってもらうほうが詳しいユーザーデータも得られるし、その情報やアカウントも（フェイスブックではなく自分が）好きに料理できるのでありがたい。だがユーザーにとってはフェイスブックコネクトのほうが簡単だし時間もかからない。だからよく使われる。ディベロッパーにしても、匿名で利用されるよりは登録ユーザーが増えたほうがいい。

フェイスブックのアバタースイートも（おそらくはグーグルやツイッターやアップルが提供する同様のサービスも）、同じような価値を持つ。カスタマイズしたアバターが３Ｄ空間におけるユーザーの自己表現に直結するのであれば、仮想世界ごとに新しいアバターを作り込みたいとはあまり思わないだろう。それより、手間暇かけて作ってあるアバターを受け入れてもらえたほうがいい。

　使うアバターをひとつにできなければ、そのユーザーにとって自分を真に表現するアバターはないに等しいという意見もある。ジーンズに黒のタートルネックという格好をたまにしかできず、行き先によってはシャンブレーのパンツにグレーのタートルネックを着なければならなかったりしたら、あれがスティーブ・ジョブズのユニフォームだと言われることはなかっただろう。アイデンティティを強化するユニフォームではなく、センスがいいなどと表現されたはずだ。

　いずれにせよ、フェイスブックなどがクロスタイトルのサービスを展開していけば、それはそれで規格化が進んでいくことになるはずだ（この場合、フェイスブックが定めた仕様をもとに、ＡＲ、ＶＲ、ＩＶＷＰなどの進展に後押しされる形で規格化が進むことになる）。

　アセットの相互運用性を高めるほかに、エピックゲームズは、競合する知的財産権の「相互運用」も進めようとしている。これは技術的問題ではなく哲学的問題である（クロスプラットフォームの例から、技術的問題より哲学的問題のほうが難しいことがわかる）。

　『フォートナイト』、『マインクラフト』、『ロブロックス』などのバーチャルプラットフォームは文化さえも変える力を持つソーシャル空間として、消費者に対するマーケティングやブランドの構築、メディアミックスの展開に欠くことのできないものとなった。ここ3年で『フォートナイト』は、ＮＦＬにＦＩＦＡ、ディズニーのマーベル・コミック、『スター・ウォーズ』、『エイリアン』、ワーナー・ブラザースのＤＣコミックス、ライオンズゲートの『ジョン・ウィック』、マイクロソフトの『ヘイロー』、ソニーの『ゴッド・オブ・ウォー』に『ホライゾン ゼロ ドーン』、カプコンの『ストリートファイター』、ハズブロのＧＩジョー、ナイキにマイケル・ジョーダンにトラヴィス・スコットと実に幅広い体験を提供している。

一方、ここに参加するにあたりブランド側は、ふつうなら同意するはずのない条件を呑まなければならなかった。無期限ライセンス（ゲーム内のアウトフィットはいつまでもプレイヤーの手元に置かれる）、マーケティング期間の重複（ブランドイベント同士、わずか数日しか間隔がなかったり、実際に重なっていたりする）などだ。編集権もないに等しかったりまったくなかったりする。要するに、ネイマールがベイビー・ヨーダの着ぐるみを着てエアジョーダンのバックパックを背負い、アクアマンのトライデントを手に、バーチャル企業、スターク・インダストリーズに忍び込むなんてこともできるわけだ。しかも、どのブランドオーナーも、それでいいと考えている。

相互運用性に価値があるのであれば、どのような問題も、そのうち、金銭的なインセンティブと競争圧力が解決してくれるはずだ。メタバースのビジネスモデルを技術的・商業的に支える方法も、そのうち、ディベロッパー各社がなんとかしてくれる。メタバースの大きな経済力を活用して「旧弊な」ゲームメーカーを追い越すために。

このあたりは、基本プレイ無料によるマネタイズの興隆を見ればわかる。このビジネスモデルでは、ゲームを無料でダウンロードし、インストールできるし、プレイも基本的に無料だ。課金が必要になるのはエクストラレベルや装飾品などを手に入れたい場合だ。

2000年代に登場したころ、いや、それから10年ほどたったころも、基本プレイ無料にするとよくてゲームの収益が落ちるし、下手すれば業界そのものが倒れかねないという意見が多かった。だが結局、ゲームのマネタイズ手法としてはこれが一番ということになり、ビデオゲームが文化になるほどの勢いを得る主因になった。たしかに無料の範囲だけで遊ぶ人も多いのだが、プレイヤーの総数がとにかく増えるのだ。そしてそれは、課金を増やそうというインセンティブにもなる。カスタマイズしたアバターを見せる相手が増えれば増えるほど、カスタマイズにお金をかけようという気になるのは当たり前のことだろう。

基本プレイ無料とした結果、ダンスやボイスチェンジャー、さらには「バトルパス」など、プレイヤーが買いそうな新製品がいろいろと登場した。相互運用性も同じようになるはずだ。アセットのコードに劣化を組み込むといったことも考えられるだろう。スキンの耐用を100プレイ時間とか500ゲームとか3年間とかに設定し、だんだんと傷んでいくようにするのだ。ライバルパブリッシャーのタイトルにアイテムを持っていくのを有償にするという手もあるし(現実世界にも関税がある)、相互運用可能なバージョンは値段を高く設定するという手もある。もちろん、すべての仮想世界が相互運用可能になる必要はない。いまは基本プレイ無料のマルチプレイヤーオンラインゲームが大人気だが、有償のゲームやシングルプレイヤーにしか対応していないゲーム、オフラインのゲームもまだあるし、それこそ、このすべてが当てはまるものもまだある。

さて、ウェブ3に興味のある読者のなかには、ブロックチェーンや仮想通貨、非代替性トークン(NFT)がなかなか登場しないとじれている人もいるかもしれない。

この三つは互いに関係するイノベーションで、バーチャル世界の未来で基盤的役割を果たすものと考えられているし、すでに、どんどん増えていく世界と体験を広くカバーする共通規格的なものとして機能するようになっている。だが、その話に行く前に、メタバースにおけるハードウェアの役割と支払いについて検討してみる必要がある。

Chapter 09
ハードウェア

メタバースでなにが楽しみかといえば、そのアクセスやレンダリング、運用に用いられる機器が新たに開発されることだという人が多いのではないだろうか。特に、拡張現実や没入型仮想現実に対応した超パワフルながら軽量のヘッドセットを思い浮かべる人が。必ずしもこういう機器が必要なわけではないのだが、仮想世界を体験するには一番いいし、一番自然であるのも事実である。ビッグテックの経営者も似たようなことを語っている。もっとも、需要があると言われつつ、それが販売に結びついてはいないのだが。

マイクロソフトは、AR用のヘッドセット、ホロレンズとそのプラットフォームを2010年から開発し、2016年には初期型を、2019年にはホロレンズ2を発売した。発売から5年たっているわけだが、累計出荷台数は50万台に届いていない。それでも投資は続けているし、サティア・ナデラCEOは、投資家に対しても消費者に対しても、メタバースに向けた意欲とともにホロレンズをアピールしている。

グーグルのAR機器、グーグルグラスも2013年の発売直後からほとんど誇大広告だ、使い物にならんと評価はさんざんだが、開発投資は続けられている。改良型のエンタープライズエディションが2017年、エンタープライズエディション2が2019年にリリースという具合だ。また、2020年6月以降だけでも、ノースやラクシアムなど、ARグラス関連スタートアップの買収に10億ドルから20億ドルを支出している。

グーグルグラスほど取り沙汰されてはいないが、グーグルはVRにも手を出している。むしろこちらのほうが大々的かもしれない（失敗も大々的かもしれない）。

VRへの進出は2014年で、没入型の仮想現実に対する世間の関心を高めることを目標にグーグルカードボードなるものを投入した。ディベロッパー向けには、Javaやユニティ、アップルのメタルでカードボード用VRアプリを開発できるソフトウェア開発キット（SDK）をリリース。消費者向けには、組み立て式の段ボール製カードボード「ビューワー」を15ドルで発売した。iPhoneやアンドロイドに取り付けるだけでVR体験ができる優れものだ。1年後には、さらに、VR映像制作のプラットフォームとエコシステムであるジャンプと、実地見学がVRでできる教育用プログラム、エクスペディションを発表。

カードボードについてはかなりの実績があがっている。5年間の累計販売台数は1500万台を超えているし、カードボード対応アプリのダウンロード数は2億回に迫っている。エクスペディションも、リリースから1年で100万人以上の学生が利用している。もっとも、物珍しがられただけだったらしい。カードボードプロジェクトは2019年11月に終わり、SDKはオープンソースに移行した。エクスペディションも2021年6月に終了となる。

2016年、グーグルはふたつめのVRプラットフォーム、デイドリームも立ち上げている。カードボードの改良型といった感じのものだ。まずビューワー。発泡樹脂を柔らかい布（4色展開）で覆った構造で、価格は80~100ドル。カードボードは手で支えている必要があったが、こちらはストラップで頭に固定できる。専用コントローラーが同梱されているし、近距離無線通信のNFCチップを内蔵しているので、セットされたスマホの機種を判別し自動でVRモードに切り替えてくれる。メディアは好意的に取りあげたし、HBOやフールーがVRアプリを作るなどしたが消費者は盛り上がらず、カードボードと同時期に幕引きとなった。

このように苦労しているが、それでもグーグルは、メタバース戦略の中心としてARやVRを推進している。2021年10月、フェイスブックが未来を見据えたビジョンを公表するほんの何週間か前、グーグルでは、ARとVRの部門を率いるクレイ・ベイバーがグーグル/アルファベットのサンダー・ピチャイCEO直属として新グループ「グーグルラボ」を率いることになった。AR、VR、仮想化の既存プロジェクトに加え、社内インキュベーターのエリア120、「将来性のある長期プロジェクト」をすべてまとめた部署である。グーグルは、VRやARの新しいヘッドセットプラットフォームを2024年にリリースする計画だと報じられている。

アマゾンにも触れておこう。アマゾンは、最初で最後となったスマートフォン、ファイアフォンを2014年に発売している。すでに市場を席巻していたアンドロイドやiOSと違う差別化ポイントは、前面カメラが4台もあり、頭の動きに合わせてインターフェースを調整する機能と、テキスト、サウンド、ビジュアルオブジェクトを自動認識するソフトウェアツール、ファイアフライである。このスマホは発売からわずか1年で打ち切りとなり、売れ残りの償却などで1億7000万ドルもの損切りをしなければならなくなるなど、アマゾン史上最大の失敗となった。それでもアマゾンは、その直後からスマートグラス、エコーフレームの開発に着手。視覚情報は示されないが、音声とブルートゥース（スマートフォンにつなぐため）に対応し、音声アシスタントのアレクサが使える。発売は2019年で1年後には改良型も出ている。どちらも売れ行きはいまいちのようだ。

ARやVRの機器を強烈に推しているひとりがマーク・ザッカーバーグである。2014年、フェイスブックはオキュラスVRを23億ドルで買収している。機器の発売にもこぎつけられていない会社だというのに、その2年前、インスタグラムに支払った倍以上を出して買ったのだ。そしてその少しあと、ザッカーバーグらは、プロ用コンピューターはこれからVRヘッドセット型になっていく、消費者がデジタル世界にアクセスするのはARのスマートグラスが中心になっていくと語るようになる。そして8年後、2020年10月から2021年12月でオキュラスクエスト2が1000万台以上も売れたと発表。同時期に発売されたマイクロソフト新型Xbox、シリーズSとシリーズXより売れたわけだ。だが、まだPCの地位を脅かすほどにはなっていないし、AR機器もまだリリースできていない。それでも、年間100億ドルから150億ドルと言われるメタバース投資の大半をフェイスブックはAR機器やVR機器に投じているものと思われる。

アップルは、ARやVRについても、なにを計画しているのか、いや、それこそなにを考えているのかさえ秘して語らない。だが、買収行動や特許を見ればかなりのところまで推測できる。ここ3年でアップルが買収したスタートアップを確認してみよう。まずバーバーナ。トーテムというARヘッドセットを作る会社だ。そしてアコニア。こちらはAR製品用のレンズを作っている。機械学習で表情から感情を読み取るソフトウェアを開発しているエモーシェント、顔認識のリアルフェイス、そして、表情の変化を3Dアバターに再現するフェイスシフトも買っている。VRコンテンツを制作しているネクストVRと、位置情報を活用してVRエンターテイメントやVR体験をテレビ会議システムでできるようにするスペーシズもである。アプリは年平均2000件以上の特許を取得しているが（申請はもっと多い）、最近は、そのうち数百件がVR、AR、ボディトラッキングに関するものとなっている。

テックジャイアント以外も、それなりサイズのソーシャルテクノロジー系企業でＡＲやＶＲの独自ハードウェアを開発しているところがある。ほとんどは消費者家電を作った経験がないに等しいレベルで、ましてや、その販売やサービスの経験などなかったりするのだが。たとえば、スナップが２０１７年に発売したＡＲ型スマートグラス、スペクタクルズは、その技術や体験、販売といった面の成功より、自動販売機を日々移動するという販売方式に注目が集まったが、この5年間で新型3機種を投入するなどがんばっている。

消費者もディベロッパーも後ろ向きであるにもかかわらず投資が堅調なのは、今回も歴史はくり返すと信じられているからだ。コンピューティングやネットワーキングの世界が大きく変化するたび、そこに適した新しい機器が登場する。そういう機器をいち早く開発できれば、新規事業を立ち上げるのみならず、技術分野における力関係を変えることさえできる。マイクロソフトもフェイスブックもスナップもナイアンティックも、みな、ＡＲやＶＲの苦労は逆にアップルやグーグルに取って代わるチャンスである証拠だと見ている。

逆に、モバイル時代の2大プラットフォームを持つアップルとグーグルは、そのディスラプションを避けるためにも投資が必要だと考えている。ＡＲとＶＲが次なる技術であると信じるべき証拠もある。10年間でホロレンズの特注品、12万台をマイクロソフトから購入すると、２０２１年3月、米国陸軍が発表したのだ。契約総額は２２０億ドル。つまり、ヘッドセットの単価は20万ドル近い（ハードウェアのグレードアップ、修理、特注ソフトウェア、クラウドコンピューティングサービスのアジュールなどを含む）。

ＶＲ・ＡＲヘッドセットが普及を妨げる技術的欠点をいまだに抱えている点も、複合現実はこれからであることの証拠だ。メタバースに対する現行機器はスマートフォン時代に対するニュートンのようなものだと表現している人もいる。ニュートンはアップルが１９９３年に発売したモバイル機器で、タッチスクリーンやモバイル用のオペレーティングシステムにソフトウェアと、いま、当然とされているものがいろいろとそろっていたが、同時に、キーボードに近いほど大きい（しかもキーボードより重い）、モバイルデータネットワークが使えない、指ではなくデジタルペンでなければ操作できないと、不足している点も多かった。だから失敗に終わったわけだ。

ＡＲやＶＲで問題となるのはディスプレイである。２０１６年に発売された初代オキュラスは解像度が片目１０８０×１２００ピクセル、その4年後に発売されたオキュラスクエスト２は片目１８３２×１９２０（４Ｋに近い）となっている。だが、ピクセレーションの問題が解消し普及が進むには後者の倍以上まで解像度が高くならなければならないと、オキュラス創業者のひとり、パルマー・ラッキーは語っている。

リフレッシュレートも問題だ。初代オキュラスは最大90Hz（1秒に90フレームが表示される）、２代目は72~80Hzだった。２０２０年の最新型オキュラスクエスト２は72Hzがデフォルトだがほとんどのタイトルで90Hzをサポートしているし、計算負荷が軽いゲームでは１２０Hzを「実験的にサポート」している。ちなみに、いわゆるＶＲ酔いを防ぐには１２０Hz以上が必要だとされている。ゴールドマン・サックスの調査によると、没入型ＶＲヘッドセットを試した人の14%が「ひんぱんに」ＶＲ酔いを経験した、19%が「ときどき」経験したという。めったに経験しない人も25%いるが、まったく経験しない人はいない。

ＡＲ機器にはほかにも大きな課題がある。人の目が見えるのは水平方向２００~２２０度、垂直方向１３５度といったところであり、対角で２５０度くらいの視野となる。最新型のスナップＡＲグラス（価格５００ドル）で対角視野は26・３度しかない。つまり、目に見える範囲の10%ほどしか

「拡張」できないわけだ。リフレッシュレートも30Hzと低い。3500ドルもするマイクロソフトのホロレンズ2は視野もリフレッシュレートも倍になるが、それでもなお、視野の80％は拡張することができない。目はホロレンズ2が完全に覆っているし頭もかなり覆っているにもかかわらず、である。566グラムと重さもかなりのものだ（iPhone13は一番重いプロマックスでも240グラム、最軽量のものなら174グラムしかない）。稼働時間も2〜3時間と短い。スナップのスペクタクルズ4は134グラムだが、30分しか使えない。

AR・VRは当代随一と言えるほど技術的に難しい

ディスプレイも重量もバッテリーもそのうちテック企業がなんとかしてくれる、新機能もいろいろ追加されるだろうと楽観的な見方もある。テレビの解像度は年々上がる一方だし、リフレッシュレートも上がっている。同時に価格は下がり、スリムになってきてもいる。それでもなお、「いまの技術課題で一番難しいのは、ふつうにしか見えないメガネにスーパーコンピューターを組み込むことだ」とマーク・ザッカーバーグをして語らしめる課題である。[1] コンピュートの検討でも見たように、ゲーム機器はTVのように用意されているフレームを表示するものではなく、みずからレンダリングしなければならない。そして、レイテンシーの問題でも見たように、AR・VRヘッドセットでなにができるのかも、宇宙の法則による制限を受けるのかもしれない。

1フレームあたりレンダリングされるピクセル数と1秒あたりのフレーム数、両方を増やしたければ、処理能力を大きく引き上げる必要がある。しかも、頭に着けて気にならない大きさ・重さにしなければならない。机の下に置いたり手に持ったりできればいいわけではないのだ。さらに、ここが重大なポイントなのだが、ARやVRのプロセッサーはたくさんのピクセルをレンダリングする以外にもしなければならないことがある。

オキュラスクエスト2を例に考えると、問題の大きさがわかりやすいだろう。フェイスブックが提供するこのVR機器もゲーミングプラットフォームであり、『ポピュレーション：ワン』というバトルロイヤルゲームが遊べる。だが同時接続ユーザーは『コール オブ デューティ ウォーゾーン』と同じ150人は無理だし、どころか、『フォートナイト』の100人もできない。『フリーファイア』の50人さえ無理で、わずかに18人となっている。これが処理の限界なのだ。グラフィックスも2006年発売のPS3並で、2013年のPS4並でもなければ、まして、2020年のPS5には遠くおよばない。

AR・VRの機器には、ゲーム機やPCにはやらせようとしないことをやらせなければならないのも問題だ。たとえばフェイスブックのオキュラスクエストには外部カメラが2基用意されていて、ユーザーがモノや壁にぶつからないよう警告を発するようになっている。このカメラは、手の動きを追跡し、それを仮想世界内で再現するのにも使われる。また、決められた動きをすればボタンを押したことになるなど、コントローラーとしても使われる。

それくらいならリモコンを使えばいいじゃないかと思うかもしれないが、この方法なら、出先にリモコンを持っていかずにすむわけだ（通りを歩くときもリモコンを持たずにすむ）。ヘッドセット内にもカメラを装備してユーザーの表情や視線をスキャンし、その情報だけでアバターを動かせるようにしたいとさえザッカーバーグは語っている。だがカメラを増やせば増やすほどヘッドセットは大きく、重くなってしまうし、処理も増えてしまう。もちろん、バッテリーの消費も激しくなる。値段も高くなってしまう。

そのあたりについて、マイクロソフトのホロレンズ2とスナップのスペクタクルズ4を比べてみよう。前者は視野もフレームレートも倍だが、価格は7倍(500ドルに対して3000〜3500ドル)、重量は4倍だし、見た目も未来型レイバンではなくサイボーグの頭蓋骨かなにかのようになってしまっている。一般に普及するためには、スペクタクルズ4より小さくてホロレンズ以上にパワフルなものでなければならない。産業用ARヘッドセットなら大きくてもいいが、それでもヘルメットの下に装着できるくらいではなければならないし、首への負担も考えなければならない。結局、そうとうな改善が必要となる。

「スーパーコンピューターメガネ」の実現が技術的にとても難しいことを考えれば、いま、毎年何百億ドルも開発につぎ込まれているのも無理はないと言える。それでもなお、近い将来、問題が一気に解決するといったことにはまずならない。現実は、AR・VR機器の低価格化と小型化が少しずつ進み、処理能力と機能性も少しずつ上がっていくという歩みになるだろう。仮に、どこかが大きな障害を打ち破ることに成功したとしても、それが市場全体に広がるのに、ふつう、2年から3年はかかる。いずれにせよ、最終的には、どういう体験を提供できるのかでプラットフォームが評価されるようになるはずだ。

iPhoneは「ホームボタン」が革命だった

このあたりは、モバイル時代で一番の成功を収めたと言えるiPhoneの歩みを見ればよくわかる。

いまはチップやセンサーの多くが自社開発になっているが、当初は、すべて、社外のサプライヤーから調達していた。初代iPhoneのCPUはサムスンだし、GPUはイマジネーションテクノロジーズ、画像センサーはマイクロン・テクノロジー、タッチスクリーンのガラスはコーニングという具合だ。こういった部品をどのように組み合わせるのか、いつ、なぜ組み合わせるのかがイノベーションであり、アップルが前面に出ている感じではなかった。

特筆すべきは、物理キーボードを捨ててタッチスクリーン一本に賭けた点だ。このころ市場をリードしていたマイクロソフトやブラックベリーを中心に、さんざっぱらばかにされた方針である。しかも1990年代半ばから2000年代後半まで、スマホの販売は大企業を中心とした企業向けが大半を占めていたにもかかわらず、アップルは消費者を中心にすえた。価格設定はさらに大胆で、ブラックベリーなど競合スマホが250~350ドルであるのに対し、iPhoneは500~600ドルとなっていた(ちなみに、ブラックベリーなどは会社持ちで、ユーザー自身は金銭的負担なしで手に入れていることが多かった)。アップルの共同創業者でこのころCEOを務めていたスティーブ・ジョブズは、500ドルと高いだけのことはある、200ドルや300ドルの製品では得られないだけの価値がある、だから、後者がただで配られていても問題ないと考えていた。

タッチスクリーン、ターゲット設定、価格設定というジョブズの賭けは、いずれも成功する。シンプルに使える複雑な機械という一見矛盾する難問をインターフェースの工夫で上手に解決したのも大きい。「ホームボタン」がいい例だ。

ジョブズは物理キーボードをあっさり切り捨てたが、iPhone前面に大きなホームボタンは置いた。いまは見慣れた存在かもしれないが、当時、これはとても目新しかった。いろいろな意味でコストもかかるやり方だ。このボタンがなければ、スクリーンをもっと大きくする、バッテリーの容量を増やす、パワフルなプロセッサーにするなどが可能なのだから。それでも、タッチスクリーンやポケットに入るコンピューティングに消費者をいざなうためには欠くことができない――ジョブズはそう考えていた。iPhoneのタッチスクリーン上でなにが起きていようがホームボタンを押しさえすればメインスクリーンに戻れる。折りたたみ式でぱたんと閉じるのとはまるで違う。

初代iPhoneの発売から4年がたった2011年、アップルは、マルチタスク機能を搭載した。それまで同時に使えるのは、ごく一部の限られたアプリケーションだけだった。音楽アプリで曲を聴きながらニューヨークタイムズのアプリで新聞を読むことはできるが、フェイスブックアプリを開くとニューヨークタイムズは閉じてしまう。ニューヨークタイムズの記事に戻れば記事を探すところから始めなければならないし、記事をみつけたあと読んだところも探さなければ続きを読むことはできない。さらに、そうするとフェイスブックは閉じてしまう。マルチタスク機能があればアプリを一時停止して別アプリに移ることができる。

これがすべて、ホームボタンひとつでできてしまうのだ。ホームボタンを押すと使用中のアプリを一時停止し、ホームスクリーンに戻る。ホームボタンをダブルクリックすると一時停止中のアプリがずらりと表示されるので、スワイプして移動先を選ぶこともできる。

もっと古いiPhoneでマルチタスクをサポートすることだってできたはずだ。同等のCPUを積んだ他社のスマホがサポートできていたのだから。だが、ユーザーをモバイルコンピューティングの時代にいざなうことがまず必要であり、そのためには、技術的に可能かどうかではなく、受け入れる素地がユーザー側にできているかどうかを考えなければならない。それがアップルの方針だったわけだ。だから、物理的なホームボタンさえもなくし、スクリーン底部からスワイプするようユーザーに求めたのも、10代目iPhoneが登場した2017年だったわけだ。

新登場のカテゴリーには「ベストプラクティス」が存在しない。実を言えば、タッチスクリーン以外にも、いまなら当然と思っているが昔は議論の的になっていたものがたくさんある。たとえばアップルのピンチズーム機能。これがアンドロイドにも広がったころ、この機能は逆なのではないか、指を寄せたら見ているものが近づいて大きくなるべきで、小さくなるのはおかしいのではないかと言われたことがある。いま、そう考える人などいないはずだが、それは、逆が自然なのだと15年もかけて訓練されたからだ。スライド式ロック解除も斬新なやり方であるとして特許が与えられているし、これをはじめとしてアップル特許がいくつも侵害されていると米控訴審裁判所で勝訴し、サムスンから1億2000万ドル以上の賠償金を獲得するといったことも起きている。

アプリストアも登場当時は疑問の声が投げかけられた。当時スマホ界をリードしていたブラックベリーがアプリストアを立ち上げたのがアップルに2年遅れの2010年、注目を集めた「そのアプリ、あります」キャンペーンから1年もたってからだったのは、そういう理由があったからだ。しかもブラックベリーはビジネス用途を重視するあまり、公正証書を出さないとアプリ開発キットを手に入れることさえできないなどセキュリティをがちがちに固め、ディベロッパーから総スカンを食らう結果になってしまった。

VR・ARレースも、この「スマートフォン戦争」と似た展開だ。すでに見てきたように、スナップのARグラスは500ドル以下で消費者をターゲットとしているのに対し、マイクロソフトは3000ドル以上で企業やプロフェッショナルを狙っている。グーグルは、何百ドル、何千ドルのVRヘッドセットを売るより、100ドル以下で「ビューワー」を販売し、みんなが持っているスマホをそこに組み込んで使ってもらうのがいいと考えている。アマゾンのARグラスはディスプレイをなくして見た目をかっこよくし、音声アシスタントのアレクサを使う形になっている。

フェイスブックはマイクロソフトと逆にARよりVRが先だ、また、リッチなレンダリングで実現したVRシミュレーションに大勢が参加するにはクラウドゲームストリーミングしか方法はないと考えている。他社は小型化や見た目を重視するかもしれないが、ソーシャル大手のフェイスブックがAR機器を出すなら、カメラやセンサーで表情や視線を追跡する機能を重視したものになるともザッカーバーグは語っている。だが、いまのところ、機器の大きさと機能のトレードオフも価格と機能のトレードオフもどうなるかまるでわかっていない。アップルやグーグルのアプリストアはクローズドでディベロッパーに評判が悪いのだが（詳しくは次章）、ザッカーバーグはそこに目を付け、オキュラスを「オープン」に保つと約束した。つまり、ディベロッパーがユーザーに直接アプリを配信することも許すし、ユーザーがオキュラス以外のストアからアプリをインストールすることも許すわけだ。そのほうがディベロッパーにとっては魅力的だろう。だがユーザーにとってはデータのプライバシーなど、新たなリスクが生じる。カメラの台数を増やすというならなおさらだ。

ARやVRは、スマートフォン以上にハードウェアの問題が大きい。2Dなら触れられるが3D空間は基本的に触れられないので、インターフェースをどうするのかも難しい。ARやVRでピンチズームやスライド式ロック解除に相当するのはどういうものになるのだろうか。ユーザーは、いつ、なにができるようになるのだろうか。

ヘッドセットの先にあるもの

将来的にコンピューティング機器は没入型ヘッドセットなど、AR型やVR型になっていくとの見方もあるが、いまのコンピューティング機器と組み合わせて世界を広げるメタバース用ハードウェアの開発を進めている人々もいる。

ゲーマーなら、スマートグローブをはめたりそれこそスマートスーツを着たりして、物理的フィードバック（「ハプティック」すなわち触覚のフィードバックと呼ばれる）から仮想世界のアバターになにが起きているのか感じられたらいいと思うだろう。実はすでに可能になっているのだが、ただ費用がすさまじくかかるのに機能はかぎられていて、ほぼ産業用途にしか使われていない。構造は、たくさんのモーターと電動アクチュエーターで小さなエアポケットを膨らませ、皮膚を押したり着ている人の動きを制限したりするものとなっている。

ハプティックには振動を利用するものもあり、この領域は、1997年のNINTENDO64用振動パック発売を契機に大きく進んだ。いまのコントローラーは、撃とうとしているのがショットガンなのかスナイパーライフルなのか、クロスボウなのかなど、状況に応じてトリガーの動きが変わるようにできている。クロスボウなど、しっかりホールドしないと戻ってしまいそうなほどだし、本当には存在しないバーチャルな弓のつるから振動が伝わってきたりする。

MEMS（微小電気機械システム）から超音波を出し、空中に「フォースフィールド」があるかのような感覚を生み出すものもある。機器そのものは縦横15センチから20センチくらいの箱に穴がたくさん空いているだけに見えるが、その効果は絶大だ。テディベアの手触りも感じられれば、ボウリングボールの硬さも感じられるし、砂のお城が崩れていく様子でさえも感じられるという。そこまで感じられるのは、指先には人体で一番神経が集中していて触覚がするどいからだ。ユーザーの動きに対応できるのもMEMS機器の強みである。空中で触れる動作をすれば対応して超音波製テディベアが動いたり、触れると砂のお城が崩れるといったことができるのだ。

グローブやボディスーツはユーザーの動きをとらえ、体の動きをバーチャル環境でリアルタイムに再現するのにも使える。トラッキングカメラでも同じことができるが、ユーザーのわりと近くにカメラがなければならないし全身が見えていなければならないしで、複数の人を細かく追跡するのは難しいという問題もある。将来的には、「メタバース室」のあちこちにトラッキングカメラを設置し、スマートタイプのウエアラブルデバイスを手首や足首につけたりして家族など複数人で使うという形になるのではないだろうか。

　そんなやり方がうまく行くはずがない（ブレスレットやアンクレットが高解像度カメラで指1本1本を追跡するかわりになるはずがない）と思うかもしれないが、実はいまの技術でさえなかなかのものになっている。アップルウォッチのセンサーは、手を握っているのか開いているのかもわかれば、親指と人差し指でピンチしているのか3本でピンチしているのかも判別できて、その動きでアップルウォッチを操作できるし、やろうと思えばほかの機器も操作することができる。手を握るクレンチでカーソルを出し、手を傾けてカーソルを動かすなどができるのだ。このアシスティブタッチは心拍計、ジャイロスコープ、加速度計など、ごく一般的なセンサーで動いている。

　もっと高機能なやり方もある。２０１４年のオキュラスＶＲより高値でフェイスブックが買収しＣＴＲＬラボが開発しているニューラルインターフェースだ。リストバンドで骨格筋の電気信号を記録する（筋電計測と言われる手法である）。リストバンドは指からすごく遠い手首の15センチも上に巻くのだが、ちょっとした動きも検出し、仮想世界で再現できる。どの指でピンチしているのかはもちろん、指折り数える動作や指さし、こっちにおいでという動きなども再現できてしまうのだ。しかもこの技術は、アバターのコントロール以外にも応用可能だ。ＣＴＲＬラボの有名なデモなのだが、カニのようなロボットの足に自分の指をマッピングし、握った手や指の動きでロボットを前や後ろ、または横に歩かせるといったこともできるのだ。

　フェイスブックはスマートウォッチの開発も考えている。アップルと違い、スマートフォンがなければ意味のない付属品という位置づけではない。無線データ通信機能を持つ独立型で、2基のカメラは取り外してバックパックや帽子などに取り付けることができるという。

グーグルも、2021年に20億ドル以上と自社史上5番目になる大型買収でスマートウエアラブルの会社、フィットビットを買っている。

ウエアラブルはこれから小型化と高性能化が進み、そのうち、服そのものに組み込まれるようになるだろう。そうなればメタバースが使いやすくなるし、メタバースを使える場所も増える。コントローラーをいつも持ち歩くのは非現実的だし、AR技術は毎日使うふつうのメガネになることが最終目標のはずで、であれば、コントローラーやスマートフォンを取り出さないと使えないのでは手段と目的が入れ替わっていると言わざるをえない。

未来のコンピューティングはARのスマートグラスでもなければスマートウォッチでもない、もっと小さなウエアラブルになると考える人もいる。かんばしくないグーグルグラスの発売からわずか1年後の2014年、グーグルは、グーグルコンタクトレンズなるプロジェクトを立ち上げている。糖尿病患者の血糖値管理が目的だ。

この「機器」はソフトコンタクト2枚のあいだに無線チップ、髪の毛より細いアンテナ、血糖値センサーをはさんだ形になっている。目に触れる側のレンズにあけた小さな穴を通して染みこんでくる涙で血糖値を測ろうというのだ。必要な電気はスマートフォンからアンテナ経由で取り込む。これで1秒ごとの計測を実現する。血糖値が急激に上下したときリアルタイムに警告を出せるよう、超小型のLEDも組み込む計画だという。

このプロジェクトは4年で幕引きとなったが、その理由は、あくまで、涙では血糖値を正確に測れなかったからだそうだ（この問題は医療研究の世界でもよく指摘されている）。いずれにせよ、中請特許を見ると、いまも、西側諸国や東側諸国、東南アジアでテクノロジー企業がスマートレンズ技術の開発にしのぎを削っていることがわかる。

インターネット接続は不安定だしコンピューティング資源は足らないしと現実世界を考えると、このような話は夢のように感じるかもしれない。それでも、ブレイン・コンピュータ・インターフェース（ＢＣＩ）と呼ばれる技術に比べれば実現可能性が高いと思える。ＢＣＩは１９７０年代に開発が始まった技術で、投資はいまも増えている。非侵襲型が多い。『Ｘ－ＭＥＮ』に登場するプロフェッサーXがかぶっているヘルメットのようなイメージだ。髪の毛に隠れるように細いセンサーを頭につけるなどの方法もあるだろう。脳組織のなるべく近くに電極を置くため侵襲型になっているものもある。

２０１５年にイーロン・マスクが立ち上げたニューラリンク社（ＣＥＯはマスク本人）も、そういう機器の会社だ。開発しているのは、厚さ4～6ミクロン（髪の毛の10分の1ほど）のセンサーを頭に埋め込んでいく「ミシンのような」もの。２０２１年4月には、無線ニューラリンクインプラントでサルがピンポンゲームをしている動画が公開されている。そしてその3カ月後、フェイスブックがＢＣＩプログラムへの投資を打ち切ると発表。実はそれまで、頭蓋骨を通ってきた光の粒子で脳細胞の血中酸素濃度を測るヘルメット型機器の試験をサンフランシスコのカリフォルニア大学で行うなど、社内外でさまざまなプロジェクトに資金を提供していたのだ。

このプロジェクトについてブログには、「どういう文を思い浮かべたのかを酸素濃度から知ることはおそらく無理だが、『ホーム』や『選択』、『削除』など簡単なコマンドいくつかだけでも判別できるようになれば、いままでとまったく違うやり方でＶＲシステムが使えるようになるし、将来的にはＡＲグラスにも応用できるようになるだろう」と書かれている。[2] 頭蓋骨頂部にメッシュ状の電極を取り付けた実験も行っていて、そちらでは、文章を考えるだけで1分間に15ワードくらい書くことに成功している（ふつうの人が書くスピードはこの2・5倍ほど、1分間に39ワードである）。だが、「長期的にはヘッドマウントの光学技術（つまりBCI）にも可能性があるといまも考えているが、当面は、ARやVRの市場にもっと近いと思われるタイプのニューラルインターフェースに集中することにした」[3]、そして、「ヘッドマウントの光学式無声対話機器は実現にかなりの時間がかかる。おそらくは、思っていたよりもかなり長い時間が」[4]ということらしい。

集中することにしたニューラルインターフェースとはCTRLラボの技術でまちがいないだろうが、ここで注目すべきは、BCIが市場にいたる道では倫理が問題になる点だ。自分の考えを読めてしまう機械、それこそ目の前の仕事をどうするか以外の考えさえも読めてしまう機械など、欲しいと思う人はいるのだろうか。しかもそれが体から取り外せないとしたら？

世の中に出回っているハードウェア

メタバースをめざすにあたり、手に持つ機器や着る機器から、それこそインプラントで体に埋め込む機器など新しいものがいろいろとあるが、登場しているのはそれだけではない。

２０２１年、グーグルがプロジェクトスターラインを発表した。ビデオ会議用ブースで、話し相手と同じ部屋にいるかのように感じることができる。従来のモニター型ビデオ会議ステーションと大きく違うのは、深度センサーとカメラ10基あまりが使われている点だ（視点4つ、深度マップ3つのビデオストリーム7本を生成する）。また、ディスプレイはファブリック基板・レイヤ構造のライトフィールド型で、音声は空間オーディオ対応スピーカー4台となっている。この構成により、平板な2D動画ではなく、立体的なデータをキャプチャし、レンダリングするのだ。

社内の試験では、従来型に比べて話し相手に対する集中が15%向上する（アイトラッキングによる計測結果）、ノンバーバルなコミュニケーションが大きく増える（手の動きが40%ほど、うなずきが25%ほど、眉毛の動きが50%ほど増えた）、内容の詳細記憶も30%向上するという結果が出ている。[5] 例によってソフトウェアの魔法なのだが、その実現を支えたのはハードウェアの開発である。

最大で1秒36万点のレーザースキャンができる測量用カメラなどというものも、伝説とさえ言われるカメラメーカー、ライカから発売されている。これを使うと、その場にいても見ることがかなわないほど細かなところまで詳細に、かつ、正確に、モールやビル、家などをキャプチャできる。エピックゲームズのクイークセルも、独自カメラにより、ピクセル単位と高精度の環境「メガスキャンズ」を何十億点も用意している。

第7章に登場した衛星画像の会社、プラネットラボも、地球のほぼ全域を8スペクトルで毎日スキャンし、高解像度の画像を得るとともに、温度やバイオマス、煙などを詳細に検出している。そこまでできるのは、企業として世界第2位となる１５０基以上もの衛星を運用しているからだ。[i] ただし、衛星は大きさが10×10×30センチ以下、重さ5キログラム以下と極小である。この衛星で撮る写真1枚がカバーするのは20~25平方キロメートル、1枚47メガピクセルなので、1ピクセルは3×3メートルといったところである。衛星から地上へは、距離平均１０００キロメートル、1秒あたり約1・5GBのデータが送られてくる。プラネットラボの共同創業者でCEOのウィル・マーシャルによると、衛星写真のコスト・パフォーマンスは２０１１年に比べて１０００倍ほどまで高まっているという。[6]

このようにスキャン装置が進歩した結果、物理空間の「デジタルツイン」、「ミラーワールド」を簡単かつ安価に作れるようになってきているし、現実世界のスキャン結果からすばらしいファンタジー世界を低コストで創ることも可能になってきている。

リアルタイムのトラッキングカメラも重要だ。たとえば、レジなしで自動的にキャッシュレス決済ができるアマゾンゴー。あの店舗にはたくさんのカメラが設置されていて、顔をスキャンする、動きを追跡する、歩き方を分析するなどして、顧客を個別に追跡する仕組みになっている。その結果、商品を手に取ったり戻したりしながら店内を歩き、そのまま店を出れば、持ち出した分だけ支払いが行われる。将来的には、こういう追跡システムからリアルタイムでユーザーのデジタルツインを作ることもできるだろう。グーグルのスターラインのような技術を使えば、オフショアの「メタバースコールセンター」にいる店員があちこちのスクリーンを飛び回って買物の手伝いをするといったこともできるようになるかもしれない。

バーチャルなオブジェクトや世界、アバターなどを現実と見まごうばかりの姿で現実世界に持ってこれる超高解像度のプロジェクションカメラも使われるだろう。これも技術的にはかなり難しい。投影面は凹凸していて垂直・水平だけでは測りきれない風景なわけで、それを各種センサーで正確にスキャン・把握し、ゆがんで見えないようにプロジェクションを調整しなければならないからだ。

そのうちモノのインターネットが生まれ、センサーや無線チップがコンセントと同じくらいあちこちにあり、どこからなんでもできる世界になるとずいぶん前から言われている。建設現場をカメラやセンサー、無線チップを満載したドローンがたくさん飛び交い、地上にいる作業員はARのヘッ

---

i ちなみに、中国でも衛星は500基以下、ロシアは200基以下である。ただし、衛星はプラネットラボのものよりずっと大きく、高機能である。

ドセットかメガネを着けている――そんな世界になる、と。こういう形で作業をすれば、どこでなにが起きているか、常時正確に把握することができる。砂はどれだけ残っているのか、重機が何往復すればそれを運べるのかもわかるし、問題が起きたとき、対応可能なスタッフで一番近くにいるのはだれなのか、いつ、どれほどの影響が出るのかなどすべてだ。

もちろん、メタバースでなくてもできることはあるし、それを言うなら、バーチャルシミュレーションである必要さえないケースもある。だが、３Ｄの環境やデータ表現のほうがわかりやすい。サイトの現状がタブレットに表示されている場合と、現場に散るさまざまなモノにオーバーレイで示される場合を比べれば、後者のほうがわかりやすいのは明らかだ。グーグル史上第2位という大型買収がスマートセンサー機器を開発・運用するネスト・ラボであることも指摘しておこう（モトローラは買収の３年後に売却しているから考慮の対象外と考えるなら、グーグル史上第1位である）。買収額は32億ドル。そのわずか8カ月後には、スマートカメラのメーカー、ドロップカムを５億５５００万ドルで買収し、ネスト・ラボに組み入れてもいる。

スマホは永久に

もうすぐすばらしい機器がいろいろ登場し、それがあればメタバースに入りやすくなると想像すると心が躍る。だが少なくとも２０２０年代は、すでに使っているものが主体だろう。

ユニティ・テクノロジーズのジョン・リッチティエッロCEOをはじめ、専門家は、ＶＲヘッドセットやＡＲヘッドセットの利用は２０３０年時点で2億５０００万台がいいところだろうと予測する人が多い。[7] だが、そんな先の予想を信じて疑わないのはおろかなことだ。初代ｉＰｈｏｎｅの発売は2007年、ブラックベリーのスマートフォンが発売された8年後で、米国におけるスマートフォンの市場占有率が5％に満たなかった時期だ。それから8年でiPhoneは8億台以上も売れ、スマホ率を80％近くまで押し上げた。2020年には全人類の3分の2がスマホを持つようになると2007年時点で予想していた人はまずいないはずだ。

ただ、AR機器やVR機器の場合、技術的にも金銭的にも、また、体験的にもさまざまな障害がある上、なんとかして割り込まなければならない立場にあることもまた事実である。スマホが急速に普及したのには理由がふたつもある。ひとつは、人類史上有数と言える発明であるにもかかわらずパーソナルコンピューターは普及が遅く、30年以上たっても世界全体では6人にひとりも所有していなかったこと。もうひとつは、コンピューターはサイズが大きく基本的に据え置きであったこと。ARやVRは最初に買うコンピューティング機器にはならないし、ポータブルという意味でも最初の1台にはならない。3台目とか下手すれば4台目とかに滑りこまなければならない上、まだ当分のあいだ、処理能力も一番低い1台になるであろうと思われる。

ふだん使いの機器がARやVRになる日がそのうち来ることはあるかもしれない。だが、まだ当分先になりそうである。2030年にVRヘッドセットとARヘッドセット、2種類が合計で10億台と予想の4倍になったとしても、いまのスマホに比べたら6分の1にも満たないレベルなのだ。

それでもいい。2022年のいま、すでに億人単位の人が、スマホやタブレットからリアルタイムレンダリングの仮想世界にアクセスしているし、スマホもタブレットもどんどん進歩しているのだから。

スマートフォンのCPUとGPUがどう進歩しているのかについてはすでに検討した。スマホの場合、メタバース関連で一番大事なのはここになるはずだが、チェックしておくべきところはほかにもある。２０１７年以降のｉＰｈｏｎｅには赤外線センサーが搭載され、ユーザーの顔、3万点を追跡・認識できるようになっている。その用途は主にアップルの顔認証システム、フェイスＩＤだが、アバターにユーザーの顔をリアルタイムに反映させたり、バーチャルな拡張を実現するためにも使うことができる。アップル公式のアニモジ、スナップのＡＲレンズ、エピックゲームズのアンリアルを使うライブリンクフェイスなどがその例だ。今後は、この機能を活用し、ハードウェアを追加することなく、インワールドのアバターに表情をライブにマッピングできる仮想世界が増えていくだろう。

アップルの主導で、スマホやタブレットにＬｉＤＡＲスキャナーも搭載されるようになった。[ii] その結果、エンジニアは1台2万ドルから3万ドルもするＬｉＤＡＲ用カメラを買わずにすむようになったし、米国スマホユーザーの半数近くは家や事務所、庭、そこにある品々などを仮想化し、それを共有することができるようになった。スキャン対象も大きく多様化すれば件数も何千倍と増えたマターポート（第7章で取りあげた）のように、仕事が一変した会社もある。

ｉＰｈｏｎｅに搭載されている3レンズのカメラを活用すると、ユニバーサルシーンディスクリプション（ＵＳＤ）交換フレームワークに保存されているアセットを使い、写真から本物とみまごうばかりのバーチャルなオブジェクトやモデルを作ることができる。こうして作ったオブジェクトを他のバーチャル環境に移植すれば、リアルな物品を低コストで作れたりする。リアル環境にオーバーレイし、芸術やデザイン、ＡＲなどに活用することもできる。

オキュラスＶＲは、同じカメラをマルチアングルの高解像度カメラとして用い、複合現実を作り出している。オキュラスで『ビートセイバー』[iii] をプレイするときはｉＰｈｏｎｅを数メートル後ろに置く。こうすれば、ＶＲヘッドセットに投影されるＶＲ環境に第三者視点の自分が写り込むからだ。

最近のスマホは超広帯域無線通信（ＵＷＢ）チップを搭載しているものが多い。１秒あたり10億回もレーダーパルスを送受信し、その情報を解析できるチップだ。これがあれば、自宅や事務所のレーダーマップを作り、そのどこにユーザーがいるのかを正確に把握できるし（グーグルのストリートマップやビルマップのどこにいるのかも把握可能だ）、ほかのユーザーや機器と相対的にどういう位置にいるのかも把握できる。ＧＰＳと違ってＵＷＢは誤差数センチの高精度だ。

だから、自宅に帰り着いたら玄関の鍵が自動であくが、げた箱をそうじしているときは鍵があかないといったこともできる。ライブのレーダーマップを使えば、ＶＲヘッドセットを着けたまま家の中を動き回ることもできる。どこかにぶつかりそうになったら警告を出すとか、ぶつかりそうなものはレンダリングして示すとかすればいいのだ。

一般的なハードウェアでここまでできてしまうのは驚き以外のなにものでもない。こういう機能を日々の暮らしで使うことがこれから増えていくと考えれば、２００７年に４５０ドルだったｉＰｈｏｎｅが２０２１年には７５０ドル以上まで値上がりしているのもうなずける。消費者は、ムーアの法則のコスト側を活用し、初期型ｉＰｈｏｎｅの機能を安く買えるようにしてほしいとは望まなかったと言ってもいいだろう。逆に、ムーアの法則の性能側を活用し、価格を維持して高性能化

---

ii ＬｉＤＡＲでは、レーザー光（光のビーム）が対象物で反射して戻ってくるまでの時間から対象物までの距離と対象物の形状を求めることができる。原理は、無線波を使うレーダースキャナーと同じである。

iii 『ビートセイバー』は音楽ゲーム『ギターヒーロー』に似ている。ただし、演奏はボタンや物理キーボードをたたくのではなく、バーチャルなボタンをバーチャルなライトセイバーでたたくことで行う。

してほしいとも望まなかったわけだ。消費者が望んだのは、もっと、である。iPhoneにできること、ほぼすべてについて、もっと、だ。

スマートフォンは、今後、インターネットへの接続や計算処理をユーザーのそばで実現する「エッジコンピューター」や「エッジサーバー」になるとの見方もある。ある意味、そういう形になっているものもすでに存在する。

たとえばアップルウォッチは移動体通信ネットワークにつながるチップを基本的に持たず、ブルートゥース経由でiPhoneにつないで使う。この方法には限界があって、iPhoneと離れすぎると、電話がかけられない、エアポッドに音楽を飛ばせない、アプリをダウンロードできない、アップルウォッチにダウンロードしていないメッセージは確認できないといったことになる。それでも、パワフルでコストパフォーマンスに優れるiPhoneに処理の大半を任せているから安いし、軽いし、バッテリーの消費も少ないしとアップルウォッチにいろいろなメリットが生まれるわけだ。

同様に、iPhoneも、ややこしいSiriの処理はアップルのサーバーに任せる仕組みになっているし、ユーザーはユーザーで、写真の大半をクラウドに保存することで100ドルから500ドル余計に払って大容量のiPhoneを買うのを避けていたりする。

本章で、VRヘッドセットについて、一般に普及するには解像度がいまの倍以上、フレームレートも33～50％高くならなければならないとした（1秒あたりのピクセル数が2・5倍以上にならなければならない）。同時に、価格も下がらなければならないし、大きさは小さくならなければならないし、熱の発生も少なくならなければならない。そこまでの機器を作る技術はまだないが、オキュラスクエスト2（OQ2）をオキュラスリンク経由でパワフルなPCにつなげば、フレームレートも上げられるしレンダリング能力も高められる。ソニーも、２０２２年1月、プレイステーションＶＲ２（ＰＳＶＲ２）というプラットフォームを発表した。片目２０００×２０４０ピクセル（オキュラスクエスト2より10％ほど多い）、リフレッシュレートは90～１２０Hz（ＯＱ２は72～１２０Hz）、視野角は１１０度（ＯＱ２は90度）というものだ。だが、このプラットフォームを利用するにはＰＳ５が必要だし（これだけでＯＱ２より高い）、それとまた別にＰＳＶＲ２ヘッドセットも買わなければならない。

コンピュートは重要なのに不足している。コストもかさむ。それを考えると、物理的にも熱的にもコスト的にも制限の多いあれやらこれやらにお金を使うよりひとつの機器に集中投資したほうがよさそうに思える。腕につけられるコンピューターがポケットのコンピューターにかなうはずなどないのだ。

この考え方はコンピュート以外にも当てはまる。安くてエネルギー効率がよく、小さなブルートゥースチップがあるのだから、それを組み込んでデータをスマホで管理すればいいのに、フェイスブックは、なぜ、手足それぞれにつけるＣＴＲＬラボのバンドに移動体通信ネットワークやＷｉ－Ｆｉネットワークのチップを組み込むのだろうか。

ここのポイントは個人データの取り扱いだろう。収集された個人データがどこぞのネットワークに送られ、管理されるのはありがたくない。このデータは一番信頼できる機器（しかも手元にある機器）に送り、そういう履歴や情報、権利などに対するほかからのアクセスを管理させたいと思うのがふつうだろう。

ゲートウェイとしてのハードウェア

メタバースをサポートする機器は、大きく三つに分けられる。ひとつは「プライマリーコンピューティング機器」でいま一般にはスマートフォンが多く、将来的にはARや没入型VRになる可能性もある。次は「セカンダリーコンピューティング機器」や「サポーティングコンピューティング機器」で、具体的にはPCやプレイステーションのほか、ARヘッドセットやVRヘッドセットなどもここに入る。単独で使ったりプライマリー機器と組み合わせて使ったり、プライマリー機器があればあったほうが使いやすくなったりするが、いずれにせよ、使用目的が絞られていて、プライマリー機器に比べると使用頻度は下がるはずだ。最後がスマートウォッチやトラッキングカメラといった3種類目の機器で、あればメタバース体験がよくなったり広がったりするが、メタバースの運用そのものに使われるわけではない類いのものだ。

どのカテゴリーの機器もメタバースのエンゲージメントタイムを伸ばし、総合収益を高めるのに役立つし、メーカーにとっては新事業のチャンスとなる。とはいえ普及に時間がかかるものばかりなのに大金が投資されているのは、ほかにもメリットがあるからだ。

メタバースは仮想世界やデータ、それをサポートするシステムの永続的なネットワークであり、基本的に手で触れられるようなものではない。しかし、そのような体験を生み出し、そこにアクセスするためには、ゲートウェイとして物理的機器が必要になる。それがなければ、そこに森林があることもわからなければその音も聞けないし、その香りをかぐことも、触ることも、見ることもできない。

ということは、つまり、機器のメーカーやメタバースの運営者が、ソフトパワーもハードパワーもかなり持つことになる。使うGPUやCPUはメーカーや運営者が決めることになるし、採用する無線チップセットや規格もそうならセンサーなどもそうだからだ。あいだを取り持つこのような技術がなければ目的とする体験ができなかったりするわけだが、ディベロッパーやエンドユーザーがそのあたりを直接どうこうすることはまずない。オペレーティングシステムを介してアクセスするものだからだ。オペレーティングシステムは、ディベロッパーがいつ、なぜ、どのように機能を使うのかを管理するほか、ディベロッパーがユーザーに提供できる体験の大枠も決めるし、利用する機器のメーカーに対し利用料金を支払うのか、支払うのであればどれだけ支払うのかも管理する。

つまりハードウェアとは、メタバースがいつごろなにを提供できるのかを左右するだけのものではなく、メタバースの仕組みそのものに関する戦いであり、さらには、その経済活動の果実をなるべくたくさん手に入れる戦いでもあると言える。重要性が高い機器ほど、また、その機器につながる機器が多ければ多いほど、その機器を作るメーカーの支配力が強くなる。その現実的意味を理解するには、支払いについて考えてみる必要があるだろう。

Chapter 10

ペイメントレール

メタバースは、遊びや仕事などさまざまな人間活動の場が並行する存在空間というイメージだ。であれば、経済活動がメタバースの成功を左右するのは当たり前だろう。

だが、この部分は、いままであまり考えられていない。メタバースそのものはSFにくり返し登場しているが、仮想世界における経済活動は取りあげられてもごく軽くなのだ。バーチャル経済というのも変な言葉だ、なにやら恐ろしげで気後れするかもしれない。

そんなことはない。多少変則的なところもあるが、基本は現実世界と同じである。ちなみにリアルな世界経済が発展する要件は、競争が激しいこと、さまざまな種類の収益事業が存在すること、「ルール」や「公正性」に対する信頼があること、消費者の権利がきちんと守られていること、消費者がお金を使うこと、ディスラプションや世代交代がくり返されることなどと言われている。

世界最大の米国経済を例に考えてみよう。米国経済を形作っているのは政府でもなければどこぞの企業1社でもなく、数え切れないほどの事業者だ。いまは巨大企業やテックジャイアントの時代と言われるが、それでも、雇用もGDPも半分以上は3000万社以上もの中小企業が担っている(いずれの数字も軍や防衛は除いたもの)。アマゾンは数え切れない種類の商品を販売しているが、そのほとんどは他社が作ったものだ。

アップルのｉＰｈｏｎｅは人類史上まれというほどすばらしい製品だし、アップルの内製率は年々高まりつつある。それでも、部品の大半は競合他社が作っているし、そのライバルに部品を供給している企業はアップルと価格戦争をくり広げる関係にもある。そして、消費者はさまざまなコンテンツやアプリ、データにアクセスしたくて、そのすばらしい製品を買ったり頻繁に買い換えたりするわけだが、そのコンテンツなどはアップル以外の企業が提供しているケースが多い。

アップルは米国経済の力強さを象徴する存在だ。１９７０年代から１９８０年代のＰＣ時代初期に業界をリードするものの、１９９０年代にマイクロソフトのエコシステムとインターネットサービスが広がると業績は低迷。だがその後、２００１年のｉＰｏｄ発売、２００３年のｉＴｕｎｅｓミュージックストア開設、２００７年のｉＰｈｏｎｅ発売、２００８年のアプリストア開設と来て、アップルは時価総額で世界トップにまで上り詰めた。

こうはならなかった可能性も十分にある。ｉＰｏｄやｉＴｕｎｅｓと組み合わせて使われるコンピューターの95％はマイクロソフトのオペレーティングシステムを使っていたわけで、であれば、ウィンドウズモバイルやズーンを支えようとマイクロソフトがアップルの足を引っぱる展開もあっただろう。あるいは、ＡＯＬやＡＴ＆Ｔ、コムキャストといったインターネットプロバイダーがどういうコンテンツなら通すのか、どう通すのか、料金はいくらにするのかを好きに決められる世界になった可能性もある。

この米国経済を支えているのが法制度だ。作られるものから投資されるもの、売買されるもの、雇用される人、その人がする仕事、所有されるものなど、あらゆるものがカバーされている。完璧な制度ではないし、この制度に訴えるとかなりのお金がかかってしまうし手続きに時間がかかりすぎることも多いが、法制度があるから合意は基本的に守られると信じられるし、「自由競争」と「公平・平等な取引」のどちらにも偏らず参加者全員にとってメリットのある世界があると信じることもできるわけだ。

マイクロソフトがAPIの利用やソフトウェアの強制的バンドル、ライセンス供与の制限などを通じてオペレーティングシステムの独占を図ったのは違法であると有名な米司法省対マイクロソフトの訴訟で認定されたからこそ、アップルも成功できたし、グーグルやフェイスブックなどPC時代に端を発する巨大インターネット企業も成功することができたと言えるわけで、これも法制度の効能だろう。

「ファーストセール・ドクトリン」もそうだ。著作権者から著作物を買った買い手はそれを好きな形で処分できるという法則である。だからブロックバスターは25ドルでVHSのテープを買いさえすれば、映画を製作したハリウッドスタジオに追加料金を支払うことなく、くり返し顧客にレンタルできたわけだ。古本を売れるのも、著作権デザインのシャツを切ってつなぎ合わせるようなことができるのも、そのせいだ。

本書では、ここまで、メタバースを実現し、栄えさせるのに必要な発明や約束事、機器について検討してきた。そのためにとても大事であるにもかかわらず、まだ検討していないのが決済手段、いわゆる「ペイメントレール」である。

ペイメントレールはデジタル時代より前に生まれたものがほとんどで、それが「技術」だと言われてもぴんとこないだろう。だが実際はさまざまなシステムや規格が複雑に絡みあったもので、広いネットワークのあちらでもこちらでも使われていて基本的に自動処理で経済活動を支えている。そういうデジタルエコシステムの実体をなす技術なのだ。作りあげるのは難しいし、いったんでき

株式公開企業の時価総額ランキング （州営企業を除く） 単位：兆ドル					
2002年3月31日			2022年1月1日		
1	ゼネラルエレクトリック	$0.372	1	アップル	$2.913
2	マイクロソフト	$0.326	2	マイクロソフト	$2.525
3	エクソンモービル	$0.300	3	アルファベット（グーグル）	$1.922
4	ウォルマート	$0.273	4	アマゾン	$1.691
5	シティーコープ	$0.255	5	テスラ	$1.061
6	ファイザー	$0.249	6	メタ（フェイスブック）	$0.936
7	インテル	$0.204	7	NVIDIA	$0.733
8	BP	$0.201	8	バークシャー・ハサウェイ	$0.669
9	ジョンソン・エンド・ジョンソン	$0.198	9	TSMC	$0.623
10	ロイヤル・ダッチ・シェル	$0.190	10	テンセント	$0.560

出典：*"Global 500," Internet Archive Wayback Machine, https://web.archive.org/web/20080828204144/http://specials.ft.com/spdocs/FT3BNS7BW0D.pdf; "Largest Companies by Market Cap," https://companiesmarketcap.com/*

たものを総取っ換えするのはもっと難しい。また、作ってしまえば大きな利益を上げることができる。だからグーグル、アップル、フェイスブック、アマゾン、マイクロソフト、さらには預かり資産も1日あたりの決済金額も兆ドル単位というJPモルガン・チェースやバンク・オブ・アメリカと並び、VISA、マスターカード、アリペイが企業の時価総額ランキングで世界のトップ20社に入っているのだ。

というわけで驚くには当たらないが、メタバースにおける「ペイメントトレール」の覇権争いはすでに始まっている。さらに言えば、ここここそがメタバースの主戦場だという意見もあるし、それだけに最大の障害であるという見方もできる。

それでは、まず、現代社会における主なペイメントトレールを概観し、そのあと、ゲーム業界における決済の役割とそれがモバイルコンピューティング時代のペイメントトレールにどういう影響を与えているのかを見ていくことにしよう。新技術の登場を制限し、競争を抑制する側面がモバイルペイメントトレールにあることにも触れる。最後に、メタバースに突きすすむ起業家や投資家、アナリストの多くがブロックチェーンや仮想通貨を初めての「デジタルネイティブ」なペイメントトレールと見ているのはなぜなのか、そして、それがいまのバーチャル経済をむしばんでいる問題の解決策になりうると見ているのはなぜなのかを検討する。

いま主流のペイメントトレール

この100年、特徴的なペイメントトレールがどんどん増えている。その背景には、新しい通信技術が次々登場したことや人ひとりが1日に行う取引の回数が増えたこと、さらには、現金払いがかなり減っていることなどがある。現金払いについては、2010年から2021年で米国における現金払いの割合が回数ベースで40%以上から20%前後まで落ちたとのデータもある。

米国でよく使われているペイメントトレールは、フェドワイヤー（Federal Reserve Wire Network）、ACH（Automated Clearing House）、CHIPS（Clearing House Interbank Payment System）、クレジットカード、ペイパル、そしてベンモといったピアツーピアの決済サービスである。これらはそれぞれに利用条件も異なればメリットやデメリットも異なる。料金も異なるし、ネットワークの規模、決済のスピード、信頼性、柔軟性も異なる。詳しくはブロックチェーンや仮想通貨を紹介する際に見ていくので、とりあえずは、いろいろあるのだとだけ頭に入れておいていただければいいだろう。

まずは古株のペイメントレール、電信送金について復習しておこう。1910年代半ば、米連邦準備銀行が資金を電子的に移動するようになり、ここから、連邦準備銀行12行、連邦準備制度理事会、財務省を結ぶ通信システムが生まれた。最初はモールス信号による電信だったが、1970年代になるとテレックス通信へ、さらにはコンピューター通信へと移行し、最終的には独自のデジタルネットワークになっていまにいたっている。

電信送金は銀行間決済なので、お金を送る側も受け取る側も銀行口座を持っていなければ使えない。同じ理由から、平日の昼間にしか使えない。また、毎週火曜日に5000ドルを送金するなどくり返し送金することはできるが、「送金要求」はできない。だから、公共料金の支払いや請求書に対する支払いなどを電信送金で処理することはできない。また、いったん振り込んだら取り消すことはできない。

ほかにも、電信送金には使う回数を減らしたいと思う条件がいろいろとある。まず、送り手に25

～45ドル、受け手に15ドルなど高額の手数料がかかる。外国通貨だったりすれば追加料金がかかるし、電信送金に問題が生じた場合や電信送金確認（必ずできるとはかぎらない）をした場合も追加料金がかかる。銀行がフェドワイヤーに払う利用料金は、1決済あたり0・35～0・9ドルとごくわずかなのだが。利用者から徴収する料金は送金額によらず一定が基本なので、少額の決済に電信送金が使われることはあまりない。だが多額の場合は（個人でも10万ドルまで送金できる）、電信送金が一番安くなる。

1970年代になると、米国大手銀行が協力し、フェドワイヤーのライバル（かつ顧客）となるCHIPSを創設。目的は送金コストの削減などだ。フェドワイヤーは即時決済で、送金した瞬間、受け手はそのお金を使えるようになる。対してCHIPSでは、業務終了時間まで1日分を貯めておき、送金先銀行ごとに合計して処理する。しかも、相手側から受け取るCHIPS電信送金と相殺する形で。要するに、A銀行からB銀行に1日何回も振り込み、同時にB銀行からA銀行に1日何回も振り込むかわりに、1日の終わりに1回、まとめて決済するわけだ。

このやり方だと、送り手も受け手も振込金を使えない時間が生まれる（最大で23時間59分59秒）。銀行はその資金が使えるので、1日の利子分、儲かることになる。というわけで、銀行はなるべくCHIPSを使おうとする。なお、国際送金は時間帯の違いやマネーローンダリング防止、各種規制などで時間が2～3日かかるのがふつうである。

手続きをしたことがあればわかると思うが、電信送金をするには受け手からたくさんの情報をもらわなければならず、これほどややこしく、時間のかかる送金方法はないと言える。取り消しができないこと、確認が取れない（あるいは確認に時間がかかる）ことから、ミスがあると修正にもものすごく時間がかかってしまう。

それでも、CHIPSなら参加47行に限られたシステムで媒介者もいないし、フェドワイヤーも連邦準備銀行だけが媒介者のシステムなので、電信送金は一番安全な送金方法だと考えられている。２０２1年、フェドワイヤーの送金実績は2億５００万回、総額９９２兆ドル（平均すると１回５００万ドルほど）、CHIPSは2億５０００万回、総額７００兆ドル以上（平均３００万ドルほど）となっている。

ACHも電子決済ネットワークの一種である。登場は１９６０年代末の英国だ。電信送金と同じく営業時間内しか使えないし、送り手も受け手も銀行口座を持っていなければ使えない。しかも、基本的に両方ともACHネットワークに参加している銀行の口座でなければならず、送金できる地域がかぎられることが多い。カナダから米国ならたいがいACHで支払えるが、ベトナムやロシア、ブラジルへの送金は難しく、できる場合もあちこちを経由しなければならず、その分費用がかさんでしまう。

ACHの強みは手数料の安さだ。高くても5ドルで無料のことが多い。事業者が仕入れ先や従業員に送金する場合も手数料は1％以下である。電信送金と違って取り消しも利くし、請求側の手続きで送金することもできる。だから、仕入れ先や従業員に対する支払いや、電気料金や電話料金、保険などの自動引き落としに使われることが多い。米国ACHの実績は、２０２1年、２００億回以上、総額70兆ドル（平均すると1回２５００ドルほど）となっている。[1]

ACHの欠点は、1～3日と時間がかかることだ。ACHの場合、決済は1日の終わりまで待つ必要がある（1日数回決済する銀行もあるにはある）。その日のACHをぜんぶまとめ、合計額をフェドワイヤーやCHIPSなどで送金するからだ。この遅れは、1日とか2・5日とか送り手も受け手もその資金が使えなくなる以外にもさまざまな問題を生む。ACHの場合、送金が成功したという確認は取れず、なにかまちがいがあったらその旨通知が戻ってくるだけだ。さらに、まちがいがあると訂正に何日もかかる。そもそも、受け手側銀行が翌日にならなければエラーを報告しないし、その報告が処理されるのはその日の終わりだし、送り手側がその報告を受け取るのはそのまた翌日になってしまう。そして、そこから3日かかる再送金の手続きが始まるわけだ。

クレジットカードのシステムについても見ておこう。19世紀末にはクレジットカード的なやり方が生まれていたが、いまのようなクレジットカードが登場したのは1950年代のことだ。クレジットカードをスライドやタッチすると（あるいはオンラインのボックスにカード情報を入力すると）、決済端末やリモートサーバーがデジタル化した情報を店舗の取引銀行に送り、その銀行からクレジットカード会社に情報が回って、最終的に取引が承認・拒否される。消費者はふつう知らないが、この処理には1〜3日の時間がかかるし、店舗は取引額の1・5〜3・5％を手数料として取られることになる。ACHに比べてかなり割高だが、クレジットカードならその場ですぐ決済できるし、銀行口座の詳しい情報をやりとりする必要もない。米国の場合、クレジットカードは銀行口座がなくても持てたりする。

ユーザーにはふつう手数料がかからないが、利用分の支払いが遅れて利子がかさんだりすると利用金額の20％増しくらいに支払いが増えることも珍しくない（米国では、処理に時間がかかるACHで利用分を支払うのが一般的）。カード会社の場合、保険などを取り扱い店やカードの所有者に販売する、収集したデータを販売するなどが収益の3分の1を占めている。

またカードの支払いは取り消しが可能だ。ただし、処理には何日もかかるし争いになることも多いし、処理から数時間かせいぜい数日のうちでなければできないしと制約も多い（疑義はもっと遅くなってからでも申し立てできる）。電信送金と同じようにカードは世界中ほぼどこでも使える。

しかも、大半のお店で使えるし、取引は毎日いつでも行える。ここは電信送金やＡＣＨと大きく違う点だ。カードを持っている人なら知っているはずだが、支払い方法としての安全性は一番低いと思っておくべきで、不正使用も多い。米国におけるクレジットカード決済の実績は、２０２１年、５００億回以上、総額６兆ドル（平均1回90ドル）と言われている。

最後はペイパルやベンモなど、デジタル決済のネットワークだ（ピアツーピアネットワークなどと言われることもある）。

銀行口座なしでもペイパルやベンモにアカウントを作ることはできるが、そのアカウントには資金を入れておかなければならない。送金方法はＡＣＨ（銀行口座が必要）、クレジットカード、他ユーザーからの入金などが考えられる。入金すれば、アカウント間で決済が自由に行えるようになる。他ユーザーへの送金はプラットフォームに預けている資金を付け替えるだけの処理でいい。だから決済は即時だし、日時を問わず行える。個人が友だちや家族にお金を送るだけなら手数料はかからないことが多い。

対して事業者は2〜4％の手数料を取られるのがふつうだ。プラットフォームから銀行口座にお金を送る場合も、同日入金を望むなら1％（最大10ドル）がかかるし、手数料を払わないなら2〜3日待たなければならない（その間、プラットフォームは利子を得る）。

こういうネットワークの問題は、ベンモは米国のみなど利用地域が限られる点と、外部への送金ができない点だ（たとえばペイパルからベンモのウォレットに送金することはできず、あちこちの口座やペイメントレールを経由させなければならない）。２０２１年の決済実績は、ペイパル、ベンモ、それにスクエアのキャッシュアプリを合計した世界全体で３００億回以上、総額2兆ドル（平均65ドルほど）となっている。

このように米国で使われているペイメントレールは、安全性、手数料、スピードなどに違いがある。すべてにおいて完璧なものなどないわけだが、ここで大事なのは技術的な話もさることながら、同じ種類同士を含め、互いに競争している点だ。電信送金にも複数のシステムがあるし、クレジットカードのネットワークもいくつもあるし、デジタル決済の会社やプラットフォームもいくつもある。それぞれに強みもあれば難点もあって競争しているし、種類が同じであっても料金体系が違っていたりする。

たとえば、同じカードでもアメリカン・エキスプレスはＶＩＳＡより手数料が高いが、消費者には他社を上回るポイントや特典を提供し、店舗に対しては高収入の顧客をもたらすというメリットを提供することを強みに展開している。クレジットカードを持ちたくない消費者やアメックスは使えなくていいと考える店舗もあるだろうが、その場合、ほかにいくつも選択肢があるので問題ない。そしてデジタル決済ネットワークの場合、２～３日、資金を預ける覚悟さえあれば送金手数料がかからなかったりする。

30%ルールの呪い

仮想世界なら現実世界よりペイメントレールは優れたものになると思うかもしれない。経済そのものがバーチャルにしか存在しない物品の取引が基本となり、完全にデジタルな形式で（だからコストがほとんどかからない）、金額も1件あたり5～１００ドルといったところだからだ。

ただ規模はかなりのものだ。２０２１年の実績は、デジタルオンリーのビデオゲーム（つまり、物理的なディスクを使わないゲーム）そのものに５００億ドル以上、ゲーム内のグッズやアウトフィット、エクストラライフなどに1000億ドル近くが支出されている（ちなみに、映画の劇場収入はコロナ禍前の2019年時点で年間400億ドル、音楽が300億ドルである）。また、仮想世界は「GDP」がどんどん増えていて、2005年以来、インフレ調整後の実質成長率が5倍に達している。

であれば、支払いについてもクリエイティブなイノベーションが活発に進み、競争が行われているのではないかと思える。だが実際はその逆で、いま、バーチャル経済のペイメントレールは費用もかさむし扱いにくければ、競争も少なくなかなか変わらないという状態だ。なぜか。プレイステーションのウォレットやアップルのアップルペイ、アプリ内の決済サービス各社など、我々がバーチャルなペイメントレールだと思っているものが、実は、「現実世界」で使われているペイメントレールや各種サービスをむりやり組み合わせた形になっているからだ。

1983年、パックマンなどをニンテンドー・エンターテインメント・システム（NES）で遊べるようにしないかと、アーケードゲームのメーカー、ナムコが任天堂にもちかけた。当時のNESはプラットフォームになる予定がなく、任天堂のゲームしか遊べない状況だった。この話は、最終的に、NESに採用されたものは10％のライセンス料金と20％のゲームカートリッジ製造料金をナムコが任天堂に支払うという契約に落ちつく（採用するゲームは任天堂側が決める）。そして、このとき決まった30％という数字がその後の業界相場となり、アタリ、セガ、プレイステーションなどでも使われるようになっていく。[2]

それから40年がたち、パックマンで遊ぶ人はまずいなくなったし、カートリッジはもっと安く作れるデジタルディスクや、もっと安上がりなデジタルダウンロード（コストの大半はインターネット契約やゲームコンソールのハードドライブという形で消費者が負担する）に代わった。だが30％

という相場は変わらなかったし、それどころか、エクストラライフ、デジタルバックパック、プレミアムパス、サブスクリプション、アップデートなどのインゲーム購入にも適用されるようになった（30％はペイパルやＶＩＳＡなどのペイメントレールに支払う２〜３％の手数料も含む数字だ）。

コンソールプラットフォーム側には、収益以外にもいろいろと料金を徴収する理由がある。一番は、ディベロッパーがゲームを公開し、収益を上げられるようにしているから、というものだ。ソニーもマイクロソフトもＰＳやＸｂｏｘのコンソールを製造原価割れの値段で売ることが多い。つまり消費者は、パワフルなＧＰＵやＣＰＵを安く手に入れられるし、ゲームのプレイに必要な関連機器も安く手に入れられるわけだ。

プラットフォーム側は、原価割れに加え、研究開発、ユーザーに購入を訴えるマーケティング、そのうちではなく、新型コンソールがリリースされたらすぐ買いたいと思ってもらうための専用コンテンツ（ソニーやマイクロソフトの社内にあるゲーム開発スタジオにかかる費用）など、さまざまな費用がかかっている。新型は新機能が使えたり能力が高くなっていたりするので、新型の売れ行きはいいほうがディベロッパーにとってもプレイヤーにとってもプラスとなる。

ディベロッパーがゲームを走らせるのに使う独自ツールやＡＰＩもプラットフォームが用意している。そのほか、Ｘｂｏｘライブやニンテンドースイッチオンライン、プレイステーションネットワークなど、オンラインのマルチプレイヤーネットワークも運営している。このような投資はいずれもゲームメーカーを助けるものだが、プラットフォームとしてはその費用を回収し、収益につなげたいと思うのが当然であり、だから、30％というわけだ。

ゲーミングプラットフォーム側には30％を妥当とする理由があるかもしれないが、だからといってその相場は市場で決まったものでもなければ、だれもが納得するようなものでもない。消費者は原価割れでコンソールを買うしかなく、ソフトウェアが30％安く買えるようにコンソールを高く買う選択肢はない。コンソールでディベロッパーを惹きつけなければならないのはたしかだが、それはディベロッパーを取り合う競争があることを意味しない。ゲームメーカーは、なるべく多くのプレイヤーに遊んでもらえるように、なるべく多くのプラットフォームに対応するものだからだ。

逆に言えば、ディベロッパーにいい条件を提示してもコンソールにメリットはない。Ｘｂｏｘの取り分を15％に減らせばゲームパブリッシャーの収益は21％増えるが、だからといってＰＳやニンテンドースイッチへの対応をやめれば総売上の80％を失うことになる。そのゲームが遊びたいからとマイクロソフトのプラットフォームに移るユーザーもいるだろうが、パブリッシャー側の収益が減らないほどの人数、すなわち４００％増しになどはなるはずがない。さらに、プレイステーションや任天堂が同じ条件を出してきたりしたら、３社ともソフトウェア収益が半減するだけでいいことがなにもない事態に陥ってしまう。

30％に対する批判は、コンソールが提供する独自ツールやＡＰＩ、各種サービスを大きな問題として取りあげることが多い。ディベロッパーにとって助けどころかコスト増になるだけというのだ。さらに、生み出す価値が少ない場合もあるし、ユーザーやディベロッパーが離れられないようにしているだけで足を引っぱっていることもあるという。特に問題となるのが、ＡＰＩコレクション、マルチプレイヤーサービス、エンタイトルメントの3分野だ。

ある機器でゲームを動かすためには、まず、ＧＰＵやマイクといった部品とやりとりができなければならない。そのためにコンソールやスマートフォン、ＰＣのオペレーティングシステムに用意されているのが「ソフトウェア開発キット（ＳＤＫ）」で、そのなかに、「ＡＰＩのコレクション」なるものがある。ふつう、ディベロッパーは「ドライバー」をみずから書くか、無償・オープンソースのドライバーを使って必要な部品とやりとりする。オープンGLのように、ひとつのコードベースでなるべく多くのGPUが取り扱えるようにしたAPIコレクションもある。

だが、コンソールやアップルのiPhoneはプラットフォームが用意したものを使う以外に道がない。エピックゲームズの『フォートナイト』も、XboxのGPUを使うにはマイクロソフトのAPIコレクション、ダイレクトXを使わなければならないし、PSではGNMX、アップルのiOSならメタル、ニンテンドースイッチならNVIDIAのNVMという具合だ。

独自APIならオペレーティングシステムやハードウェアの能力をめいっぱい引き出すことができるのでいいゲームが完成し、ユーザーも喜ぶというのがプラットフォーム側の言い分だ。それはたしかにそのとおりでまちがってはいないのだが、いま運営されている仮想世界は対応プラットフォームの数を増やす方向で、人気のものほどその傾向が強い。逆に言えば、プラットフォームの限界まで最適化などしていないのだ。

さらに言えば、コンピューティング能力を限界まで絞り出す必要がない場合も多い。このようにAPIコレクションが多種多様でオープンAPIという選択肢もないから、ディベロッパーは、さまざまなAPIコレクションと橋渡しをしてくれるクロスプラットフォームのゲームエンジン（ユニティ、アンリアル）を使いたがるのだ。収益の一部をユニティやエピックゲームズに渡すのではなく、オープンGLを採用したほうが予算を最適化できる、予算が最適化できるならパフォーマンスが多少落ちてもいいと考えるディベロッパーもいるだろう。

マルチプレイヤーになると話が少し変わってくる。2000年代半ば、コミュニケーション、マッチメイキング、サーバーなど、オンラインゲームに必要な「仕事」のほとんどはマイクロソフトのXboxライブが管理していた。この仕事は難しいし費用もかさむのだが、こういう形であったおかげでゲーマーはハッピーになり、エンゲージメントも上がった。それはディベロッパーにとってもいいことだった。

だがそれから20年の時がたったいま、この費用はほとんどゲームメーカーの負担・管理となっている。変化した理由は、オンラインサービスの重要性が上がったこととクロスプレイが増えたことだ。その結果、コンテンツのアップデートやコンペ、インゲーム解析、ユーザーアカウントなどのライブオペレーション項目をディベロッパーが管理したいと考えるようになったし、PSやニンテンドースイッチに統合されたゲームのライブサービスを管理するなど、Xｂｏｘにとっては意味がないわけだ。であるにもかかわらず、ゲームディベロッパーはいまだ30%をプラットフォームに支払っているし、プラットフォームのオンラインアカウントシステムを使わなければならない立場に置かれている。さらに、たとえば、技術的問題でXｂｏｘライブのネットワークがオフラインになると、『コール オブ デューティ モダン・ウォーフェア』のオンラインプレイはできなくなる。そして、ある意味当然なのだが、プレイヤーはマイクロソフトのXｂｏｘライブに月額料金を支払っているのに、Xｂｏｘライブの存在理由であるゲームを開発し、サーバー料金も大半を負担しているディベロッパーに月額料金の一部が入るという話もない。

これに対し、プラットフォームサービスの目標は、本当のところ、ディベロッパーとプレイヤーの距離を広げること、両者をハードウェアベースのプラットフォームで囲い込んで離れられなくすること、30%という料金を正当化することだという批判の声が上がっている。

たとえば、プレイステーションストアで『ＦＩＦＡ２０１７』を買うとPSでしかプレイできない設定になっている。ちなみにこのときPSはゲーム価格60ドルから20ドルの取り分を手に入れるわけだが、同じゲームをXｂｏｘでも遊びたいと思えば、また60ドル払ってゲームを買い直さなければならない。同じ人がプレイするのなら追加料金はいらないとディベロッパーが考えていても、である。このように、ソニーなどコンソールメーカーに支払う額が増えれば増えるほど、つまり原価割れコンソールの損失分を補填すればするほど、ユーザーは他のコンソールに移りにくくなるわけだ。

ゲーム系コンテンツに対するプラットフォームの姿勢はどこも似たり寄ったりだ。ＰＳで『バイオショック』を完全クリアしたあと、Ｘｂｏｘに移るとしよう。その場合、ゲームも買い直さなければならないし、最終レベルをもう一度プレイしたいと思えば最初からぜんぶやりなおさなければならない。完クリ上位１%に入ってＰＳでトロフィーを獲得していたとしても、そのトロフィーはＰＳにロックされていて持ち出せない。第8章で紹介したように、ソニーは、この力があるからクロスプラットフォームのゲームを10年以上も締めだせたのだ。そんなことをしても、ディベロッパーもプレイヤーも喜ばない。逆に困るだけだ。だが、ソニーにとっては、ＰＳのユーザーをつなぎ止め、Ｘｂｏｘへの流出を防ぐ効果があると思えたわけだ。

現実世界と異なりコンソールゲームは、ペイメントトレールがいくつも乱立していたりしない。プレイヤーもディベロッパーも、クレジットカードやＡＣＨ、電信送金、デジタル決済ネットワークなどを直接使うことはできないし、プラットフォームの支払いシステムには、エンタイトルメントやセーブデータ、マルチプレイヤー、ＡＰＩなどいろいろなものが一緒にまとめられている。市場価格という概念はないし、ディベロッパーやユーザーがなにを望んでいるかも知ったことではない。オフラインでしか遊べないゲームなら割引があるということもないし、オンラインのマルチプレイヤーサービスが不要なら割引があるということもない。購入場所がゲームストップの店頭でもデジタルなプレイステーションストアでも違いはない(ゲームストップの取り分もあるというのに、だ)。

手数料は手数料という世界なのだ。これがどういうものかは、ハードウェアを持たないにもかかわらず、任天堂やソニー、マイクロソフトよりシェアが大きいプラットフォームについて見てみるとよくわかるだろう。

スチームの台頭

2003年、ゲームメーカーのバルブがPC専用のアプリケーション、スチームをリリースした。ゲーム版のiTunesという感じのものだ。当時のPCはハードドライブが小さくてゲームを数本しかインストールできなかったし、ストレージの価格低下よりゲームファイルの容量増加のほうが早くて事態は悪くなる一方だった。ゲームをみつけてダウンロードする、アンインストールして次のゲームをインストールするスペースを作る、あのゲームまたやりたいなと思って古いゲームをまたインストールする、PCを買い換えてインストールしてあるゲームの引っ越しをするなど、とにかく面倒な作業が多かった。ゲームそれぞれについてユーザー登録やクレジットカード、ウェブアドレスなど、いろいろな情報も管理しなければならない。

もうひとつ、問題があった。バルブの『カウンターストライク』をはじめオンラインマルチプレイヤーゲームの多くは「ゲーム・アズ・ア・サービス」型に移り、ゲームが頻繁にアップデートされるようになりつつあった点だ。新しい機能や武器、モード、コスメなどを追加してゲームをリフレッシュできるメリットがあるが、しょっちゅうアップデートしなければならないプレイヤーの負担も無視できない。やっと仕事が終わって家にたどり着き、さあ、『カウンターストライク』を始めようと思ったのに、アップデートのダウンロードとインストールに1時間もかかったりしたらたまったものではないだろう。

この問題をなんとかしようとしたのがスチームのゲームランチャーだ。インストーラーファイルをずらりと並べて管理できるし、ユーザー登録もひも付けておける。ＰＣにインストールしたゲームがアップデートされれば、ダウンロードからアップデートまで自動的に処理もしてくれる。対価は、このシステムで販売されたゲーム代金の30％。コンソールゲームのプラットフォームと同じだ。

スチームは機能強化が続き、スチームワークスと呼ばれるものになっていく。そのひとつが友だちやチームメイトの「ソーシャルネットワーク」で、スチームのアカウントシステムを使い、どのゲームからでもアクセスできる形になっている。新しいゲームを買ったとき、いちいち検索して友だち登録をやりなおすとか同じメンバーのチームを作りなおすとか、しなくていいわけだ。マッチメイキング機能も搭載され、スチームのプレイヤーネットワークを使ってマルチプレイヤー体験のバランスや公平性を高めることも可能になった。プレイヤー同士で話ができるボイスチャット機能、スチームボイスも用意された。

機能は強化したがディベロッパー側に負担は求めなかったし、コンソールプラットフォームと違い、スチームはネットワークやサービスの利用料金をプレイヤーから徴収することもしなかった。のちには、ゲームストップやアマゾンなどでたとえば『コール オブ デューティ』の円盤を買ってくればスチームワークスに追加できるようにもなった。ディベロッパー側の負担はないことになっているが、課金などはスチームの決済サービスを使わなければならない。その分の30％をスチームに落とす形でスチームワークスの利用料金を支払っていると考えることもできる。

ＰＣゲームはスチームで歴史が変わった、使い方はややこしいし初期投資もたくさん必要なのに（ゲーミングＰＣはそこそこでも1000ドル以上、最新コンソール並を求めれば2000ドル以上もする）、いまもコンソールと匹敵する規模なのはスチームのおかげだと言われている。だが登場から20年近くもたち、ゲーム配信の技術も利用権管理もオンラインサービスもごくふつうのものになってしまった。いまなら、スチームを使わずなんでもできてしまう。実際、ＰＣゲーマーの多くは、ボイスチャットにスチームボイスではなくディスコードを使っている。またクロスプラットフォームのゲームが増えた結果、トロフィーや記録などもスチームではなくゲームメーカーが管理することが増えている。

だが、対抗馬と言えるほどのものは登場していないし、このプラットフォームが廃れる事態にもなっていない。コンソールと違い、ＰＣはオープンなエコシステムである。それもあり、プレイヤーはどこでも好きなストアからゲームをダウンロードできるし、パブリッシャーから直接買うこともできる。パブリッシャーはパブリッシャーで、スチームを使わなくても顧客にゲームを届けられる。であるにもかかわらず、スチームはいまもパワフルであり、ＰＣゲームの中心で存在感を放っているのだ。

２０１１年、ゲーム界の巨人エレクトロニック・アーツがストアを開設した。ＰＣ向けの自社タイトルだけを扱うオリジンというストアだ（こうすれば配信手数料が30％から３％以下に落ちる）。だが８年後、スチームに戻ると発表する始末だ。『ワールド・オブ・ウォークラフト』や『コール オブ デューティ』などのヒット作を持つスタジオ、アクティビジョン・ブリザードも、スチームから逃れようと20年ももがいているが、『コール オブ デューティ ウォーゾーン』など基本プレイ無料の一部タイトル以外はスチームを通じた販売となっている。

世界最大の電子商取引プラットフォームであり、中国以外で最大となるビデオゲームのライブストリーミングサービス、ツイッチを傘下に持つアマゾンも、人気のアマゾンプライムにゲームやインゲームアイテムを加えるなど、ＰＣゲームの世界で存在感を示そうとあの手この手を尽くしてきた。だがバルブの牙城はゆるがず、料金の引き下げやポリシーの改定が行われる事態にはなっていない。

スチームが成功しているのは、機能が豊富でサービスがすばらしいからだ。コンソールと同じように、配信、決済、オンラインサービス、エンタイトルメント、各種ポリシーが一体化していることも他社が食い込みにくい要因だ。

スチームのストアで買ったゲームやスチームワークスから走らせるよう設定したゲームは、プレイする際、スチームが必要になる。購入から何十年と時間がたっても、ゲーム内課金などの一部がスチームの懐(ふところ)に入り続けるのだ。それがいやなら、ゲームをスチームから引き上げるしか方法がない。だが、そんなことをしたら、ユーザー全員にどこかでゲームを買い直させることになってしまう。ユーザー側にも問題が生じる。スチームではアチーブメントのエクスポートができないので、スチームワークスで得たアワードがすべて失われてしまう。

スチームにはいわゆる最恵国（ＭＦＮ）条項があって、配信料金が安いストアでも、スチームの消費者向けを下回る価格でゲームを売ることが禁じられているという話もあちこちから聞く。スチームで60ドルのゲームなら、パブリッシャーの取り分は60ドルの30％、18ドルを引いた残り42ドルとなる。配信料金が10％のところがあったとき、パブリッシャーは60ドルで販売して54ドルが手に入る（手取りが8ドル増える）。だがユーザーは、メリットもないのにお気に入りのところから別のストアに移ったりしない（友だちみんなも使っているし、そこまでに買ったゲームや手に入れたアワードが山ほどあるとなればなおさらだ）。だから、スチームに対抗したければ、料金差をディベロッパーと消費者に割り振る工夫がいる。ゲームの価格を50ドルにすればパブリッシャーの手取りは45ドル（3ドル増）、消費者の買値は10ドル低下となる（価格が下がれば売れる本数が増える可能性もある）。

それを禁じているのがスチームのMFNだ。他ストアで安くしたら、スチームの値段も同じところまで下げなければならない。スチームと縁を切ればなんでもできるが、そんなことをすれば利益率が上がる以上に顧客を失うのはまちがいない。しかも、このMFNはパブリッシャー自身のストアも対象だというから念が入っている。

エピックゲームズの賭け

スチーム対抗馬として一番話題になったのは、PCゲーム業界における配信料金の削減を掲げてエピックゲームズが2018年に開設したエピックゲームズストア(EGS)だ。スチームのメリットはすべてカバーしているが制約は少ないし安いというのが売りである。

EGSを通じて買ったゲームは、EGSなしでもプレイできる。EGSに置かれたゲームの使用権を買うのではなく、ゲームそのものを買う形だからだ。この形なら、ゲームメーカーは、ユーザーに迷惑をかけることなくいつでもEGSを捨てられる。インゲームのデータもプレイヤーの所有になる。だからEGSからパブリッシャー自身のものなど他ストアに移ったとしても、トロフィーやプレイヤーネットワークが失われることはない。EGSの取り分は12％（アンリアルを使っているディベロッパーは7％。複数プロダクトを買ったり使ったりライセンスを受けたりしていても、エピックゲームズのエンジンとストアを合計して12％を超えることはない設定になっている）。

エピックゲームズは、ゲーム史上随一の年間売上をたたき出している大人気ゲーム、『フォートナイト』もプレイヤーを惹きつけるのに活用した。PC版『フォートナイト』をアップデートするとそれがエピックゲームズストアになり、そこから『フォートナイト』を起動するという形になるのだ。『グランド・セフト・オートV』や『シヴィライゼーション5』などのヒット作を次々と無料で配信する、新しいPCタイトルをいくつもエピックゲームズストアでしか販売しないなど、金に糸目を付けない全力投球だ。スチームでも販売しているゲームの値引きはMFNがあるのでできないが。

エピックゲームズストアの開設からわずか3日後の2018年12月3日、スチームは、累計売上が1000万ドルを超えたパブリッシャーは手数料を25%、5000万ドルを超えたところは20%に値引くと発表。まずはエピックゲームズが1勝というところだろう。

ただこの値引きは、自社でストアを立ち上げたりスチームからゲームを引き上げたりできる体力がある世界規模のゲームディベロッパーを狙い撃ちにしたもので、生き残りをかけてあがいている状態で大儲けなど夢のまた夢という中小零細のディベロッパーには関係ない。スチームワークスの束縛も残されたままだ。それでも、これにより、そうとうな収益がスチームからディベロッパー側に移るのはまちがいのない事実である。

エピックはその後も1年あまり、思い切りよく資金を投入したが、これ以上の譲歩をスチーム（およびコンソールプラットフォーム各種）から引き出すことはできなかった。それでもエピックゲームズのティム・スウィーニーCEOは、ストア同士が競争して料金を引き下げなければならないとの姿勢を変えず、次のようにツイートしている。

「EGSはコイントスだ。表なら他のストアが反応せず、勝者は（シェアを奪う）EGSとディベロッパー各社になる。裏なら競合ストアが値下げで対抗し、我々は収益獲得のアドバンテージをなくすかもしれないが、ディベロッパー各社が勝者になる点は変わらない[3]」

スウィーニーの賭けが正しかったとなる日がいつか来るのかもしれないが、2022年2月現在、バルブのポリシーにさらなる変更が加えられるという話はない。逆にEGS側は損失が積み上がるばかりでプレイヤーの獲得はあまり進んでいない。エピックゲームズが開示している情報によると、売上は2019年の6億8000万ドル[4]が2020年には7億ドル、[5]2021年には8億4000万ドル[6]に増えている。ただし、そのうち64%が『フォートナイト』に投資されていて、その『フォートナイト』がこの3年の成長の7割をたたき出している。2021年のユニークユーザーは2億人近くいて、うち6000万人ほどが12月にアクティブだったことからEGSはそれなりに使われていると言えそうだ（スチームは月間ユーザーが1億2000万人から1億5000万人というところである）。

だが収益を合わせて考えると、PC版がEGSでしかプレイできない『フォートナイト』のためだけにEGSを使っているプレイヤーが多いと推測される。『フォートナイト』以外でEGSを使っている人は、そのほとんどが無料で遊べるゲームしかプレイしていないとも言えそうだ。エピックゲームズが2021年に無償で公開したゲームは89タイトル、合計小売価格2120ドル分（1本24ドルほど）に達している。1年間のダウンロード数は7億6500万回、180億ドル相当。なお、その前年は175億ドル、2019年は40億ドルだった[i]。ここまですればさすがにプレイヤーは増えるが、プレイヤーの支出はあまり増えていない（おそらくマイナスの影響が出ている）。

---

i エピックゲームズの仕入れ値はかなり抑えられていて、2021年のパブリッシャーに対する支払いは5億ドル前後と言われている。

ユーザーひとり当たりの支出は、『フォートナイト』を除くと2021年の1年間に2ドルから6ドルといったところだ（対して無償ゲームは、ひとり当たり90ドルから300ドル相当は遊んでいる）。エピックゲームズの社内資料によると、EGSは2019年に1億8100万ドルの損失、2020年も2億7300万ドルの損失を出しているし、2021年も1億5000万ドルから3億3000万ドルの損失が予想されていて、収支とんとんに達するのは早くて2027年だという。[7]

PCはオープンなプラットフォームなので1ストアの独占は考えられない、マイクロソフトはウィンドウズ、アップルはマックとオペレーティングシステムも提供していれば自社ストアも展開しているというのに、実際、オンラインゲームの配信で一番となっているのはマイクロソフトでもアップルでもない。そう考えることも可能だ。

だが同時に、儲かっているストアがひとつだけで、そこの稼ぎ頭が自社ストアを立ち上げても生き残れるか否かわからないわけだ。これが健全な状態だとは言えないだろう。手数料30％が20％であっても。こうなるのは、支払いが取引処理だけでなく、オンラインにおけるユーザーの存在そのものからそのストレージ、交友関係、記憶や思い出、さらには、ディベロッパーが抱えている従来顧客に対する義務といったものと切っても切れない関係にあるからだ。

パックマンからiPodまで

パックマンのカートリッジやスチームのMFNや『コール オブ デューティ』の円盤などメタバースと関係ないだろうと思うかもしれない。実はそうでもない。ゲーム業界は「次世代インターネット」とはどういうものなのかクリエイティブデザインを示し、それを支える技術を開発しているだけではなく、経済的な意味でメタバースの先例という側面もあるからだ。

2001年、スティーブ・ジョブズがiTunesミュージックストアを開設し、世界に向けてデジタル配信を始めた。手数料は任天堂をはじめとするゲーム業界の30%を踏襲（コンソールは利益率がマイナスであるのに対しiPodは50%以上もあるのだが）。その7年後には、iPhone用アプリストアも手数料30%とする。グーグルもアンドロイド版で右へならえだ。

この時点でジョブズは、ストアをコンソールプラットフォームと同じくクローズドにすると決断。マックやiPodでもしてこなかったやり方だ。[ii]というわけで、iOSにソフトウェアやコンテンツをダウンロードできるのはアップルのアプリストアのみであり、配信の可否や課金の形態に口を出せるのはプレイステーション、Xbox、任天堂、スチームと同じようにアップルだけとなった。グーグルのアンドロイドはもう少し柔軟性があり、グーグルプレイストアを使わなくてもアプリをインストールできるし、それこそサードパーティーのアプリストアさえ使うことなくインストールすることもできる。

ただしそのためには、（たとえばクロームやフェイスブック、モバイルエピックゲームズストアなどからアプリをインストールするには）アカウント設定の深いところまで潜り、「不明なアプリをインストール」を個別に許可する必要があるし、そのとき、「スマートフォンや個人データが攻撃を受

ii iPodの曲はiTunesで買われることが多いが、ほかのサービスから購入した曲やCDの曲、それこそナップスターなどのリッピングした曲でさえもインポートすることができる。技術力があればiTunesを経由せずiPodに曲をダウンロードすることも可能だ。

ける可能性が高くなる」と警告が出る上、「アプリの使用により生じる可能性があるスマートフォンへの損害やデータの損失について、ユーザーご自身が単独で責任を負うこと」に同意しなければならない。

グーグルプレイストアで配信されているアプリも、その利用でデータが失われたり壊れたりしてもグーグルが責任を取ることはないのだが、それでも手間暇もかかるし警告も出るとなれば、マイクロソフトオフィスはメーカーのサイト、マイクロソフト・ドット・コムから、スポティファイなら同じくスポティファイ・ドット・コムからダウンロードするPCユーザーであっても、メーカーサイトからアンドロイドにダウンロードすることはまずないだろう。

「アップルのせいでメタバースはなりたたなくなっている」

アップルの独自システムや、多少違うとは言えグーグルの独自システムにも問題があるとの認識が世界に広まるには10年以上もの時間がかかった。そして2020年6月、アップルはストアの料金という形でアップルミュージックなど自社サービスの優位性を高め、ライバルを苦しめているとストリーミングの会社2社（スポティファイと楽天）が声を上げたことをうけ、欧州連合がアップルを提訴。その2カ月後、こんどはエピックゲームズが、30%という手数料は法外で競争を妨げるものだとアップルとグーグルを提訴する。スウィーニーは、その1週間前に「アップルのせいでメタバースはなりたたなくなっている」とツイートしている。

時間がかかった理由はいくつか考えられる。まずは、アップルのストアポリシーが不平等で、いわゆるニューエコノミーの事業者からは料金を徴収するのにオールドエコノミーの事業者には料金を免除していたこと。

アプリは、アプリ内課金の面から大きく三つに分けられる。ひとつめは、アマゾンで石けんを買う、スターバックスでギフトカードを買うなど、物理的プロダクトを得る取引だ。こういう場合、アップルの取り分はないし、ペイパルやＶＩＳＡなどサードパーティーのペイメントレールを使うこともできる。ふたつめはリーダーアプリと言われる類いで、定額サブスクリプションのネットフリックス、ニューヨークタイムズ紙、スポティファイなど具体的になにかを買うのとは違うことに使ったり、アマゾンのウェブサイトで買った映画をプライム・ビデオｉＯＳアプリにストリーミングするなど、すでに購入してあるコンテンツにアクセスするために使ったりするものだ。三つめは、ゲームやクラウドドライブなど、コンテンツにユーザーが影響を与えられるインタラクティブアプリやプライム・ビデオのアプリで観たい映画をレンタルしたり買ったりなど、デジタルコンテンツの取引を行うインタラクティブアプリだ。このタイプは、アプリ内課金とする以外に道はない。

リーダーアプリなど、ブラウザで支払うことも可能なインタラクティブアプリもあるが、そういう選択肢があるとアプリ内に表示することは禁じられている。だから、ほかの方法が使えると知らない人も多く、使われることはめったにない。アプリ内課金ができるアプリをアップルのストアからダウンロードするにあたり、直販などもっといい条件は提供されていないのかなと思ったことはないだろうか。どのくらい条件が違えば、アプリストアで「買う」ボタンをクリックするのではなく、わざわざ別サイトにアカウントを作り、支払い情報を入力するという手間をかけるだろうか。10％引き？　15％引き？　値段がどのくらいだったら手間をかける気になるだろうか（0・99ドルのエクストラライフでは20％引きでも手間をかける気にならないだろう）。20％引きくらいになるなら手間をかける気になることが多いだろうが、そのときディベロッパーが「節約」できるのは7％

にすぎない。ペイパルやＶＩＳＡに決済手数料を払わなければならないからだ。ネットフリックスやスポティファイなどにユーザーを移動させれば、20％や場合によっては27％も節約することができる。

アップルに対するエピックゲームズの訴えで法廷に提出されたメールや文書を見ていくと、アプリストアのマルチカテゴリー決済はアップルがレバレッジを得やすいように組み立てられていることがわかる。レバレッジということは、つまり、価値を生み出せるとアップルが考えている分野に関係があるということだ。

モバイル取引はここしばらく世界経済を引っぱってきたが、その大半は物理的な小売業が形を変えただけのものである。ニューヨークタイムズ紙を読むなら紙よりｉＰａｄがいいと多くの人が思っているが、だが、アップルがない時代から新聞報道はできている。モバイルゲームは話が違う。アプリストアが登場した年、ゲーム業界の規模は５００億ドル強で、そのうちモバイルは15億ドルだった。それが２００８年以降、成長の7割をモバイルがたたき出し、２０２１年、業界規模は１８００億ドルでその半分以上をモバイルが占めるにいたっている。

アプリストアの収益性を詳しく見ると、この力がいかにすさまじいかがわかる。

２０２０年、７０００億ドルがｉＯＳアプリで使われたと推定されている。そのうちアップルが請求したのは10％弱で、その10％のうち70％近くがゲームである。ｉＰｈｏｎｅやｉＰａｄのアプリで使われたお金、１００ドルのうち7ドルがゲームの購入費で、１００ドルのうち70ドルがゲームカテゴリーの売上だったのだ。もともとｉＰｈｏｎｅもｉＰａｄもゲームを主眼とした製品ではないし、買う目的も基本的にゲームではない。また、アップルはゲーミングプラットフォームらしいオンラインサービスを提供していないに等しい。それでこの数字は驚くに値するだろう。

「ウェルズ・ファーゴ証券から手数料は取っていないのですよね？　バンク・オブ・アメリカからも。そして、その分をゲーマーから取っていると、そういうことになりますよね」――エピックゲームズ対アップルの訴訟を担当した裁判官が、こう、アップルのCEOを問い詰めた話は有名だ。[8]

世界経済に比べたらすごく小さいがものすごい勢いで伸びている部分がアプリストアの主な収益源だったため、事業としてアプリストアに注目する人がなかなか出なかったというのもある。当のアップルでさえ、事業として成立するとは思っていなかった節がある。立ち上げの2カ月後、ジョブズに取材した記事がウォール・ストリート・ジャーナル紙に登場した。

「この事業で収益を上げるつもりはあまりないのだろう……アプリが増えればiPhoneやWi-Fi対応のiPodタッチの魅力が上がり、よく売れるようになる、iTunesで音楽を販売するとiPodの人気が高まったのと同じように――ジョブズはそう考えている」

このときジョブズは、クレジットカードの手数料など、ストアの運営費をまかなえるレベルということで手数料を30％にしたと語っているし、「アプリストアは5億ドルくらいで頭打ちになるだろう……いつか10億ドル市場になるくらいはあるかもしれない」とも語っている。[9] だがアプリストアは、その翌年に10億ドルを突破してしまうし、採算がぎりぎり取れるくらいになる。

2020年、アプリストアは世界トップクラスの事業になっていた。売上は730億ドル、利益率は70％と言われている。この事業だけでフォーチュン誌の売上ランキングで15位に入る勢いだ（この事業を展開しているアップルは時価総額でもドル換算の収益でも世界一である）。アプリストアで行われる取引は世界経済の1％以下であり、手数料が発生するのはそのまた10％以下だというのに、である。

iOSが「オープンプラットフォーム」であったなら、収益の少なくとも一部はほかに持っていかれたはずだ。ＶＩＳＡやスクエアなど、アプリ内課金の手数料を安くするところが出てきただろうし、アプリストアもアップルと似たサービスを安い料金で提供するところがいくつも立ち上がっただろう。だがそうはならなかった。なぜならアップル機器のソフトウェアはすべてアップルがコントロールしていて、ゲームコンソールと同じように、クローズドで不可分な状態に保たれているからだ。唯一の対抗馬、グーグルにとっても、これは好都合な状況である。

もちろん、これはメタバースだけの問題ではない。だが、ゴンザレス・ロジャーズ判事がアップルのゲームポリシーについて語ったように世界全体はゲームのようになりつつあり、だから、この問題はまちがいなく大きな影響を世の中に与えることになる。大手プラットフォームの手数料30％にいやでも従うしかなくなるわけだ。

例を挙げよう。ストリーミングサービスのネットフリックスが、２０１８年12月、アプリ内課金の機能を外した。アップルの機能を使えばクリック１回ですむところがネットフリックスのサイトにアクセスしてクレジットカード情報を入力するなどめんどうになり、その分、アクセスが減るだろうが30％も減ることはないという判断だ。[iii] 提供しているのがリーダーアプリなので、そのあたりは自由にできる。だが２０２１年11月、モバイルゲームも提供することにしたため「インタラクティブアプリ」の会社になってしまい、アップルの決済サービスに戻らざるをえなくなってしまった（戻りたくなければｉＯＳアプリの提供そのものをやめなければならない）。

アップルが30％も取るからメタバースがなりたたないというスウィーニーＣＥＯの主張に話を戻そう。なぜそうなるのか。理由は大きく三つある。ひとつめは、メタバースに対する投資が減り、ビジネスモデルの足を引っぱるという点。ふたつめは、統合仮想世界プラットフォームという形でメタバースの開拓に乗りだしている企業の首を絞めるという点。三つめは、アップルがこの収益を守ろうとするから、メタバースをめざす技術の開発が進まなくなるという点だ。

コストはかさむのに利益は持っていかれる

現実世界の場合、決済にかかるコストは0％（現金）からせいぜいが2・5％（一般的なクレジットカード）、最大で5％（最低手数料が高い方法で少額を決済した場合）というところだ。こうなるのは、電信送金対ACHなどペイメントトレール間にも競争があるし、VISA対マスターカード対アメリカン・エキスプレスなど同一ペイメントトレール内でも競争があるからだ。

ところがメタバースでは、なにをしても30％だ。たしかに、アップルもアンドロイドも、決済に加えてアプリストアにハードウェア、オペレーティングシステム、ライブサービスのスイートとさまざまなものを提供している。だがすべてが抱き合わせになっているせいで競争にならない。

実はペイメントトレールもそれぞれ抱き合わせになっている。アメリカン・エキスプレスも、与信から決済、各種特典、保険とさまざまなものを消費者に提供しているし、店舗に対しても、優良顧

---

iii 2016年、アップルは手数料を改定し、サブスクアプリの場合、サブスクが2年目に入ったら（つまり13カ月目以降）手数料を15％にするとした。サブスクは長く続けてもらうことを狙うのが当たり前で、であれば、30％も取られるのはユーザーのごく一部になるはず、これは大きな改訂だと感じるかもしれない。現実は違う。たとえばネットフリックスは、毎月の解約率が約3・5％となっている。平均すると28カ月しか続かないわけで、手数料は実質21・5％になる。2年目に入るのは63％しかいないのだ。しかも、ネットフリックスは業界の優等生だ。動画サブスクリプションは、業界平均でチャーンレートが6％ほど、つまり17カ月ほどしか続けてもらえない。100人サインアップしても2年目に入るのは45人くらいしかいないわけだ。

客の紹介や詐欺対策などを提供している。ただ、これらは個別提供されてもいるし、抱き合わせ同士、その内容で競争していたりもする。スマートフォンやタブレットにそういう競争はない。全部入りのバンドルしかないし、種類もアンドロイドとiOSのふたつしかない。そしてどちらにも料金を引き下げるインセンティブがない。

だからバンドルそのものが問題だとか、その料金が高すぎるとは必ずしもならない。だがそう見えるのも事実だ。無担保カードローンの金利は年14~18%だし、金利には25%などの上限が法律で定められていたりする。高級モールでも売上の30%もの店賃を要求することはない。税率が高い国の税率が高い州の税率が高い都市でも30%もの税金はありえない。そんなことをしたら、個人も法人もみんな逃げてしまい、税収ががっくり落ち込むことになる。だがデジタル経済には「国」がふたつしかないし、どちらも自分の「GDP」に満足しているのが現状だ。

また、米国の中小企業は利益率が平均で10~15%である。言い換えれば、お金をかけ(リスクも取り)、ひたいに汗してデジタル事業やデジタル販売に精を出しても、儲け以上をアップルやグーグルに持っていかれるわけだ。これでは健康的な経済と言えない。プラットフォームの取り分を30%から15%に引き下げれば、ディベロッパーの利益は倍増するし、増えた分の大半は製品に再投資されるはずだ。世界トップクラスの金持ち会社2社をもっと金持ちにするよりそのほうがいいという見方に異議を唱える人はあまりいないだろう。

アップルとグーグルの寡占といういまの状態は、おかしなインセンティブを生んでもいる。メタバースでバーチャルなアスレチックアパレルに乗りだしているナイキが好例だ。ナイキのiOSアプリで物理的な靴が売れたとき、アップルが受け取る手数料は0%だ。現実世界で靴を買った人にバーチャルな靴の利用権を与えても(「エアジョーダンを買うと『フォートナイト』でも履けます」

みたいな形で）、アップルが手数料を取ることはない。iPhoneやそのうち登場するはずのアップルARヘッドセットなどを使い、もらったバーチャル靴を現実世界で「履いて」も、アップルには関係がない。ナイキが現実の靴にブルートゥースやNFCを組み込み、アップルのiOS機器と通信するようにしても同じだ。

ところが、バーチャルな靴そのものを販売したり、バーチャルなランニングコースやバーチャルなランニングレッスンを販売すると、アップルが30％を持っていく。バーチャルと現実、両方にまたがる靴の価値がバーチャル側で決まると判断できればアップルに取り分が発生するわけだ。アップル側の機器やサービスなどが果たしている役割はほぼ同じなのにまるで違う結果になるわけで、大混乱必至だろう。

仮定の話をもうひとつしよう。主役はナイキと異なり、バーチャル優先の会社アクティビジョンだ。『コール オブ デューティ モバイル』でユーザーが2ドル支払い、バーチャルスニーカーを買うと、アップルが0・60ドルを持っていく。2ドル分広告を見てくれたら同じバーチャルスニーカーをプレゼントするという形なら0ドルだ。

つまり、アップルのポリシーによってメタバースで収益を得るやり方が変わってくるし、収益化をどこがリードするのかも変わってくる。ナイキにとって、アップルの30％とエピックゲームズが主張する12％との差、18％はもちろん大きいが、12％でなければ困るというほどではない。いよいよになったら現実世界の商売を活用し、手数料をゼロにすることもできるのだから。だがスタートアップはメタバース以前の事業などなく、この違いが成否を分けることになりがちだ。

またこの問題は、時がたつほど悪化する。いま、家庭教師が高校生向けにウェブブラウザ経由でレッスン動画を売るといったこともあるわけで、将来的にそれをiOSアプリで提供してもアプリ内課金は避けることができる。動画提供のアプリは「リーダーアプリ」だからだ。だが、物理を教える一環としてバーチャルでピタゴラ装置を作らせるとか没入型3D環境で自動車エンジンの修理を教えるなど、双方向の体験を提供すると「インタラクティブアプリ」だからアプリ内課金にしなければならなくなる。実現が難しく、それだけに高くならざるを得ないレッスンにしようとしたが故にアップルやアンドロイドにお金が落ちるわけだ。

没入型のメリットを使いたいなら料金を払うのも当然だとアップルは言うだろう。だが、それほど簡単な話ではない。アプリストアでなければ100ドルでいいふつうの教材も、アップルに持っていかれる分を足し、143ドルで売らなければならない。それをインタラクティブにするなら投資もリスクも増えるから、その分、値段を上げなければならない。そして、上げた分の30％もアップルに持っていかれる。価格を200ドルにするとアップルの取り分は60ドル。だが教師の取り分は40ドルしか増えず、生徒の負担は100ドルも増えてしまう。これが社会的にプラスになるとは考えにくいだろう。3Dで教育効果が高まるとしても、さすがに倍増というほどではないはずなのだから。

制約が多い仮想世界プラットフォームの利益率

ペイメントレールの取り分が30％というのは、仮想世界プラットフォームで特に大きな問題となる。

才能があり、『ロブロックス』を楽しんでいるクリエイターは大勢いる。だが、儲かっている人は少ない。ロブロックス自体は2021年に20億ドル近くを売り上げているが、同年に100万ドル以上の売上を記録したディベロッパーは81社、1000万ドル超は7社にすぎない。これはだれにとってもよくない状態だ。儲かれば儲かるほどディベロッパーは投資をして優れたプロダクトをユーザーに提供することができるし、そうなればユーザーの支出も増えるのだから。

だが、ディベロッパーが売上を増やすのは難しい。ゲームやアセット、アイテムを売っても、わずかに25%しかディベロッパーの懐には入らないからだ。ロブロックスはぼったくりだ、アップルでさえ70~85%を払っているのだからと思うかもしれない。話は逆だ。

iOS版『ロブロックス』で100ドルの売上があったとしよう。2021年の実績をベースに考えると、うち30ドルはアップルに持っていかれるし、24ドルはロブロックスのコアインフラやセキュリティの費用に消え、16ドルは管理費となる。残る30ドルが税引き前の粗利であり、ロブロックスが再投資に使えるお金だ。

再投資は大きく三つにわけられる。研究開発(ユーザーやディベロッパーにとってよりよいプラットフォームにできる)、新規ユーザーの獲得(ネットワーク効果が増えてプレイヤーにとっても価値があるし、ディベロッパーにとっては収益につながる)、ディベロッパーへの支払い(優れたゲームが増える)である。支出は、それぞれ28ドル、5ドル、28ドル(ロブロックスがターゲットとしている25%を超えているのは、インセンティブや最低保証などがあるため)の合計61ドルである。

というわけで、iOSに関する営業利益率はマイナス30%ほどとなる(ロブロックス全体ではマイナス26%と少しましな数字になる。iOSとアンドロイドは売上の75~80%で、残りは大半がウィンドウズなど手数料を取られないプラットフォームだからだ)。

ロブロックスは多くの人をデジタルクリエイターに変え、デジタル世界を豊かにしている。であるにもかかわらず、モバイル機器で100ドル売り上げるごとにロブロックスは30ドルの損失、ディベロッパーは25ドルのグロス売上で（つまり開発コストなどを引いていない数字）、リスクを取ってもいないアップルが約30ドルの利益を手にする。ディベロッパーへの支払いを増やしたければ、損失を増やすか、長期的にロブロックスにとってもディベロッパーにとってもマイナスだが研究開発費を半減させるかしかロブロックスに道はない。

販売費や販促費、広告宣伝費などは収益より増え方がにぶいので、ロブロックスの利益率は時とともに改善するはずだ。ただ、このような費用はせいぜい2～3％にすぎず、損失に比べたら微々たるものだし、ディベロッパーへの支払いをわずかに増やしただけでふっとぶ程度でしかない。規模が拡大すれば研究開発費も割合としては下がるものだが、研究開発費をレバレッジとして収益を上げるというのは、急速に成長する企業がやることではそもそもない。ロブロックス最大のコストはインフラとセキュリティだが、ここは基本的に利用に比例する部分で（それに、ここが増えれば売上も増える）、減ることは考えにくい。むしろ、研究開発の成果で体験が改善され、それを実現するため運用コストは上がっていく（同じ仮想世界にログインできる人数が増えるとか、クラウドからのデータストリーミングが増えるとか）と思われる。２番目に大きい（かつ最後の）コスト項目はストアに支払う料金だが、そこにロブロックスの裁量権はない。

アップルにしてみれば、利益率に対するこうした制約（および、ディベロッパーの収入に対する制約の影響）は、アプリストアシステムの長所であってバグではない。アップルは統合仮想世界プラットフォームによるメタバースなど望んでいない。アップルの望みは、種々雑多な仮想世界がアップルの規格とサービスを採用し、アップルのアプリストアでつながったメタバースだ。ＩＶＷＰからキャッシュフローを奪いつつディベロッパーにお金を落とせれば、アップルの望む姿にメタバースを近づけることができるだろう。

インタラクティブなレッスンを提供したい家庭教師の例に話を戻そう。アップルが30%を持っていってしまうから価格を43%以上引き上げなければやっていけないのはすでに見たとおりだ。同じものをロブロックスで提供すると、ロブロックスとアップルで合計75・5%を持っていかれてしまい、価格は4倍にしなければならなくなる。

ユニティやアンリアルよりロブロックスのほうが使いやすいし、サーバー料金などさまざまな費用を負担してくれるし、顧客もみつけやすくなるはずだが、数字がこれほど違うとなると、ほとんどのディベロッパーはユニティやアンリアルでスタンドアローンのアプリを作るか、あるいは、教育に特化したIVWPにみんなで移るかするはずだ。それでも、アプリをみつけたり決済したりはアプリストアを通じてするわけで、バーチャルソフトウェアの配信大手というアップルの地位が揺らぐことはない。

破壊的技術の足を引っぱる

アップルとグーグルのポリシーは、仮想世界プラットフォームのみならずインターネット全体の発展にもマイナスだ。ワールドワイドウェブは多くの人にとってベストな「プロトメタバース」である。私の定義については満たせていない部分も多いが、ウェブサイトの大規模ネットワークだし、共通規格で相互運用可能だし、どのような機器からも、どのオペレーティングシステムからも、また、どのウェブブラウザからもアクセスできる。だから、ウェブとウェブブラウザがメタバース発展の中心になるという見方がメタバースコミュニティには多い。オープンスタンダードもどんどん増えている。レンダリングのオープンXRやウェブXR、実行可能なプログラムのウェブアッセンブリ、永続性を持つ仮想空間のチボリクラウド、さらには、最新の3Dグラフィックスと計算処理能力をブラウザで使えるウェブGPUなどだ。

アップルのプラットフォームは閉じてなどいない、ウェブサイトやウェブアプリという「オープンなウェブ」につながっているのだからとアップルはよく言う。だから、アップルの料金やポリシーが満足できなければ、無理してiOSユーザー向けのアプリなど作る必要はない、と。ほかに道があるにもかかわらずiOSアプリを作るのは、ウェブ全体よりアップルのバンドルサービスのほうが優れているからだ、競争を妨げているなどとんでもない、とも。

この主張は納得しがたい。本書の冒頭、マーク・ザッカーバーグが語ったフェイスブックの「大きなまちがい」を思い出してほしい。4年間、フェイスブックのiOSアプリはHTMLを処理するだけの「シン・クライアント」だった。つまり、コードらしいコードはなく、基本的に、フェイスブックのウェブページを読み込んで表示していただけだった。それをネイティブコードで「一から再構築」したアプリに切り替えると、1カ月もたたないうちにニュースフィードの閲覧量が倍増したという。

機器に合わせたネイティブコードとは、その機器に使われているプロセッサーや部品にぴったり合わせてあるということだ。だから効率もいいし使いやすいし安定している。ウェブページもウェブアプリもネイティブドライバーに直接アクセスすることはできない。一種の「翻訳機」と汎用コード(ぜい肉だらけのことが多い)を介さなければアクセスできないのだ。結果はネイティブアプリの逆で、効率も使い勝手も悪いし、クラッシュするなど安定性も悪い。

フェイスブックからニューヨークタイムズ紙、ネットフリックスにいたるまで、なんでもネイティブアプリのほうがいいわけだが、リッチなリアルタイムレンダリングによる2D環境や3D環境は、特に、ネイティブアプリでなければ実現できない。写真を表示したり文書を読み込んだり、動画を再生したりとは比べものにならないほど計算処理の負荷が大きいからだ。『ロブロックス』や『フォートナイト』や『ゼルダの伝説』に比べてウェブベースのゲームプレイがしょぼいのはそのせいだ。ある意味、だからこそアップルは、ゲームというカテゴリーにアプリ内課金を強制できているとも言える。

さらに、ウェブはアクセスにウェブブラウザ、つまりアプリケーションを使う。そしてアップルは、アプリストアを通じ、iOS機器から他社製ブラウザではアクセスできないようにしている。いや、いつもiPhoneやiPadからクロームでアクセスしているよ？という人もいるだろう。アップルに詳しいジョン・グルーバーによると、このクロームはアップルサファリのiOS用ウェブキットをグーグルのブラウザっぽい外観にしただけのものであり、iOS用クロームでクロームのレンダリングエンジンやJavaScriptエンジンを使うことはできないという。iOSのクロームだとみんなが思っているものは、実は、アップルのサファリブラウザの一種であり、それをグーグルのアカウントシステムにログインする形で使っているだけなのだ。[iv][10]

iOSブラウザがすべてサファリベースだということは、オープンであるはずのウェブでなにができてなにができないのか、アップルが決められるわけだ。そして、その力を使い、手数料を稼げるネイティブアプリへとディベロッパーやユーザーを誘導しているとの批判がある。

そう考えると、ユーザー側プロセッサーを使い、2Dや3Dの複雑なレンダリングをブラウザで

iv しかもサードパーティーのブラウザはiOSサファリより古いバージョンのウェブキットしか使えず、処理も遅ければ機能も低いのがふつうだ。

行えるようにと作られたJavaScript　API、ウェブGLをサファリが一応というレベルでしかサポートしないのも理解できるだろう。ウェブGLを使えばブラウザでアプリ並のゲームができるようになるわけではないが、パフォーマンスはまちがいなく上がるし、開発もシンプルに行えるようになる。

であるのに、アップルのモバイルブラウザは、基本的に、ウェブGLの一部しかサポートしていないし、サポートする場合もその機能がリリースされた何年もあとだったりする。マックのサファリがウェブGL2・0を採用したのはリリースの18カ月後だが、モバイルサファリは4年後だ。ウェブベースのゲームはそうでなくても余裕がないのに、iOSポリシーは、その余裕をさらに小さくしている、そうすることでディベロッパーやユーザーをアプリストアに誘導している、それはとりもなおさず、ワールドワイドウェブのようにHTMLで作られ、相互運用可能な「メタバース」を作らせないようにしているというわけだ。

排除されるクラウドゲーム

これは臆測にすぎないわけだが、もうひとつのリアルタイムレンダリング方法、クラウド型に対するアプローチを見るとやはりそうなのではないかと思ってしまう。

クラウド型のやり方については第6章で詳しく検討した。そこでも書いたのだが、ゲームをクラウドからストリーミングするという方法は、「処理」の多くをユーザー側機器（コンソールやタブレット）からリモートのデータセンターへ移すものと言える。こうすれば、ふつうに売られている小さな機器になど搭載できるはずもないコンピューティング資源が使えるわけで、これは、ユーザーにとってもディベロッパーにとってもいいことのはずだ。

ただ、その消費者用機器そのものやそのデバイスで使うソフトウェアを売る商売をしているところにとっては話が違う。なぜか。このやり方では、インターネット接続と動画再生ができるタッチスクリーンで十分だからだ。iPhoneで動く一番複雑なアプリケーションと言えば『コール オブ デューティ』ではないかと思われるが、それが2018年モデルでも2022年モデルでも同じように動くのであれば、1500ドルも出してわざわざ買い換えようと思う人はいないだろう。何ギガバイトものゲームをいくつもダウンロードする必要がなくなれば、高いお金を出してストレージ容量が大きい（アップルの儲けが大きい）iPhoneを買おうと思う人は減るだろう。

クラウドゲームが主流になると、モバイルアプリのディベロッパーとアップルの関係も危うくなる。いまiPhone用のゲームをリリースしたければ、アップル独自のAPIコレクション、メタルを使って開発し、アップルのアプリストアで配信するしかない。だがクラウドストリーミングのゲームなら、どんなアプリケーションからでも配信できてしまう。フェイスブックからだろうがグーグルからだろうが、ニューヨークタイムズ紙やスポティファイからだろうが、だ。APIコレクションも、ウェブGLだろうが、それこそ自作だろうが、好きなものが使えてしまうし、GPUやオペレーティングシステムも好きなものが選べる。そういうやり方で、すべてのアップル製品に配信ができてしまうのだ。

だからアップルは、クラウドゲームをあの手この手で排除している。アプリケーションの存在そ

v いまはアップルもウェブGL2・0をサポートしているが、問題の本質はそこではない。ディベロッパーは新規格がサポートされる日を何年も待つなどしないし、そこに自分の未来を賭けるなどできるはずもない。

のものは許可しているグーグルのステイディアやマイクロソフトのＸｂｏｘも、ゲームをロードしなければという条件をつけている。要するに、サムネイルの画像をクリックしてもなにも起きないネットフリックスという感じで、ショールーム的なアプリケーションならいいというわけだ。

動画をストリーミングするのがクラウドゲームであり、サファリブラウザは動画のストリーミングをサポートしているわけで、ｉＯＳ機器にクラウドゲームを配信することは、一応、可能である（アップルは、この事実をアプリケーションに表示することを禁じている）。ただし、サファリブラウザには、クラウドやウェブＧＬではいいゲームにならない仕掛けがいろいろと施してある。ウェブアプリの場合、データ同期をバックグラウンドでできないとか、ブルートゥースに自動接続できないとか、ゲームをプレイしませんかなどの通知をプッシュできないなどだ。こういう制限があってもニューヨークタイムズ紙やスポティファイなら特に問題はないが、インタラクティブなものにとっては致命的である。

クラウドゲーム禁止はユーザーのためというのがアップルの言い分だった。新規ゲームもアップデートも、アップルがレビューし、承認するという手続きがとれず、よって、不適切なコンテンツやプライバシーの侵害、質の悪いゲームなど、ユーザーに害がおよんでしまう、と。だがこれは他カテゴリーの扱いと矛盾する。ネットフリックスやユーチューブでは、アップルがレビューしていない動画が何千本、何億本とバンドルされているが、有害なものを完璧に排除しろというポリシーにはなっておらず、努力目標として掲げるにとどまっている。

そういうわけで、アップルは自社のハードウェアとゲーム販売を守ることを主眼にポリシーを策定しているとの批判が巻き起こった。音楽ストリーミングの躍進をアップルは教訓にすべきだったとも言える。２０１２年、ｉＴｕｎｅｓは米国におけるデジタル音楽販売の実に70％近くを占め、粗利益率も30％に迫る勢いだった。それがいまは音楽ストリーミングの3分の1以下に落ち込み、利益率はマイナスだと言われている。業界をリードするスポティファイは、決済にiＴｕｎｅｓを使っていない。業界第3位のアマゾンミュージックアンリミテッドも、アマゾンプライムの会員専用と言ってよい状態で、アップルにお金が落ちることはない。

そして２０２０年夏、アップルはついにポリシーの改訂に乗りだし、グーグルのスティディアやマイクロソフトのエックスクラウドなどのサービスもアプリとしてiＯＳから使えるようにした。だがこのポリシーはとにかくややこしく、消費者をないがしろにするものだった。たとえば、クラウドゲームのサービスは、まず、ゲームをひとつずつ全部（その後のアップデートもすべて）アプリストアに提出してレビューを受けなければならないし、販売もひとつずつ別にしなければならない。あとは推して知るべしだろう。

このポリシーには問題がたくさんある。ひとつ、コンテンツのリリーススケジュールをアップルが決めるに等しい。ふたつ、あるタイトルの販売可否をアップルが決められる（しかも決まるのがライセンス契約を結んだあとになるし、サービスにはゲームをアップル向けに改修する力もない）。三つ、ユーザーのレビューがアプリごとになり、アプリストアのあちこちに散ってしまう。四つ、競争相手であるアプリストアとディベロッパーをつながないとゲーム配信のサービスができない。

さらに、スティディアのアプリからゲームに入ることは許されていない（アプリはカタログでしかない）。プレイしたいゲームがあれば、そのゲームを別途ダウンロードしなければならない。ネットフリックスでテレビドラマを観るのに、ネットフリックスアプリそのものは権利管理をするカタログでしかなく、『ハウス・オブ・カード 野望の階段』のアプリ、『オレンジ・イズ・ニュー・ブラック』のアプリ、『ブリジャートン家』のアプリとひとつずつダウンロードしなければならないようなものだ。これでは動画のストリーミングサービスなどと言えたものではない。ちなみに、マイクロソフトとアップルが交わしたメールによると、アプリはひとつ150メガバイト近い大きなものので、クラウドストリーミング技術が更新されたらアプリも更新しなければならないと定められている。

ステイディアはゲームを選んで配信することに対してサブスクリプションの会費を集めているはずなのに、これでは、ゲームそのものはアップルが（アプリストアで）配信し、iOSのユーザーは（ステイディアアプリではなく）iOSのホームスクリーンからゲームを起動することになってしまう。

消費者の混乱も必至だ。同じゲームを複数サービスが提供すると、たとえば『サンバーパンク2077』（ステイディア）、『サンバーパンク2077』（Xbox）、『サンバーパンク2077』（プレイステーションナウ）という具合にずらりと同じタイトルが並ぶわけのわからない事態になってしまう。さらに、ステイディアが『サンバーパンク2077』の提供をやめるなどすると、タップしてもなにも起きないアプリが機器に残ることになってしまう。

ゲームストリーミングサービスは決済もアプリストア経由でなければならないとされている。ネットフリックスやスポティファイなどほかのメディアアバンドルは、アプリの提供はアプリストアでなければならないが、決済はiTunes以外も選べるとなっているのに、である。アプリストアではサブスクリプションのゲームも個別に買えなければならないという規定もある。これも、音楽や動画、音声、書籍などに対するのと大きく異なるポリシーだ。ネットフリックスは『ストレンジャー・シングス 未知の世界』を単品としてiTunesで買ったりレンタルしたりできるようにしなければならないわけではないし、実際、してもいない。

マイクロソフトとフェイスブック（フェイスブックもクラウドゲームのストリーミングを準備しているところだった）は、ここぞとばかりに批判の声をあげた。

「これでは顧客体験が改善しない。音楽などと同じようにアプリのゲーム一覧から直接ゲームに入ることをゲーマーのみなさんは望んでいる。クラウドから提供されるゲームをプレイするのに、100本以上もアプリをダウンロードしなければならないなどありえない」

アップルがポリシーの改訂を発表した日、マイクロソフトがこう断じれば、フェイスブックも、ゲーム動画の担当プレジデントがザ・バージの取材に対し、次のように語っている。

「他社と同じ結論に我々もいたりました。iOSにクラウドゲームをストリーミングするにはウェブアプリしか選択肢はない、と。アプリストアへクラウドゲームの掲載を『許す』とアップルは言っていますが、ほかからも指摘が相次いでいるように、その実態は許可などとても言えません。クラウドゲームひとつずつ、個別にページを作れ、レビューを受けろ、検索にかかるようにしろというのでは、なんのためのクラウドゲームなのかわからなくなります。これでは、新しいゲームをみつけることもできませんし、クロスデバイスで遊ぶことも、ネイティブiOSアプリからさっと高品質ゲームにアクセスすることもできません。最新式の高価な機器を使っていないプレイヤーでさえそうなるのです」

ブロックチェーンをブロックする

アップルは、インタラクティブな体験以上に厳しい制約を新しいペイメントレールに課している。

たとえばNFCチップ。NFCとは近距離無線通信（Near-Field Communication）のことで、近くに置かれた電子機器2台が無線で情報を共有できるようにするプロトコルである。だがiOSでは、アプリケーションからもブラウザからもこのNFCを使ったモバイル決済ができなくなっている。

例外はアップルペイのみ。いわゆるタップ&ゴーで支払えるのはアップルペイだけなのだ。NFCによるタップ&ゴー決済なら1秒もかからないし、スマホのロックを解除する必要もない。まして、アプリを立ち上げ、メニューから支払い画面を出すなど面倒なことをする必要はない。だが、アップルペイ以外の決済、たとえばVISAなどは、そういう面倒をユーザーがした上で、画面に表示されたカードやバーコードをお店にスキャンしてもらわなければならない。

ユーザーとそのデータを守るため、そういうポリシーにしているとアップルは言う。だが、VISAやアマゾンがユーザーを危険にさらすと考えるべき証拠はないし、銀行業の許可を得ているところにのみNFCの使用を許すなどのやり方をしてもいいはずだ。あるいは、NFC決済は100ドル以下とか、それこそ5ドル以下とか、制限を設ける方法も考えられる。

さらに言うなら、実は、マリオット・ホテルやフォードはNFCで客室や車のロックを解除できるなど、コーヒーやジーンズを買うよりある意味危ないことにNFCチップの利用を許していたりもする。アップルはホテルや自動車の事業を展開していないから許可しているのだろうと言われてもしかたがないだろう。いずれにせよ、アップルペイを使うと0・15%がアップルの懐に入ると言われている。決済そのものはVISAやマスターだったとしても、である。

このくらいなら、たいした問題ではないように見えるかもしれない。だが、第9章で検討したように、将来的には、スマホが単なるスマホではなく、身の回りにあるさまざまな機器を動かすスーパーコンピューターという位置づけになっていくと思われる。バーチャル世界とリアル世界でパスポート的な役割を果たすようにもなっていくだろう。

いまでさえ、各種オンラインソフトウェアをアップルのｉＣｌｏｕｄ ＩＤで使う人が多いし、米国では、運転免許証など州政府が発行する身分証明書のデジタル版もｉＯＳに乗せ、それを使って銀行口座を作ったり飛行機に乗ったりすることもできる。そして、そういうＩＤをなににどう使うのか、そういうＩＤの利用許可をどのディベロッパーにどういう条件で与えるのかが、メタバースが到来するタイミングもどういうメタバースになるのかも左右することになる。

ブロックチェーンや暗号通貨に対するアップルの方針も見ておきたい。これがどういう技術なのかや、メタバースにどういう影響を与えるのか、ブロックチェーンを信奉する人にとってアップルのポリシーが大きな問題なのはなぜなのかなど詳しい話は次章に譲り、ここでは、アプリストアのポリシーやプラットフォームのインセンティブと暗号通貨がすでにさまざまなきしみを生んでいることを紹介しよう。

まず、アップルをはじめ主なプラットフォームは、いずれも、クリプトマイニングや分散型データ処理に使われるアプリを禁じている。そのようなアプリを使うと「バッテリーの消耗が早くなる、発熱が大きくなる、リソースにいらぬ負担を強いる」[11]から禁じているというのがアップルの言い分だ。ユーザーにしてみれば、バッテリーの消耗スピードも機器の状態も、リソースの使い方も決めるのは自分であり、アップルやソニーにとやかく言われたくないと感じるだろう。いずれにせよ、こういう機器でブロックチェーン経済に参加することはできないし、余った処理能力を必要な人に（分散型コンピューティングという形で）提供することもできないのが現状だ。

さらに、これらプラットフォームは（エピックゲームズストアは例外）仮想通貨で支払いができるゲームや、仮想通貨系のバーチャル物品（要するにＮＦＴと呼ばれる非代替性トークン）が使えるゲームも禁じている。これはブロックチェーンの膨大なエネルギー消費を抑えるためだと説明されたりするがそれが建前にすぎないことは、少し詳しく見ただけでわかる。

ソニーは音楽レーベル経由でNFTのスタートアップに投資しているし、NFT事業を立ち上げてもいる。マイクロソフトのアジュールもブロックチェーン認証を提供しているし、新規事業部門を通じてあちこちのスタートアップに投資もしている。アップルのティム・クックCEOも、自分も仮想通貨を持っているし、NFTは興味深いと思っているなどと語っている。であるのにブロックチェーンゲームを禁じているのは、プラットフォームの収益構造と相性が悪いからだろう。『コール オブ デューティ モバイル』から仮想通貨ウォレットにアクセスできるようにするのは、アプリストアを経由せず銀行口座から直接ゲーム関連の決済ができるようにするのと等しい。NFTも映画館が食べ物の持ち込みを許すようなもので、そんなことをしたら、館内でポップコーンを買う人は大きく減るはずだ。また、どういう理由をつければ何千ドルやそれこそ何万ドルものNFT売買に30%の手数料を課せるのか、想像することもできない。仮にできてしまったら、こんどは、売買をくり返すうちにNFTそのものの価値より手数料の累積額のほうが大きくなってしまう。

アップルはアプリストアのゲーム収益を守りつつ仮想通貨をサポートしようとしているが、これがまた大混乱となっている。現状、ロビンフッドやインタラクティブブローカーズなど、従来型の証券取引アプリで仮想通貨を売買することは許しているが、NFTの売買は禁じている。だが、両者の取引そのものに違いはなく、違うのは、ビットコインは「代替性」の暗号型トークンである――つまり、ビットコインならどれも同じように使えるのに対し、NFTの工芸品は非代替性トークンで、ほかのトークンに置き換えられない点くらいだ。非代替性トークンの所有権を代替性トークンに分割したりすると、話はさらにややこしくなる（工芸品の共有権を販売するというイメージ）。この共有権ならiPhoneアプリで売買できてしまうのだ。

クラウドゲームのストリーミングと同じように、これは、ディベロッパーにとってもユーザーにとってもいいことのないポリシーだ。オープンシーなどNFTマーケットプレイスもiOSアプリを提供しているが、自分が持っているものやほかの人が売りに出しているものが見られるカタログにすぎず、ウェブブラウザからでなければ実際の取引はできない。

また、iPhoneでは、ウェブブラウザからでしかブロックチェーンベースのゲームが遊べない。2020年から2021年にかけてのヒット作がバーチャルなスポーツカードやデジタル工芸品などを集めるコレクション型か、1990年代に大ヒットしたゲームボーイのポケモンゲームによく似たアクシー・インフィニティのようにグラフィックスがシンプルな2Dでターン制のプレイを楽しむものばかりなのはそのせいだ。それ以上のことは技術的に不可能なわけだ。

デジタルファーストにしたければ物理ファーストが必要

バーチャルペイメントレールを巡る問題の中心にあるのは利害の衝突である。メタバースはオペレーティングシステムにさえ依存しないし、ましてハードウェアに依存することはない。バーチャルシミュレーション各種がつながったネットワークであり、機器やシステムによらず存在する。それどころか、メタバース側から機器やシステムを意識することさえない。それがメタバースという「次なるプラットフォーム」の基本的な考え方だ。iPhoneでニューヨークタイムズ紙のアプリを動かすのか、それとも、ニューヨークタイムズ紙の宇宙にiPhoneからアクセスするのかの違いと言ってもいいだろう。

そういう未来に向けた移行はすでに始まっている。『フォートナイト』や『ロブロックス』、『マインクラフト』など人気の仮想世界は、いずれも、なるべく多くのオペレーティングシステム、なるべく多くの機器からアクセスできるように作られていて、システムごとの最適化は最小限に抑えられている。

もちろん、メタバースにアクセスするにはなにがしかのハードウェアが必要だ。だから、ハードウェアメーカーは、何兆ドルとも言われるこの市場で決済のゲートウェイになろう（少なくともそのひとつになろう、できれば独占しよう）としのぎを削っている。そのために、APIやSDK、アプリストア、決済ソリューション、ID、各種権利の管理、さらには、ストアの手数料を増やしたり、競争を少しでも減らしたり、ユーザーやディベロッパーの権利を制限したりするプロセスなどをハードウェアにバンドルしているのだ。

そうしているのは、ウェブGLのブロックやブラウザによる通知のブロック、クラウドゲーム、NFC、ブロックチェーンのブロックを見ればわかる。どのポリシーもそれぞれ理由があることになっているが、スマートフォンのプラットフォームがふたつしかなくて、どちらもバンドルだらけという現状では、本当のところその理由が正しいのか否かを判断するすべがない。

各種サービスに競争原理を導入する規制も検討されている。たとえば、アプリストアを運営する会社が自社の決済システムを強制するのは消費者にとってもディベロッパーにとってもマイナスだとして、それを禁止する法律が、2021年8月、韓国で成立した。だが3カ月後、法律が効力を発揮する間もなく、グーグルが、他社の決済サービスを使うアプリからはアプリストアの利用料金を追加徴収すると発表。料金は、グーグルが徴収していた決済手数料の4％減（要するにほぼ同額）からVISA、マスターカード、ペイパルなどの手数料を差し引いたものだという。これでは、わざわざペイメントレールを切り替えたところで1％も節約できるかどうかだ。切り替える手間に見合わないレベルであり、消費者向けの価格を引き下げる原資が得られるはずもない。
２０２１年12月には、オランダ政府からアップルに対し、デートアプリでサードパーティーの決済サービスを使えるようにしろという指導が入った（カテゴリーが指定されているのは、このカテゴリーをリードするマッチ・グループがオランダ消費者・市場庁に苦情を申し立てたからだ）。これを受けてアップルはオランダ向けのストアポリシーを改定し、オランダでのみ他の決済サービスが使えるアプリを提供してよいとした。ただし、その場合、アップルの決済手段は使えないし、取引には27％の手数料を課す（アップル決済の手数料30％から３％引き下げる）。さらに、「アップルアプリストアが提供するセキュアな決済システムはサポートしていません」というディスクレーマーをアプリに表示しなければならないとした。[12] ユーザーを「脅す」ことを目的にしているとしか思えないとの声が規制当局や経営者、アナリストなどから上がったのも当然のことだろう。さらに、ディベロッパーは、決済した取引をリストアップして、毎月、アップルに報告し、それに対する手数料の請求書が届いたら45日以内に支払いをしなければならないという。[13]
なんだかんだ言ってもハードウェアが中心で影響が大きいから、フェイスブックなどは、自社でARやVRの機器を開発しようとしているし、特注の無線チップやカメラを使ったブレイン・マシン・インターフェースやスマートウォッチなど、一見とっぴなプロジェクトに投資しているわけだ。ビッグテックの中で唯一、世界をリードする機器もオペレーティングシステムも持たないフェイスブックは、他社プラットフォームへの依存は大きな足かせだと身に染みている。実際、モバイルやコンソールの主なプラットフォームは、いずれも、フェイスブックのクラウドゲームを事実上ブロックしている。
クラウドゲームを出しても、モバイルやコンソールの主なプラットフォームにはブロックされる。

ユーザーになにか売れれば、懐に入るのと同じくらいを敵に持っていかれる。統合仮想世界プラットフォームの『ホライズンワールド』も、ｉＯＳやアンドロイドより大きな収益をディベロッパーに約束することができないという根本的な制約を抱えている。

なかでも痛いのは、ｉＰｈｏｎｅ発売から14年後の２０２１年、アップルがＡＴＴ（App Tracking Transparency）を導入したことだろう。ごく簡単に言えば、ＡＴＴとは、ユーザーや機器のデータが欲しければ「オプトイン」の許可をユーザーからもらえ、その際にはどういうデータをなぜ収集するのかも説明しろとアプリディベロッパーに求める制度だ（文言は基本的にアップルが用意するし、書き換えるならアプリストアの許可が必要になる）。これはユーザーのための変更だとアップルは主張しているし、２０２１年12月時点で75%から80%のユーザーがオプトインを断っているとのデータもある。[14]

だがこれは他社の広告ビジネスを妨害し、自分たちが広告ビジネスを展開したいからだろう、同時に、広告の効力を引き下げ、アップルが15%から30%の手数料を徴収できるアプリ内決済に重きをおくようディベロッパーを誘導するためだろうと言われている。実際、フェイスブックの広告収入はＡＴＴ導入で年間１００億ドル（メタバースへの投資額とほぼ同じ）の減収になったとマーク・ザッカーバーグも言っている。ｉＯＳアプリに占めるアップル広告事業のシェアがＡＴＴ前の17%から6カ月で60%近くまではね上がったとの報道もある。

この問題を解決するには、機器を安くて軽量高性能にするだけでは足りない。ｉＰｈｏｎｅやアンドロイドなしで動くようにもしなければならない。だがその場合、そういう機器のコンピューティングチップやネットワークチップを使えないという問題が生まれる。つまり、そのあたりを活用できるアップルやグーグルに比べ、フェイスブックの機器はどうしても高くなるし、技術的には制約が多く、重くもなってしまう。

だからマーク・ザッカーバーグは「いまの技術課題で一番難しいのは、ふつうにしか見えないメガネにスーパーコンピューターを組み込むことだ」と語ったのではないだろうか。他社はユーザーのポケットにあるスーパーコンピューターが使えるわけで。

そう考えてくると、今回、新しいコンピューティングデバイスの登場というデジタル時代のディスラプションパターンにはなりそうにないことがわかる。マイクロソフトウィンドウズの覇権は携帯電話というスタンドアローン機器の登場で崩れた。だが、ARやVRのヘッドセット、スマートレンズ、さらにはブレイン・マシン・インターフェースまでがスマホなしでは動かないというのであれば、新たな王の登場はあり得ないことになる。

新たなペイメントレール

本章では、デジタル時代の「事業コスト」はペイメントレールが決めていること、また、メタバースが技術的に、商業的にどう発展し、どういう競争力を持つのかもペイメントレールに左右されることを見てきた。だが、実際の経済がペイメントレールによってどう変わるのかはまだ検討していない。そのあたりは中国の状況を見るのがいいだろう。

2011年、中国は基本的に現金社会だった。だがテンセントが同年リリースしたメッセージアプリ、ウィーチャットにより、ほんの数年でデジタル決済とデジタルサービスが当たり前の国になった。

そうなったのは、西側諸国ではあり得ないやり方がいろいろできたからと言っていいだろう。

ウィーチャットはクレジットカードやデジタル決済ネットワークを介さず銀行口座に直接ひも付けることができる（ゲームコンソールもスマートフォンのアプリストアもほとんどがこれを禁じている）。このように中抜きした格好になっている上、ソーシャルメッセージネットワークの構築が最優先だったことからテンセントは手数料をユーザー間で0％から0・1％、事業者への支払いも1％以下とごく低く抑えたし、リアルタイム配信や支払い確認については手数料をなしとした。

また、共通規格（QRコード）でメッセージアプリに決済機能を持たせる形式にしたので、スマホを持っていればだれでも簡単に使える。そもそもウィーチャットが成功しなければ、クレジットカードが普及していない中国でテンセントがビデオゲーム業界の立ち上げに成功することもなかったと思われる。

西側諸国の場合、ゲートキーパーのハードウェアメーカーが許してくれないとこういうやり方はできない。ウィーチャットについては、テンセントがごく短期間のうちに中国国内で大きな力を持ってしまったので、アップルでさえ、アプリで直決済を許す形のままウィーチャットをアプリストアで取り扱わざるをえなくなった。iPhoneはウィーチャットの2年前から中国にメッセージサービスを提供してきたというのに、である。

2021年、ウィーチャットの決済は1件あたり平均数ドルで、総額は5000億ドルほどに達したと言われている。

ゲートキーパーをうまくかわす手だてを西側諸国のディベロッパーやクリエイターがみつけられなければ、メタバースの実現は難しいだろう。このあたりを解く鍵になると注目されているのがブロックチェーンである。

Chapter 11

ブロックチェーン

メタバースの実現にブロックチェーンは構造的に不可欠だとする意見もあれば、そんなばかな話はないという意見もある。

ブロックチェーンについては、メタバースとの関係以前に技術そのものについていろいろと混乱がある。だから、まずは定義から確認したい。

ごく簡単にまとめると、ブロックチェーンとは、「バリデーター」（データの妥当性を検証するノード）の分散型ネットワークによって管理されるデータベースのことだ。いまのデータベースはほとんどが集中型だ。記録をひとつだけ、1社が管理するデジタル倉庫1カ所に保管し、その会社が情報を追跡するという形である。

たとえばJPモルガン・チェースが管理するデータベースには、当座預金の残高が記録されているし、取引履歴も詳細に記録されていて、残高がそうなっているのはなぜなのか検証することもできる。もちろん、この記録はJPモルガンが何重にもバックアップしているし（ユーザー側も記録していたりする）、データベースそのものもさまざまなデータベースがネットワーク化した状態で運用されているわけだが、ここで大事なのは、こういうデジタル記録を管理・所有しているのがJP

モルガンという一組織である点だ。銀行以外もバーチャルのデジタル情報は、いま、ほぼすべてがこういう形になっている。

集中型データベースと異なり、ブロックチェーンの記録はどこか1カ所にまとめられてもいなければ、一組織が管理する形にもなっていないし、それこそ、特定可能な個人や会社の集団が管理する形にさえなっていないことが多い。ブロックチェーンの「台帳」は、世界各地で自律稼働しているコンピューターのコンセンサスという形で維持されていて、参加コンピューターは、取引があるたびに生まれる暗号式を他のコンピューターに先駆けて解き、台帳を検証しようと競いあう（計算には対価が支払われる）。こうすれば不正がしにくくなる。JPモルガン1社が管理していれば社員ひとりや会社が勝手をすることもできるかもしれない。だが大きくて分散したネットワークで過半数の合意を取り付けなければならないのでは、データを勝手に書き換えるのは難しい。

分散化にはデメリットもある。たくさんのコンピューターが同じ「仕事」をするので、費用もかさめばエネルギー消費も大きくなってしまう。また決済にはネットワークのコンセンサスが必要なので、数十秒も待たされることが多い。情報が世界をぐるりと回ってこないと目の前にいる人との取引さえできないわけだ。しかも、ネットワークの分散化が進むほど合意形成が難しくなる。

だから実際には、なるべく多くの「データ」を「チェーン上」ではなく従来型データベースに保存することが多い。JPモルガンの例で言えば、残高データは分散サーバー上に保管するがログイン情報と銀行口座そのものは中核データベースに保管するような形だ。このやり方には反対の意見がある。完全に分散化されていないものは単なる集中型データベースと変わらない、残高の検証も管理もすべてJPモルガンが実権を握っているのだから、というわけだ。

だから、分散型データベースは技術的に後退している、中央のピアに依存していることは変わらず、効率は悪くなり、処理は遅くなるだけだと考える人もいる。データを完全に分散化したとしても得られるメリットは限られている。JPモルガンと集中型データベースという組み合わせでは口座が行方不明になったり残高が抜き取られると心配する人などまずいないからだ。それより、どこの馬の骨かもわからないバリデーターの集団に財産を預けるほうがよほど怖いだろう。逆にバーチャルスニーカーを買ったとナイキが証明してくれたり、それをオンラインの収集家に売ったと記録してくれたとして、ナイキが記録したものなど信用できない、そんなものに価値などないと言う人はいないはずだ。

ではなぜ、未来は分散型のデータベースやサーバーにあるという話になるのだろうか。NFTという考え方も仮想通貨も、記録盗難の恐れも、すべて気にしなくてよくなるからだ。ブロックチェーンはプログラム可能なペイメントレールだからだ。ペイパル、ベンモ、ウィーチャットなどはファクシミリと同じく過去の遺産だ、ブロックチェーンこそが初のデジタルネイティブペイメントレールだとよく言われるが、その理由はこの点にある。

ブロックチェーン、ビットコイン、イーサリアム

最初に普及したブロックチェーンは、2009年にリリースされたビットコインだ。その目的は、ビットコインという仮想通貨の運用である。そのために、ビットコインの取引を処理するプロセッサーには見返りとしてビットコインが発行される仕組みになっている（これは「ガス代」と呼ばれ、取引を申請したユーザーの負担とされることが多い）。

もちろん、取引を処理する人に対価を支払うなど、昔からやられてきたことだ。ただビットコイ

ンの場合、作業と支払いが一体化していて自動的に処理される、つまり、プロセッサーに報酬を渡さず取引するのは不可能になっている。「トラストレス」だと言われるゆえんである。いつどのように報酬が得られるのか、そもそも得ることができるのか、支払い条件が変わったりしないのかなど、バリデーターが心配する必要はない。そのあたりはすべて、だれでも確認できる形でペイメントレールに組み込まれているから、思わぬところで料金を取られることもなければ、ポリシーが急に変わるリスクもない。

ユーザーにとっても、ネットワーク業者がいらぬデータまで収集したり共有したりするのではないかとか、データが悪用されるのではないかと心配する必要がない。対して集中型データベースに保管されたクレジットカード情報は、ハッキングや社員の不正アクセスで漏れてしまう恐れがある。ブロックチェーンは「パーミッションレス」だとも言われている。たとえばビットコインの場合、だれでもバリデーターになれてしまう。招待も承認も不要。もちろん、だれでもビットコインを受け取れるし買えるし、使うことができる。

こういう特性があるから、ブロックチェーンはコストを削減し、安全性を強化しつつ容量を増やす自立型のシステムになる。取引手数料の額や量が増えれば参加するバリデーターも増え、競争によって価格が低下する。同時に分散化が進み、台帳改ざんに必要なコンセンサスが得にくくなる(投票箱が3箱と300箱なら不正をしやすいのはどっちか考えてみればいい)。

トラストレスでパーミッションレスなら、決済ネットワークの運営で得られる「売上」や「利益」が市場で決まることになるのも長所だとブロックチェーンを信奉する人は言う。いままでの金融サービス業界は老舗の大手数社がぎゅうじっていて競争原理が働かず、料金引き下げのインセンティブがない。たとえばペイパルなら、ベンモやスクエアのキャッシュアプリしか競争相手がいない。ビットコインの場合、競争力のある取引手数料を提供しようと思う人がどこかにいれば料金に引き下げ圧力がかかる。

トラストレスでパーミッションレス

ビットコイン登場からほどなく（ちなみにビットコインの開発者は不明）、早期ユーザーでもあるビタリック・ブテリンとギャビン・ウッドのふたりが新しいブロックチェーン、イーサリアムの開発を始めた。「分散型マイニングネットワークとソフトウェア開発プラットフォームをひとつにまとめたもの」だそうだ。[1] イーサリアムも運用費用は提供する仮想通貨イーサで支払う仕組みになっている。違うのは、仮想通貨的なトークンを貢献者（コントリビューター）に発行できるパーミッションレスでトラストレスなアプリケーション（分散型アプリケーション、「ＤＡｐｐ」と呼ばれる）を作れるプログラミング言語（ソリディティ）が用意されている点だ。

イーサリアムは自動的にオペレーターに報酬が支払われるようプログラミングされた分散型ネットワークである。報酬を受け取るのに契約も不要なら、報酬が得られないかもしれないと心配する必要もない。競争はあるが、競争があるからネットワークのパフォーマンスが上がり、そうなれば利用が増えて管理しなければならない取引も増えることになる。イーサリアムで動くアプリケーションを開発することもできるし、それをコントリビューターに報酬を払うアプリにして万事うまく行けば、基盤となるイーサリアムを動かしている人々にも利益が還元される。しかも、意思決定をする人もなく、管理組織もない形で、である。実際、そういう人も組織もないし、そういう人や組織を置くこともできない。

分散統治だからといって、それを支えるプログラムを改訂したり改善したりができないわけではない。ただ、そういう変更はコミニュニティがコントロールする形になっていて、全体にとって利益があるとみんなが納得するものでなければならない。

たとえば「イーサリアム社」がある日突然、取引手数料を引き上げたり、新しい手数料を課したり、新しい技術や規格を禁じたり、ユーザーが作って成功したDAPPのコピーを投入したりする心配は不要なのだ。トラストレスかつパーミッションレスなプログラミングでは、中核機能での競争がディベロッパーに求められる。

イーサリアムにも批判がある。大きいのは、処理の手数料が高すぎる、処理に時間がかかりすぎる、プログラミング言語が難しすぎるの3点だ。

このような問題を解消しようとさまざまな方法が試みられている。ひとつは、ソラナやアバランシュといったブロックチェーンの構築だ。イーサリアム（レイヤー1）に載せる「レイヤー2」のブロックチェーンを作るやり方もある。このレイヤー2は独自のプログラミングロジックとネットワークで取引を管理する「ミニブロックチェーン」的なものである。取引をひとつずつ処理するのではなく、いくつかまとめて処理するタイプの「レイヤー2スケーリングソリューション」もある。支払いや送金に時間がかかってしまうが、実際のところリアルタイム処理でなくていいものも多い（たとえば携帯電話サービスのプロバイダーに対する支払いなど、ある時刻である必要は別にない）。

取引の検証をネットワーク全体ではなく一部のみで行う「スケーリングソリューション」もある。暗号式を解いたという証明なしで取引を提案する権利をバリデーターに与える、ただし、これがうそであると証明したバリデーターに報奨金を与える（報奨金は基本的に不正をしたバリデーターの負担）という方法もある。両方ともセキュリティが下がるが、少額の決済ならそれでいいと考える人が多い。コーヒーを買う場合と車を買う場合を考えればわかるだろう。スターバックスはカード払いで登録住所まで確認したりしないが、ホンダディーラーは登録住所に加えて信用照会もすれば公的IDも確認する。「サイドチェーン」というものもある。必要に応じてイーサリアムとトークンをやりとりするもので、金庫に対する小口現金のような関係と思えばいい。

レイヤー2に対しては、場当たり的なやり方であり、高パフォーマンスのレイヤー1を作るほうがディベロッパーにとってもユーザーにとってもよいとの批判がある。そうかもしれない。それでも、レイヤー1を利用して新しいブロックチェーンを立ち上げ、レイヤー2ブロックチェーンを使う、あるいはそれこそ構築するという形で、ユーザーやディベロッパー、ネットワークオペレーターをそのレイヤー1から切り離せるのは大きい。レイヤー1はトラストレスでパーミッションレスなので、他のレイヤー1から「ブリッジ」し、トークンを他のブロックチェーンに移してしまうことも可能である。

---

i これも自動的に行われる。ブロックチェーンはトークン所持者に幅広い支配権を与える（あるいは与えない）ようにプログラミングすることが可能であり、新しいブロックチェーンを作った人はそのトークンを最初にどう配布するのかを決めることができる。ただし、どこかの会社が管理しているプライベートブロックチェーンは例外として、パブリックブロックチェーンは分散化されていてコミュニティが運営する形になっている。

トラストレスでパーミッションレスなブロックチェーンの対極にあるのが、アップルとそのiOSプラットフォームだ。だがそもそも、iOSは「オープンプラットフォーム」でもなければコミュニティ重視でもない。そういう意味で、両者を比べるのはずるいと言える。比べるべきはアンドロイドだろう。

アンドロイド物語

アンドロイドは、5000万ドル以上と言われる金額で2005年にグーグルが買収したOSで、グーグル好みのOSになるのだろうとの臆測が飛び交った。その懸念を解消するため、グーグルは、オープンソースであるリナックスOSのカーネルをベースに「オープンソースのモバイルオペレーティングシステム」を共同開発し、「オープンソースの技術と規格」を推進する、を目的に掲げ、2007年、オープン・ハンドセット・アライアンス（OHA）を創設する。

創設メンバーは34社で、チャイナモバイル、Tモバイルなどの通信大手、ニュアンス・コミュニケーションズ、イーベイなどのソフトウェアディベロッパー、ブロードコム、NVIDIAなどのコンポーネントメーカー、そして、LG、HTC、ソニー、モトローラ、サムスンなどの機器メーカーが名前を連ねている。加盟の条件にはアンドロイドの「フォーク」をしないこと（コードをコピーし、独自バージョンを開発しないこと）、また、フォークしているところを支援しないこと（アマゾンがファイアTVやファイアタブレットに採用しているファイアOSはアンドロイドのフォークである）を約さなければならない。

2008年にリリースされるとアンドロイドOSは急速に普及し、2012年には世界一の人気を誇るオペレーティングシステムとなった。だが、OHAとアンドロイドが掲げた「オープン」理念については雲行きが怪しくなる。2010年、グーグルが「ネクサス」なる製品をリリース。レファレンス機であり、「なにができるのかを業界に示すビーコンの役割を果たす」ものだという。[2] 続けてその1年後にはアンドロイド機器の大手メーカー、モトローラを買収。そして2012年には主要サービス（マップ、決済、通知、グーグルプレイストアなど）をオペレーティングシステムからソフトウェアレイヤーである「グーグルプレイ開発者サービス」に動かしてしまう。このスイートにアクセスするには、グーグルの「認証」に従わなければならない。この認証を受けていない機器がアンドロイドを名乗ることもグーグルは禁じた。

このように閉鎖的にしていった背景には、サムスンがアンドロイドで快進撃をしていたことがあると言われている。2012年、アンドロイドスマホの40％近く（しかもハイエンド機の大半）がサムスン製だった。2位ファーウェイの7倍以上だ。さらに、独自インターフェース（タッチウィズ）を売りにしたり、自社のアプリスイート（グーグルアプリと競合するものが多い）をプリインストールしたりと、通常バージョンにいろいろと手を入れるようにもなりつつあった。モバイルアプリストアさえ立ち上げている。

こういう投資をしたからアンドロイドメーカーとして成功できたわけだが、これは「フォーク」に近いとも言える。いずれにせよ、タッチウィズは事実上のOSとしてディベロッパーやユーザーとグーグルの関係を断つものだし、こちらが真の「レファレンス機」になってしまったのもまた事実である。

アンドロイドの物語は、メタバースの未来を考える際にも大事な話である。メタバースはアップルやグーグルといったいまのゲートキーパーを倒せるものだと言われているが、ロブロックスやエピックゲームズなどが新しいゲートキーパーになるだけなのではないかとの懸念もある。

たとえばテンセントのウィーチャットは現実世界の取引に対する手数料が安いが、アプリ内におけるダウンロードやバーチャルアイテムに対しては40～55%とアップルさえも大きく超える手数料を徴収している。デジタル決済やビデオゲームについてはアップル以上にしっかり掌握することに成功したからだ。ブロックチェーンにすれば不正がなくなると思い込んでいる人が多いが、ブロックチェーンは台帳について不正ができないだけである。

DApp

ブロックチェーンと異なり、いわゆる分散型アプリケーション、DAppは部分的にしか分散化されていないものが多い。また、立ち上げた人々がトークンの大半を持っていて(自分たちのDAppが成功すると信じているのでトークンを手放したがらない)、DAppを好きなように変えることもできたりする。だが成功するにはディベロッパーやネットワークコントリビューター、ユーザー、さらには資金提供者を集めなければならず、そのためには、ほかの人々や早い段階で使ってくれる人々にトークンの一部を売る、配るなどしなければならない。また、コミュニティに支持してもらうため「段階的分散化」を約束するものが多い。トラストレスなブロックチェーンと同じく、このあたりをプログラムそのものに書き込んでいるケースもある。

スタートアップのやり方に似ていると言えば言える。ディベロッパーにもユーザーにも気に入ってもらえなければ、アプリケーションもプラットフォームも存続できない。立ち上げ時期は特にそうだ。そして、時間がたてばクリエイター(創業者と社員)の持ち分が減っていく。最終的にパブリックとして統治を「分散化」し、許可を得るなどの手続きなしにだれでも出資できるようにすることもあるだろう。そして、このあたりがブロックチェーンと微妙に異なる部分である。

アプリケーションというのは、成功すればするほど支配力が強くなりがちだ。グーグルのアンドロイドもアップルのｉＯＳもそうだった。営利目的の技術事業はそうなるものだ、ユーザー、ディベロッパー、データ、収益などが増えれば、その力を使ってディベロッパーやユーザーを縛り付けようとすると言われている。インスタグラムからアカウントをエクスポートし、ほかに移すのが難しいのもそのせいだし、スケールアップしたり競争相手が登場したりするとアプリケーションのＡＰＩが非公開になることが多いのもそのせいだ。

たとえばフェイスブック。昔は、フェイスブックのアカウントをティンダーのプロフィールとして使うことができた。ティンダーとしては専用アカウントをきちんと作ってほしいが、ティンダーはマッチングアプリでずっと使うものでもないし、特にサービスを提供し始めたころには簡単に使えることのほうが大事だったりする。フェイスブックに上げた「いい写真」が使えれば、昔の写真を掘りおこさなくていいのもメリットだ。

フェイスブックはフェイスブックで、ソーシャルグラフをティンダーにつなげれば出会う候補になりそうな共通の友だちがいるか、それはだれかを知ることができてメリットがある。危ない人ではないことを確認したいという需要もあったりする。先入観なしに初デートをしたいと考え、共通の知人がいない相手を選ぶという人もいる。

このソーシャルグラフ機能はティンダーのユーザーに（同じくマッチングアプリであるバンブルのユーザーにも）人気だったのだが、２０１８年、その提供をフェイスブックがやめてしまう。自社のソーシャルグラフやネットワークを活用した出会い系アプリをフェイスブックが出す少し前の

ことだ。[ii]

ブロックチェーンは、基本的にそういうことが起きない構造になっている。DAppディベロッパーにとって価値のあるもの、つまりトークンはブロックチェーンが維持する形になっているし、ユーザーのデータ、アイデンティティ、ウォレット、アセット（写真など）はブロックチェーン上の記録を通じてユーザー自身が握っている。ブロックチェーンベースのインスタグラムというものができたとしたら、ユーザーの写真を保存する機能もなければ、アカウント管理の機能もいいねや友だちを管理する機能もないはずだ。[iii]

同じデータを利用する競合サービスを立ち上げ、マーケットリーダーに圧力をかけることも可能。だからといってアプリケーションがコモディティ化するわけではない。実際のインスタグラムも、技術的な造りがしっかりしていてパフォーマンスに優れているから競合サービスを退けているのだ。ただ、根本的な価値はユーザーのアカウントやソーシャルグラフ、データにあると考えがちだ。[iv]そしてその部分をアプリケーションから（つまりDAppから）取りあげることになるから、ディベロッパーにとってストーリーの展開が従来と異なるものになるというのが、ブロックチェーン支持者の見方なのだ。

これで、ブロックチェーンの動作や能力、考え方をざっと見たことになる。ただし、いまの技術では性能が悪すぎる（いまブロックチェーンベースのインスタグラムを作ったら、ほぼすべてをオフチェーンに保存しなければならないだろうし、写真1枚をロードするのに1秒から2秒もかかるだろう）。

そもそも、歴史をふり返ってみると、古いしきたりは破壊したが、結局、空手形に終わった技術や原理的にもっと行けるのに消えた技術が山のように存在する。ブロックチェーンがそうならない保証はあるのだろうか。

NFT

ブロックチェーンでなにができるのかを知るには、すでにできていることを見るのが一番いいだろう。2021年、ブロックチェーンにおける取引は全部で16兆ドルを超えた。ペイパル、ベンモ、

---

ii ティンダーの登録やログインにはいまもフェイスブックアカウントが利用できるし、フェイスブックのプロフィールからティンダーのプロフィールに写真を持っていくことはいまもできる。ソーシャルグラフへのアクセスは禁じたのにこの機能をいまだに提供していることには理由がある。右クリックして「名前を付けてリンク先を保存」を選べばフェイスブックにアップロードした写真をダウンロードできるわけで、いずれにせよ流用が簡単にできてしまうし、いいねの数を見ればどれがいい写真なのかもすぐわかってしまうからだ。また、いずれにせよティンダーを使うユーザーはいるはずで、それがだれなのか知らないより知っているほうがいい。少なくとも、フェイスブックのソーシャルグラフを使った出会い系サービスがあるよ、そちらを使ったほうがいいのではないかとそういうユーザーに提案することはできるわけで。

iii このようなデータは、すべて、必要に応じてサービスに公開される形になっていると言える。

iv いまのインターネットは「シン・プロトコル」と「ファット・アプリケーション」という構造であるのに対し、ブロックチェーンは逆に「シン・アプリケーション」をサポートする「ファット・プロトコル」だと言うベンチャーキャピタリストや技術者もいる。インターネット・プロトコル・スイート（TCP／IP）はすさまじい価値を持つが、幸いなことに営利を目的としておらず、ユーザーのアイデンティティを管理することもなければデータを保管することも、社会的なつながりを管理することもない。そのあたりの取り扱いは、TCP／IP上に作られたものが担当する。

ショッピファイ、ストライプというデジタル決済の巨人4社を合わせた額の5倍超である。VISAは世界最大の決済ネットワークであり時価総額で世界第12位なのだが、第4四半期には、そのVISAをイーサリアムが抜く事態も起きている。

権威があるわけでもなく管理会社を使っているわけでもなく、それどころか本社さえもない状態でこれが可能であるということ、自主独立のコントリビューター（匿名でどこのだれかわからないことさえある）によってここまでできてしまうというのは、驚きの一言である。

ベンモやペイパルといったピアツーピアのペイメントレールはきっちり管理されたネットワークでなければ使えないが、そういう制約なしで、山のような数のウォレットで決済が行われたというのも大きな驚きだ。さらに、ACHや電信送金と違い、いつでも決済できるし、ACHなどと違い、ほんの数秒からせいぜい数分しか時間もかからない。送る側も受け取る側も、取引の成否を確認できる（しかも追加費用なしで）。銀行口座などなくても決済できるし、ブロックチェーンそのものやそのプロセッサー、ウォレットのプロバイダーがどこかの会社と長期契約を結ぶ必要もなければ、それこそそういう契約の交渉さえする必要がない。詳しくはこのあと説明するが、ブロックチェーンのウォレットは自動引き落としやクレジット、払い戻しなどの機能もプログラミングすることができる。

取引の大半は支払いなどではなく仮想通貨への投資やその売買だったりするのだが、そちらも暗号をベースとした動きの産物だったりする。一番シンプルなプロダクトはNFTコレクションだろう。イラストといったアイテムの所有権を「ミンティング」というやり方でブロックチェーン上に置き、その権利を仮想通貨取引と同じように管理するのだ。違うのは権利が「非代替性トークン」という形になっていること、一つひとつに違いがなくどれも同じに使えるビットコインや米ドルなど異なり、唯一無二のトークンであることだ。

こうすれば本当に「所有」していると感じられるのでバーチャルなものの価値が大きくなるとブロックチェーン推進派は言う。「占有しているほうが9割がた勝ち」などと言われるわけで[3]、集中型サーバーモデルの場合、バーチャルなものの所有権をユーザーが真に得ることは不可能と言わざるを得ない。

本当は、どこかのだれかが持つ財（要するにサーバー）にデジタル記録という形で置かれたモノにアクセスできるだけのことなのだ。サーバーから手元のハードドライブにダウンロードしたとしても、それで万事解決とはならない。なぜか。データとその利用を世界が認めてくれなければだめだからだ。ブロックチェーンは、必ずそうなるように作られている。

所有の感覚を支えるものがもうひとつある。転売の自由だ。

どこかのゲームでNFTを買うとしよう。ブロックチェーンならトラストレスでパーミッションレスなので、ゲームのメーカーといえども、そのNFTの転売を止めることはできない。転売された通知を自動的に受け取ることもできない（公開台帳に記録はされるが）。同様に、ブロックチェーンベースのアセットをディベロッパーが自分の仮想世界に「ロック」することもできない。あるNFTがゲームAで売られていたら、買った人が望みさえすればゲームBもゲームCもゲームDも受け入れざるを得ない。所有データもパーミッションレスであり、トークンをどうするかは所有者が好きに決められるからだ。トークン型なら、また、コピーが作られた場合もオリジナルはオリジナルだとはっきりわかり、署名と日付が入った絵画などと同じく唯一の存在になる。

2021年、さまざまなカテゴリーのNFTに対して総額450億ドルほどが使われた[4]。主なものをいくつか紹介しよう。まずはダッパーラボのNBAトップショット。2020〜2021年シーズン、2021~2022年シーズンの名プレー各種がトレーディングカードのようなNFTになっていて、それを集めるゲームだ。次にラーバラボのクリプトパンク。こちらはアルゴリズムで生み出された24ピクセル四方の2Dアバター1万点で、プロフィールに使われることが多い。アクシーズはブロックチェーンベースのポケモンという感じで、集める、育てる、交換する、戦わせるなどができる。バーチャル競馬、『ゼッドラン』で使える3Dの競走馬もある。ボアード・エイプはプロフィール絵のNFTシリーズだが、ボアード・エイプ・ヨット・クラブのメンバーカードとしても使われる。

450億ドルというのはバーチャルな目の玉が飛び出るほどの金額だが、同じ2021年、従来型データベースが管理するビデオゲームコンテンツに対して使われた1000億ドル近い金額とどう比べればいいのか、まだだれにもわかっていない。クリプトパンク1枚を100ドルで買った人が200ドルで転売すれば300ドルが「使われた」ことになるが、ネットで考えると200ドルしか使われていないことになる。対して従来型のバーチャルグッズは一度売られたらそれでおしまいであり、転売もトレードもできない。支払いはすべて「ネット」なのだ。

だから、2022年、従来型ゲームアセットにはまた1000億ドルが使われるかもしれないが、NFT側は総額が倍増しても、本当のところ増えたのは100億ドルにすぎないかもしれないわけだ。NFTがゲーム業界の売上の半分を占めるようになったなどと言う人もいるが、それは10倍も誇張した表現だと言える。比べるべきは、おそらく、従来型バーチャルアセットの売上とNFTの市場価値なのだろう。2021年末現在のフロア時価総額はNFTコレクションのトップ100で200億ドルほどと言われている。つまり取引額の半分くらいなのだが、それでも従来型ゲーム市場の4分の1規模に達していることになる。ただしこのやり方にも問題がある。「フロア時価総額」

では、コレクションについて、属するNFTの価格はすべてコレクションの最低価格に等しいと仮定する。どのコレクションが成長しているのかといった比較にはいいかもしれないが、市場価値の推測には不向きなのだ。

NFTの価値そのものが投機的である、すなわち、あくまで利ざや狙いであって、『フォートナイト』のスキンなどと違って実需ではないという見方もある。その場合、比較のしようがない。とは言いながら、世界の美術品市場で2021年に行われた取引、総額501億ドルに実需がまるでないとは考えられない（もちろん投機的側面もある）。両者がよく似ていることも、NFT市場の大きさを考える上で役立つだろう。NFTは転売できるからこそ大きな価値を持つという考え方もある。さらには、他のプレイヤーやゲームにNFTを貸し出し、利用に対する「レンタル代」や生成する収益による「利回り」をプログラムによって自動的に受け取るといったこともできるのだ。

NFTに対する支出とビデオゲームのアイテムやコンテンツに対する支出とをそもそも比べるべきなのか、比べるとしたらどう比べるべきなのかとは別の話として、両者の成長率が大きく異なっているのは事実だし、また、今後とも当分は大きく異なるであろうこともまずまちがいないだろう。

NFTの取引額は2019年から2020年で5倍以上、また、2020年の3億5000万ドルから5億ドルに対して2021年は90倍以上に伸びている。対して従来型バーチャルアイテムの販売額は15％前後の年平均成長率にとどまっている。対応しているビデオゲームがまだほとんどなく、NFTの利用は大きく制限されているし、コンソールプラットフォームもモバイルアプリストアもブロックチェーンベースのゲームを基本的に取り扱っておらず、NFT対応のゲームはウェブブラウザに頼らざるをえず、その結果、グラフィックスもゲームプレイもお粗末なものになっているというのに、だ。

ＮＦＴの成功例が「収集」に偏っていて「プレイ」が少ないのも同じことが理由だ。人気のゲームもメディアも、ブランドも、企業もほとんどがＮＦＴを発行していないのも、さらには、インゲームの購入なら毎年何十億人もの人がしているのに、ＮＦＴを買ったことがある人はせいぜい数百万人と言われるのも同じ理由からだ。今後ＮＦＴの機能が上がり、売買に参加するブランドやユーザーの数が増えれば、その価値は上がっていくはずだ。成長に大きな余地があることはまちがいない。

一番のポイントは相互運用性かもしれない。ブロックチェーンのＮＦＴは本質的に相互運用可能だとブロックチェーンかいわいでは言われがちだが、そんなことはない。すでに紹介したように、バーチャルなモノを使うには、そのデータにも、データを解釈するコードにもアクセスできなければならない。

だがいま、ブロックチェーンにもゲームにもそういうコードは組み込まれていない。それどころか、いまのＮＦＴはバーチャルなモノに対する権利をブロックチェーンに載せるだけで、モノのデータは集中型サーバーに保存されている形が基本だ。つまり集中型サーバーの許可がなければ、ＮＦＴの所有者であれどデータをほかにエクスポートすることはできない。同じ理由から、ＮＦＴ発行を含めブロックチェーンベースの体験で真に分散化されているものはまだないに等しい。ＮＦＴに対する権利の剥奪（はくだつ）はディベロッパーにもできないかもしれないが、それを使うコードを書き換えたり、ユーザーのインゲームアカウントを抹消したりはできてしまうのだ。

このように「分散化」アセットが「集中型」の仕組みに頼っていることには大きな意味がふたつある。ひとつはＮＦＴが使い物にならないということ。詐欺や投機、誤解の温床になってしまうのだ。実際に２０２１年はそんな感じだったし、それが変わることは当分ないだろう。もうひとつは、この技術はまだまだ発展の余地が大きくあり、ブロックチェーンベースのゲームやプロダクトを使ったりそういうものにアクセスしたりが増えればどんどん発展していくだろうという点だ。

後者は、メタバースにとってブロックチェーンがいかに重要であるのかを示しているとも言える。ブロックチェーンは共通・独立の仕組みでバーチャル物品を登録・証明するだけでなく、そういうものの相互運用性に対する大きな障害、すなわち収益の取りこぼしを解消する技術になりうるのだ。

プレイヤーなら、アセットや権利はあちこちのゲームに共通で使えたほうがいいと考えるのが当たり前だ。だがゲームディベロッパーは、自分たちのゲームでしか使えないグッズをプレイヤーに売ることで収益の大半を得ている。だから、「ほかで買ってここで使う」を許すとビジネスモデルが危うくなってしまう。いいかげんたくさん買ったからもういいやと思うプレイヤーも出るだろう。ゲームAでスキンを買ってはゲームBで使うという人が増え、コストと収益の発生場所がずれてしまう事態も考えられる。バーチャルグッズの販売に特化した業者が出てくることはまちがいないだろう。ゲームの開発コストも運用コストも負担しなくてすむなら、安く売っても儲けられるからだ。

アイテムのやりとりや利用を自由にすると、自分たちの懐に入らない形で大きな価値を生むかもしれないと心配し、二の足を踏むディベロッパーも少なくない。ディベロッパーAがスキンAを用意したが肝心のゲームAではほとんど使ってもらえず、息が長いディベロッパーBのゲームで人気が出て大きな価値を生むといったことも考えられる。ディベロッパーAにとっては、商売敵の武器となるコンテンツを作ったに等しい事態だ。だれもが憧(あこが)れ、高いお金を出してでも欲しいと思うコンテンツになり、転売したプレイヤーのほうが元々作ったディベロッパーAより儲かるというケースも考えられる（しかも、値上がり分の利益はディベロッパーAの懐に入らなかったりする）。

売買取引というのはなにかとやっかいで、全体としては経済に大きなプラスをもたらすものであっても負け組が出てしまう。だが、現実世界と同じように、さまざまな税を組み合わせて相互運用性を推進することもできるはずだ。実際、NFTの多くは、転売など売買のたび、クリエイターにいくばくかが自動的に支払われるようプログラムされている。ほかのところに持ち込む、それを使うなどされたら料金を徴収するようにもできるだろう。

現実世界ではなんでも使えば傷むのが当たり前であり、それと同じように少しずつ価値が落ちるようにプログラミングすればくり返し買ってもらえるようになるという意見もある。こういう仕組みやインセンティブがすべて「完璧」でなければ収益の取りこぼしをなくすことはできず、ブロックチェーンのプログラミングだけでどうこうできる話ではない。というか、現実世界のグローバリゼーションを見ればそれが不可能であることは明らかだ。だが、トラストレスでパーミッションレスかつ自動補償のブロックチェーンなら、仮想世界の相互運用性を高めることができるだろう。

ブロックチェーンのゲーム

長期的にNFTがどうなるのかとはまた別に、ブロックチェーンベースの仮想世界とコミュニティにはいろいろと興味深い特質がある。DAPPが仮想通貨のようなトークンをそのネットワークやユーザーに発行できることはすでに紹介したとおりだ。ビットコインやイーサリアムの取引処理ではコンピューティング資源を使わせてもらう対価として発行するわけだが、DAPPは違う。貢献に費やした時間、新規ユーザーの紹介（顧客獲得）、データの入力、知的財産権、資本（金）、帯域、望ましい言動（コミュニティスコアなど）、取りまとめなどでもかまわない。管理権を付与することもできるし、もちろん、プロジェクトが成功すればトークンの価値が上がる可能性もある。大好きなゲームが儲かったときその分け前にあずかれるようにと、ユーザー（つまりプレイヤー）が買えるようにしているケースも多い。

こうすれば投資家から資金を調達する必要は減るし、コミュニティとの関係は深まるし、エンゲージメントも大きく高めることができるとディベロッパーは考える。『フォートナイト』でもインスタグラムでも、その管理に手を貸したり、そこから利益が得られたりするなら、単に好きだからという以上に時間もお金も投入するのが道理だろう。

そしていま、『ファームビル』で儲けたいからでも『ファームビル』を所有したいからでもなければ、自分の農場を持ちたいからでもなく、何百万人もの人が何十億時間も費やして『ファームビル』で畑を耕し、作物を作っている。

もちろん、ブロックチェーンでなければならない技術的な理由は必ずしもないのだが、ブロックチェーンならトラストレスでパーミッションレスだし余計な手間暇がいっさいかからないので、立ち上げもうまくいく可能性が高いし人気にもなりやすいだろうし、ここが大事なのだが、生きながらえる可能性も高くなるだろう。最後については、参加意欲や自分のものだという感覚が強くなる以外に、ブロックチェーンならユーザーの信頼をアプリケーションが裏切りにくくなる、いやそれどころか、信頼を勝ち取る方向に進まざるをえなくなるというのもある。

ブロックチェーンでＤＡｐｐとユーザーの関係がどうなるのかは、ユニスワップとスシスワップの争いを見るとわかるだろう。ユニスワップは中央集権型取引所でトークンを交換できる自動マーケットメーカーを採用し、早くに人気を獲得したイーサリアムＤＡｐｐだ。そして、基本的にオープンなユニスワップのコードからフォークする形で立ち上げられたのがスシスワップである。スシスワップではユーザーにトークンが与えられる。ユニスワップと同じことができるし、そうするだけでスシスワップの持ち分が得られるわけだ。

これに対抗するため、ユニスワップもトークンを提供することになった——過去にさかのぼって、だ。DAppでは、こういったユーザーを利する「軍拡競争」がよく起きる。機能性を高めたものの登場を妨げる障壁がないに等しいし、顧客のアイデンティティやデータ、デジタル財産など、デジタル時代に価値を持つデータの大半がDAppではなくブロックチェーン側に置かれているからだ。

DAppやアカウントサービスのほか、ブロックチェーンは、コンピュート系ゲームのインフラにも使うことができる。コンピューティング資源の需要は高まる一方であること、また、世界にはCPUやGPUが数え切れないほどあってその大半が遊んでいる、それを活用しないかぎりメタバースは実現できないという見方を第6章で紹介した。

ブロックチェーンならここをなんとかできる可能性があるし、実際、成功しつつある例もある。そのひとつオトイはイーサリアムベースのRNDRネットワークとトークンが用意されていて、アマゾンやグーグルなどお高いクラウドプロバイダーではなく、RNDRネットワークの遊休コンピューターにタスクを振ってGPUパワーを得ることができる。契約の交渉も締結もRNDRのプロトコルが秒単位ですませてくれるし、売り手・買い手どちらも相手がだれなのかやどういうタスクなのか知ることもない。支払いはRNDRの仮想通貨トークンで行われる。

「仮想通貨を活用し、IoT（モノのインターネット）対応機器を無線でつないだ分散化ネットワーク」とニューヨークタイムズ紙が報じたヘリウムもいい例だろう。[5] ヘリウムでは、500ドルのホットスポット機器を設置し、自宅のインターネット回線を安全な形で開放してもらう。通信速度は家庭用Wi-Fiの200倍と高速だ。開放された回線はだれでも使えるので、ふつうの人がフェイスブックにアクセスするのにも使えるし、駐車料金の精算やクレジットカードによる決済など事業者がインフラとして使うこともできる。大手ユーザーの運送会社ライムでは、モバイルネットワークのデッドゾーンを通ることも多いバイクやスクーター、モペット、トラックなど10万台以上の追跡に使っているという。[6] ホットスポットを設置してくれたところには、利用量に応じたトークンが支払われる。

ヘリウムのネットワークは、2022年3月5日現在、165カ国5万都市近くに62万5000カ所以上のホットスポットを擁していて、1年ほど前の2万5000カ所以下から大きく伸びている。[7] トークンの総額も50億ドルを超えている。[8]

注目すべきは、2013年に創業したが従来の（つまり報酬を払わない）ピアツーピア型のサービスでは利用者をあまり獲得できず、仮想通貨でコントリビューターに直接報酬を払うように転換したら人気を博した点だろう。長期的にどうなるのかや、どこまでのことができるのかは、今後の展開を待たないとわからない。インターネット・サービス・プロバイダー（ISP）はほとんどが回線の開放を禁じている。開放で対価を得ずデータ量も少なければ契約違反に目をつぶってくれることが多いが、ヘリウムのようなやり方についてもそうしてくれるかどうかはわからない。いずれにせよ、ヘリウムが分散型報酬システムの可能性を示したことにまちがいはないし、ISP各社との交渉も進んでいるという。

生まれて間もないクリプトゲームが2021年に大ブームとなったこと、またそのプレイヤーひとり当たりの収益がすさまじかったことを受け、クリプトゲームも開発が一気に加速した。ゲーム業界で有名な投資家から聞いたところによると、優秀なゲームディベロッパーは、世界有数のゲームスタジオになっている一部を除きどこもブロックチェーンゲームの開発に突きすすんでいるという。ベンチャー資金も、40億ドル以上がブロックチェーンベースのゲームやゲーミングプラットフォームに流れ込んでいる[9]（ブロックチェーン関連の企業やプロジェクトに対するベンチャー資金は全部で300億ドルほどだ。なお、これ以外に1000億ドルから2000億ドルの資金が調達された、あるいは投資するつもりで用意されているとの観測もある）[10]。

人材や資金がなだれ込み、さまざまな実験が行われるようになれば、クリプトウォレットを持つ人やブロックチェーンゲームを遊ぶ人も増えるしNFTを買う人も増える。その結果、ブロックチェーンプロダクト各種の価値や実用性が高まり、それを目当てにディベロッパーが集まり、それがまたユーザーを増やし、と良循環が生まれる。

いまはマインコインやVバックス、ロバックスなどの独自通貨が乱立しているが、そのうち、無数のゲームからなる経済圏を一握りの交換可能な仮想通貨が動かす未来が来るのだろう。そのとき、バーチャルグッズは、少なくとも部分的には相互運用性を持つようになるはずだ。

普及がさらに進めば、アクティビジョン・ブリザード、ユービーアイソフト、エレクトロニック・アーツなどブロックチェーン登場前に大成功したゲームディベロッパーも、その経済性は魅力的である、これなしに競争力は保てないと考えるだろう。そうなったら、バルブやエピックゲームズなどプラットフォームの商売敵ではなく、ゲームコミュニティが持つシステムに自分たちの経済とアカウントシステムを開けばいいわけで、移行はそれほど難しくないものと思われる。

分散型自律組織

デジタルネイティブの「プログラマブル」ペイメントトレール一番の破壊力は、自主的なコラボレーションがやりやすくなる点とプロジェクトが資金を簡単に調達できるようになる点にある。ここまで議論してきた内容と違う側面というわけではないのだが、もっと幅広い文脈で理解すべきものではあろう。

そこに向けて、まずは自動販売機から話を始めたい。自動販売機の登場は2000年から昔の西暦50年ごろと意外に古く、最初はコインを入れると聖水が出てくるものだった。それが1800年代末には、水だけでなく、銃やタバコ、郵便切手などさまざまなモノが売られるようになった。店主もいなければ弁護士もいない。支払いが正しいかどうか確かめられることもない。それでも「こうしたいならこう」をルールに問題なく使われていた。そのシステムをみんなが信頼していたからだ。

ブロックチェーンはバーチャルな自動販売機のようなものだ。ただし、はるかに賢い。コンピューターを個別に追跡し、それぞれに評価することができる。

現実世界の自動販売機でキャンディーバーを買うことを考えてみよう。キャンディーバーは1ドルだが75セントしか持っていなかったので、しかたなく、通りすがりの人に25セント出してくれと頼んだとする。すると、出してもいいが、お金を出した分の4分の1ではなく半分くれることが条件だと言われたりするだろう。ブロックチェーン自動販売機なら、そういう条件でスマートコントラクトを用意し、それぞれからお金を受け取ったら、自動的に（かつズルすることなく）それぞれの取り分（半分半分）をそれぞれに渡してくれる。同時に、キャンディーバーの販売に関わった人々にも自動的に支払いが行われたりする。自動販売機にキャンディーバーを入れた人に5セント、自動販売機の所有者に7セント、作った人に2セントといった具合だ。

こういうスマートコントラクトは数分もあれば用意できるし、どのような目的のものもたいがい用意できる。簡略で1回かぎりの契約もあれば、膨大で恒久的な契約もありうる。たとえば、研究者やジャーナリストがスマートコントラクトで研究や調査、記事などに必要な資金を調達するといったことも考えられる。将来的な売上を担保に前金をもらう感じだ。

いままでと違うのは、前金を払うのがどこぞの会社ではなく、コミュニティである点だ。そして、仕事が完成したらブロックチェーン化するなり暗号ベースのペイウォールで囲うなりして販売する。このとき収益の一部が出資者に還元される。別のパターンとしては、トークンを買った人にだけ提供する雑誌の発行資金をトークンで調達するといったことも考えられる。記事のヒントをくれたり執筆を手伝ってくれた人に対し、自動的に報酬が支払われるスマートコントラクトを用意する記者もいるだろう。そういうことがクレジットカード番号もなく、電子決済なら必要なあれこれを記入することもなく、インボイスもなく、それこそ時間さえそれほどかけることなくできてしまう。必要なのは仮想通貨が入ったクリプトウォレットだけだ。

スマートコントラクトは有限責任会社（LLC）や非営利組織（NPO）のメタバース時代バージョンだと表現する人もいる。スマートコントラクトなら書き上げた瞬間に資金が得られる。関係者が署名する必要もないし、信用調査もいらないし、支払いの確認も銀行口座情報もいらない。弁護士を雇う必要もなければ、契約する相手のアイデンティティを知る必要さえない。しかもスマートコントラクトなら、所有権の移転や定款変更に対する投票結果の算出、各所への支払いなど、ほとんどの管理業務を継続的かつ「トラストレス」に行える。こういう組織を「分散型自律組織（DAO）」と呼ぶ。

高価なNFTを一番買っているのは個人ではなく、実は、本名を隠したクリプトユーザーが何十人、場合によっては何百人も集まったDAOだったりする（ひとりで買えるようなものではないのだ）。トークンを使えば、このNFTをいつ売るのか、最低価格はいくらにするのか、DAOの総意として決めることができるし、収益の分配も正しく管理できる。

コンスティテューションDAOなど、そのいい例だろう。13冊しか残っていない米国憲法初版本の1冊が11月18日にサザビーのオークションにかけられるので、それを買うため2021年11月11日に結成されたDAOである。準備もあまりできなかったし、銀行口座を開設することもしなかったというのに、落札予想価格の1500万〜2000万ドルを大きく上回る4700万ドル以上を集めることに成功。ヘッジファンドのマネージャーでビリオネアのケン・グリフィンに競り負けてはしまったが、「コンスティテューションDAOはDAOの力を示した……なにかを買う、会社を作る、資源を共有する、非営利組織を運営するなどのやり方を変える力をDAOは秘めている」とブルームバーグは報じている。[11]

同時に、イーサリアムブロックチェーンが抱える問題も浮き彫りになった。調達資金の取引を処理するだけで100万ドルから120万ドルもの手数料がかかったと言われている。総額に対しては2・1%で従来型ペイメントレールでもそのくらいはかかるわけだが、217ドルと言われる平均的な貢献額に対しては50ドル近い「ガス代」がかかった計算になる。さらに、イーサリアムブロックチェーンでは取引の逆転や払い戻しも手数料が免除されないので、オークション後に払い戻しの手続きを取った人には手数料が往復ビンタでかかっている。また、残った資金より回収手数料が高額だからとDAOに残された資金も多い(原因はスマートコントラクトがいい加減だったからだし、ほかのブロックチェーンを使う、レイヤー2のソリューションを使うなどすれば問題の大半は回避できたはずだ)。

このときは従来型金融が分散型金融コミュニティに勝ったわけだが、DAOは大型金融の世界でもすでに使われている。たとえばコモレビコレクティブ。「暗号分野で創業する非凡な女性やノンバイナリー」に投資することを目的としていて、有力なベンチャーキャピタリスト、技術系企業の幹部、ジャーナリスト、人権問題の運動家が多数参画している。

また、2021年の初めにDAOが合法化されたワイオミング州では、同年末、アウトドア好きが5000人ほども集まり、DAOでイエローストーン国立公園近くの土地、1600平方キロメートルを購入している。このシティDAOはディスコードが中心だがリーダーはとくに決まっておらず（イーサリアム創業者のひとり、ビタリック・ブテリンも参画している）、基本的にすべてが投票で決められるし、メンバーシップトークンは自由に売買していいことになっている。フィナンシャル・タイムズ紙によると、「DAOを認めるというワイオミング州の決断がデジタルアセットとクリプト、物理世界をつないでくれることを期待している」と表看板的な役割をいつも果たしているメンバーは語ったという。[12] 念のため申し添えておくと、ワイオミングは、米国全土に広がる19年前の1977年、LLCを最初に認め、関連法案を成立させた州でもある。

トークンを買うと、ディスコードに用意された非公開のチャンネルやイベント、情報などにアクセスできるDAOベースの会員制クラブとでもいうべきものもある。フレンズ・ウィズ・ベネフィット（FWB）だ。このやり方ではトークンなど大昔からある高級クラブの「会費」と同じだ、「クリプト」ブームに乗っているだけだとの批判もあるが、そう考えてしまうとトークン制が秘める力を見逃してしまうだろう。FWBに年会費はない。その代わり、参加資格を得るには一定数のFWBトークンを買わなければならないし、会員であり続けるにはそれを保持しなければならない。逆にトークンを売れば、いつでも好きなときに抜けられる。

言い換えると、会員は全員がFWBの所有者なのだ。つまり会員には、頭を絞り、時間などを費やしてクラブをよくするインセンティブが働く。クラブが盛況になればなるほど、入りたいと思う人が増えれば増えるほどトークンの価値が上がるからだ。そうやってトークンの価値が上がればスパマーがまぎれ込みにくくなるのもこのやり方のメリットだ。オンラインのソーシャルプラットフォームは、ふつう、人気が上がるとトロールが増えるのだから。クラブ側に対しても、改善の圧力がかかる。1000ドルだったトークンが4倍に値上がりしたら、クラブには、その会員を維持したいというインセンティブが働くのだ。その人が退会するということはトークンを売るということであり、それはトークンの市場価値を下げる行為だからだ。なお、ソーシャルDAOでは貢献に対してトークンを発行したり、ぜひ参加してほしいとメンバーが思うのに金銭的な理由で参加できない人にもトークンを発行したりできるスマートコントラクトになっていることが多い。

FWBとNFTアートのクリプトパンクスを足して2で割ったようなナウンズDAOというものもある。ナウンズDAOでは、毎日、かわいいピクセル画アバターのNFT、ナウンが登場し、オークションにかけられる。この収益がDAOの資金としてプールされ、ナウンの価値を高めるために使われる。NFT所有者が投票で選んだプロポーザルに出資するのだ。プロポーザルは、NFT所有者ならだれでも提出できる。管理委員がどんどん増えていく投資信託のようなものだと考えればいいだろう。

オンラインの大きなソーシャルネットワークではしつこいハラスメントや暴言の類いが問題になるが、ソーシャルDAOとトークンがその対策になりうるという見方もある。よくないツイートを報告したらトークンがもらえる、報告のあったツイートを改めて精査するともっとたくさんトークンがもらえる、規約に違反したらトークンを失う——ツイッターにこういう仕組みを導入したらどうなるだろうか。

いまツイッターで多少なりとも稼ぎたいなら投げ銭機能のチップかアフィリエイトリンクくらい

しかないが、イベントに人を集めたスーパーユーザーやインフルエンサーにトークンを与えるといった方法も考えられるだろう。ちなみに、2021年末現在、キックスターターやレディット、ディスコードがブロックチェーンベースのトークンを利用する形にしていく計画を発表している。

ブロックチェーンの障害

いまは、ブロックチェーン革命をはばむ障害がいろいろとある。一番大きいのは、動作が遅く、費用がかさむことだろう。だから、「ブロックチェーンゲーム」も「ブロックチェーン体験」も、いまはほとんどが非ブロックチェーンのデータベースで動いている。つまり、本当の意味では分散型になっていない。

大規模なリアルタイムレンダリングで3Dの仮想世界を実現するには膨大な計算をしなければならないし超低レイテンシーも必要だ。そういう体験を完全に分散処理とするなど無理なのではないか、まして「メタバース」の実現など夢なのではないかとの意見もある。処理能力は足りないし、光の速度が問題というところまですでに来ている状態で、同じ「作業」を数え切れない回数行い、世界を覆うネットワーク全体が合意するまで待つことに意味などあるのかと言ってもいい。仮にできたとして、エネルギー消費が多すぎて地球が融けてしまうのではないかとの懸念もある。

そんなことになるはずないだろうと思うかもしれないが、このあたりは専門家によって意見が異なる。技術的な問題は時間が解決してくれるとの見方が多い。イーサリアムを例に取ると、参加者の作業が少なくなるように（かつ、こちらが特に大事なのだが、ダブリが少なくなるように）、検証プロセスの見直しが続けられていて、すでに、1取引あたりの消費エネルギーがビットコインの10

分の1以下というレベルまで来ている。イーサリアムの欠点を補うレイヤー2やサイドチェーンも増えているし、ソラナなど、プログラミングの柔軟性は同等でパフォーマンスが高いレイヤー1も新たに生まれている。ソラナファウンデーションによると、取引1回の消費エネルギーはグーグル検索2回分にすぎないそうだ。

DAOやスマートコントラクトを法的に認めている国や地域がほとんどないのも問題だ。この状況は少しずつ改善しているが、法的に認められさえすれば万事解決という話でもない。「ブロックチェーンはウソをつかない」とか「ブロックチェーンはウソをつけない」などとよく言われるし、それはそうかもしれないが、でも、ユーザーはブロックチェーンにウソをつくことができる。

たとえば、あるミュージシャンが自分の音楽の使用料をトークン化し、支払いはすべてスマートコントラクトに任せたとしよう。問題は、使用料の徴収が「オンチェーン」でできないこと。実際には音楽レーベルがミュージシャンの集中型データベースに電信送金し、ミュージシャンが適切な額を適切なウォレットに入れるといった作業が必要になったりするのだ。また、いま流通しているNFTは、その元になった作品を使う権利を持たない人が作ったものも少なくない。つまり、契約さえ結べば悪行がなくなるわけではないように、ブロックチェーンならすべてがトラストレスになるわけではないのだ。

アプリストアの問題もある。ブロックチェーンのゲームも取引も、アップルやグーグルが認めてくれなければどうにもならない件だ。これも大丈夫だとブロックチェーンの急進派は言う。ゲームメーカーやゲーム業界の慣行には認めさせるだけの力がないかもしれないが、全体で驚くほどの経済力を持つブロックチェーンなら世界で一、二を争う企業でさえ膝を屈することになるというのだ。

ブロックチェーンとメタバースについてどう考えればいいのか

ブロックチェーンはどうとらえればいいのか。メタバースとの絡みでも社会という大きな枠組みにおいても、5通りがあると思う。

まずひとつめ。無駄な技術であり、詐欺や流行の域を出ない。注目されているのはメリットがあるからではなく、臆測がひとり歩きしているからだ。そういうとらえ方があるだろう。

ふたつめは、ブロックチェーンはデータベース、契約、コンピューティング構造などあらゆる面においてとは言わないまでも、かなりの面で劣る技術だが、それでもなお、ユーザーやディベロッパーの権利、仮想世界の相互運用性、オープンソースソフトウェアに携わる人々に対する報酬支払いなどの面で文化を変えることになるだろうというもの。このような変化はいずれにせよ起きるものなのかもしれないが、ブロックチェーンなら民主的なやり方で短期間に変わる可能性がある。

三つめは、データの記録やコンピューティング、決済、有限責任会社、非営利団体などの主流にはならないが、さまざまな体験やアプリケーション、ビジネスモデルにとって重要なものになるというもの。前2者に比べればこのほうが望ましい。NVIDIAのジェンスン・フアンも、「ブロックチェーンはこれから当分のあいだ、コンピューティングを支える新しい形になるだろう」と予想しているし、[13] 世界的な決済大手、VISAも仮想通貨による決済の部門を立ち上げ、ウェブページには「クリプトは普及も投資もすさまじいレベルになってきており、企業にとっても政府にとっても消費者にとっても、今後、可能性が大きく広がるものと思われます」と書いている。[14] 第8章で紹介したように、エピックゲームズの『フォートナイト』で購入したアバターをアクティビジョンの

『コール オブ デューティ』で使いたいなど、ある仮想世界の独自アセットを別の仮想世界と「共有」するにはさまざまな問題をクリアしなければならない。

　使わないとき、そのアセットの保管場所はエピックゲームズのサーバーなのかアクティビジョンのサーバーなのか、両方なのか、それともまったく違うどこかなのか。保管料はどういう形で支払うのか。アイテムに改造が加えられたり売却されたりするのだとしたら、その権利はどこが管理・記録するのか。仮想世界の数が何百とかそれこそ何十億とかに増えていくとき、どう対処するのか。こういう問題の一部だけでもそれなりに解消できるのであれば、ブロックチェーンはバーチャルな文化、商業、権利などに革命を起こすことができるだろう。

　四つめのとらえ方は、未来を左右する技術であるのは当然として、さらに、プラットフォームというまのパラダイムを覆す鍵だとみなすものだ。クローズドなプラットフォームのほうが勝ち組になりやすいし、そこにはちゃんと理由がある。何十年も前からコミュニティが推進するフリーでオープンソースの技術はあるし、そういう技術はディベロッパーにとってもユーザーにとっても公平だしみんなに利益をもたらすとうたわれていることが多い。であるのに、どこぞの会社が提供する有償でクローズドな技術に負けてしまう。企業ならサービスやツール、人材、顧客獲得（ハードウェアをコスト割れで販売するなど）、独自コンテンツなどにたっぷりと資金を投入できる。この投資がユーザーを呼び込み、その結果、ディベロッパーが儲けられる市場が生まれたりするし、投資がディベロッパーを呼び込み、それがユーザーを呼び込み、それがまたディベロッパーを、と循環したりする。そして、どんどん積み上がっていく利益と影響力を盾にディベロッパーやユーザーを囲い込み、ライバルを蹴落としていく。

　ブロックチェーンはこの構図をどう変えるのか。資金からインフラ、時間など、さまざまな資源を大量に束ねられるメカニズムを提供する、しかも、世界有数の企業に対抗できるスケールで束ねられるメカニズムだ。兆ドル規模のチャンスを追う兆ドル規模の大企業に対抗できるのは、何十億人もが総額何兆ドルも資金を提供するしかないのではないかと言ってもいいだろう。

オープンソースのプロジェクトでようたわれている利他主義とか共感とかに頼らずとも、ブロックチェーンは、その成功やその運営に貢献すれば報酬が得られる仕組みになっている。また、ブロックチェーンベースの体験は、少なくともいまのところ、クローズドなゲーミングプラットフォームよりディベロッパーの利益が大きくなると見ていいようだ。従来型のデータベースやシステムを構築した者はユーザーやディベロッパーに対して強い影響力を持つが、ブロックチェーンのプラットフォームではそのリーダーや企業が強い影響力を持つことはない。つまり、ユーザーのアイデンティティ、データ、決済手段、コンテンツ、サービスなどを無理やりバンドルしたりはできない。これも大事なポイントだ。

グーグルが非公式な社是にしたことでも知られているようにウェブ2・0では「邪悪になるな」がうたわれていたが、（ブロックチェーンベースの）ウェブ3は「邪悪になれない」というのが、アンドリーセン・ホロウィッツでクリプト関連の投資をしているベンチャーキャピタリスト、クリス・ディクソンなどの見方である。

ただし、全データが「オンチェーン」になるとは考えにくい。つまり、完全に「分散化」されるものはほとんどなく、ほとんどのものは実質的に集中型のままとなる、少なくともどこかがかなり強い管理権限を持ったままになるだろう。

データのほかに独自コードや知的財産もそういう力の源泉になりうるという問題もある。たとえばユニスワップのコードは基本的にオープンソースなので簡単にコピーできるわけだが、ブロックチェーンベースの『コール オブデューティ』ならコードがコピーできるからといって、そうしていいことにはならないわけだ。ディズニーがブロックチェーンゲームを出し、ディズニー系NFTに関する権利をユーザーに与えたとしても、他社がディズニーの知的財産を使ってディズニーゲームを作っていいことにはならない。子どもがお風呂でダース・ベイダーやミッキーマウスの人形を使い、お話を作るのはなにも問題ないが、ハズブロがそういうフィギュアを仕入れ、ディズニーランドボードゲームにして売ることはできない。そういう話である。

習慣による「囲い込み」もある。だから、グーグルよりビングのほうが検索の精度が高く、広告も少ないかもしれなくても、ビングを使ってみる人はほとんどいない。違いがよほど大きくないと、グーグルの検索エンジンとブラウザの相乗効果を上回り、ユーザーに習慣を変えさせることはできないわけだ。

ディクソンの言い方は話半分に聞くべきものだろうが、このあたりを見れば、イーサリアムなどのプラットフォームがどのような形で力を確保しているのかとはまた別に、ディベロッパーやクリエイターが力を持つのも可能であることがわかるだろう。前者より後者を優先したほうが健全な経済になるというのが現代社会の基本的な考えである。

ブロックチェーンに対する五つめの見方は、これなしのメタバースなど考えられないというものだ。少なくとも、こうであってほしい、こうなればそこで暮らしたいとみなが望むメタバースにするにはブロックチェーンが必要ということだ。

「ブロックチェーンとはプログラムを走らせたり、データを保存したり、検証可能な形で取引を実行したりできる仕組みなのだととらえられるようになりました。コンピューティングの世界に存在するものすべてをまとめた上位セットという位置づけです。最終的には、机に置くコンピューターの

10億倍も速い分散型コンピューターなのだと考えるようになるでしょう。みんなのコンピューターを束ねたもの、ですからね[15]」――ティム・スウィーニーは2017年にこう指摘している。

リッチなリアルタイムレンダリングによって永続性のある世界をシミュレーションしたいと考えるなら、コンピューティングからストレージ、ネットワーキングなど世界中のインフラをすべて活用する方法をみつけなければならない（ブロックチェーン技術である必要はない）。

スウィーニーは、メタバースやNFTが注目を浴びる直前の2021年1月に次のようなツイートもしている。

「ブロックチェーンを土台にオープンなメタバースを作っていく。究極かつ永続的なオープンフレームワークを実現し、ゲートキーパーがいない世界、だれもが自分のプレゼンスを自分の手に握れる世界を実現できる可能性が一番高い道筋はこれだろう」

続けて、コメントで2点、注意を喚起している。

「①いまの技術は、同時接続1億人、60ヘルツのリアルタイム3Dシミュレーションにほど遠い。②仮想通貨投資を勧めていると誤解しないこと。仮想通貨投資は無軌道な投機の世界だ……だが、技術はどんどん進歩していく[16]」

続けて2021年9月には、ブロックチェーンの可能性は認めるもののおかしな使い方が広がっているのは残念だと次のようにツイートしている。

「NFTに手を出すつもりはない。ここは、いま、詐欺やわな、興味深い分散化技術の基礎、それにまた詐欺やわなが並ぶというどうにもならない状態になってしまっている[17]」

そして、翌月、ブロックチェーン技術を使ったゲームの取り扱いをやめるとスチームが発表すると、「エピックゲームズストアはブロックチェーン技術を活用するゲームも歓迎する。ただし、関連法の順守、条件の公開、適切な組織による年齢レーティングの取得が条件。エピック自身は暗号技術をゲームで使っていないが、技術面や商売面のイノベーションは歓迎する」とツイートする。[18]

ブロックチェーンに浮かれる人々は富を守る方法としてしか分散化を見ず、富が失われることもあるという側面は無視しがちだったりするのだが、スウィーニーはそこを指摘しているわけだ。

クリプトの世界は媒介者がいなかったり規制がなかったり身元の確かめようがなかったりすることから、著作権侵害やマネーロンダリング、窃盗、うそ偽りの嵐となっている。NFTもブロックチェーンベースのゲームも、本当のところなにを買ったのかもよくわからないし、どう使えるのかもわからない、将来的にどうなるのかもわからないとわからないことだらけである（値段が上がっているあいだはみんな気にしないが）。

メタバースと同じようにブロックチェーンも、どこまでが熱に浮かされただけのうたい文句なのか、どこまでが（可能性のある）現実なのかまだわからない。だが、コンピューティング時代の実績からして、ディベロッパーやユーザーにとってメリットのあるプラットフォームが勝つことはまちがいないだろう。

ブロックチェーンはまだまだこれからの技術だが、ディベロッパーとユーザーの利益を守るにはその不変性・透明性が一番効果的であり、今後、メタバース経済が成長していく過程でも重視されていくことだろう。

Part Ⅲ

メタバースですべてが変わる

HOW THE METAVERSE WILL REVOLUTIONIZE EVERYTHING

Chapter 12

メタバース時代はいつ来るのか

第Ⅱ部では、私が考える完全版メタバースを実現するにはなにが必要なのかを検討した。第Ⅲ部では、その次に考えるべきポイント、すなわち、メタバースがいつ現実になるのかを考えてみたい。メタバースの到来で各業界がどう変わるのかも取りあげる。

インターネットの「後継的状態」に毎年何百億ドルも投入しているところでさえ、メタバースがいつ到来するのか、見方は大きく異なっている。

マイクロソフトのサティア・ナデラCEOは「すでに到来している」としているし、マイクロソフトを創業したビル・ゲイツは「2~3年のうちには、バーチャル会議の大半が2D映像からメタバースに移行するだろう」としている。[1]

対してフェイスブックのマーク・ザッカーバーグCEOは「5年から10年でかなり普及する」[2]としているし、オキュラスVRの元CTOで現在は顧問CTOを務めているジョン・カーマックなどはもっと時間がかかると考えている。

エピックゲームズのティム・スウィーニーCEOやNVIDIAのジェンスン・フアンCEOは到来時期を口にせず、時間の経過とともに普及していくと語るのが通例だ。グーグルのサンダー・

ピチャイCEOは「将来的に」没入型のコンピューティングの時代になるとしか表現しない。

テンセントのシニアバイスプレジデントでゲーム事業を取り仕切るスティーブン・マーは「ハイパーデジタルリアリティ」ビジョンを2021年5月に打ち出したことで知られているが、「メタバースはそのうち到来するが、その日はまだ来ていない……数年前に比べれば格段に進歩したことはまちがいない。だが、まだまだ発展途上の実験段階と言わざるをえない」と語っている。[3]

インターネットとコンピューティングの未来を占うには、両者が絡みあって発展してきた過去をふり返ってみるのがいいだろう。

モバイルインターネット時代はいつ始まったのだろうか。そう問われれば、携帯電話が登場したときを思い浮かべる人もいるだろう。2Gが商用展開され、「デジタル無線ネットワークが生まれたときだと思う人もいるだろう。ワイヤレスアプリケーションプロトコル（WAP）規格が導入された1999年というのが正しいのかもしれない。これにより、いわゆる「ダムフォン」から（素朴なものではあるが）ウェブサイトにアクセスできるようになったからだ。ブラックベリーの6000シリーズや7000シリーズ、8000シリーズをモバイルインターネット時代の始まりだと考える人もいるだろう。外出時の無線データ通信を念頭に設計され、それなりに売れたモバイル機器はこのあたりが初めてだと言えるからだ。

だが、なんといっても一番多いのは2007年のiPhone登場という認識だろう。WAP導入や初代ブラックベリーから遅れること約10年、2G登場の20年近くあと、移動電話が初めて使われた34年後のことである。モバイルインターネット時代の機器外観や経済性、事業慣行などがこのとき決まったと言えるからだ。

実は、スイッチが切り替わるかのような瞬間などないというのが正解だ。ある技術が生まれたときや試験されたとき、実用化されたときはいつと特定できるが、ある時代が始まったときや終わったときは特定のしようがない。いろいろなことが少しずつ変化し、それが収束していく形で時代は変わっていくからだ。

ケーススタディーとして電化について考えてみよう。電気なるものを理解し、電気をとらえて送れるようになるだけで何世紀もかかっているのだが、その部分は省略し、19世紀末から20世紀半ばにかけて進行した部分についてのみ取りあげる。電化プロセスは少しずつ拡大していったという話でもないし、ある製品が普及していったという話でもない。

電化の歴史は、大きく、技術や業界、プロセスが変化する波ふたつに分けることができる。

ひとつめの波が始まったのは1881年ごろ、トーマス・エジソンがマンハッタンとロンドンに発電所を作ったときに始まった。エジソンはこの2年前に白熱電球を実用化していることもあり、電化にも早い段階から取り組んだわけだが、需要はなかなか増えなかった。最初の発電所建設から25年たっても、米国における機械動力のうち電気によるものは5%から10%にすぎなかったという(そのうち3分の2は自家発電で、送電網から買うものではなかった)。そしてなぜかそのころ、第2の波が到来する。1910年から1920年で機械動力に占める電力の割合が5倍以上の50%まで急増し(その3分の2は独立系発電事業者が供給)、1929年には78%に達した。[4]

第1波から第2波への変化は電力を使う企業の割合が増えたのではなく、すでに使っていた企業が使う電気の量が増えたこと、さらに言えば、電気を中心に設計するようになったことだ。[5]

工場への電力導入は、もともと照明としてであり、また、自前で用意する動力源(蒸気など)の代替としてだった。このときは、従来型動力を工場各所で使うインフラをどうすべきかなど考えることもなく、だからそちらを廃して電力に置き換えることもしなかった。歯車を組み合わせてあちこち動かす仕組みを使い続けたわけだ。これは扱いづらいしうるさいし、危ないし、更新も改良も難しいし、全力かゼロかという運転しかできないし（だから機器1台だけでも設備全体でも必要な動力は変わらないし、ここが急所になって工場全体が止まることもよくあった）、ちょっと変わったことがしたくても難しいというのに、である。

だが、だんだんと新しい技術も登場すれば理解も進むので、電力で動くように工場全体を根本的に作り直すほうがいいという話になる。歯車の代わりに電線を張り巡らせ、各機器には縫製、裁断、プレス、溶接など、機能に応じた専用設計のモーターを取り付けるわけだ。

こうするとさまざまなメリットが生じる。空間に余裕が生まれるし、明るくなるし、空気もよくなるし、死人が出るおそれのある機器も減る。さらに、機器単位で動力を提供できるし（こうすれば安全性は上がり、コストとダウンタイムは減る）、電動ソケットレンチなどの専用工具を増やすこともできる。

それまでは大きくて始末に困る装置に合わせて装置を配置するしかなかったが、動力を電力にすれば製造工程に都合のよい配置にできるし、おりおり配置を見直すこともできる。であれば、18世紀末に登場した組立ラインを利用できる業種が増えるし、すでに利用していた業種では組立ラインの適用を広げることもできればその効率を高めることもできる。そして１９１３年、電力とコンベアベルトで部品を流す移動式組立ラインをヘンリー・フォードが作り、車1台の製造にかかる時間を12・5時間から93分まで短縮するとともに消費電力も減らすことに成功。歴史家デビット・ナイによると、フォードの有名なハイランドパーク工場は「電灯と電力はどこにでも提供できるはずだと考えて」作られたという。[6]

一部工場がこういう形に転換すると業界全体が後を追わざるを得なくなり、電気のインフラや装置、プロセスなどの投資・革新が急速に進んだ。移動式組立ラインの導入から1年もたたず、作られる車の半分以上がフォード製になってしまったし、1000万台の節目を超えるころには道を走る車の半分以上がフォード製になってしまったほどなのだ。

産業界の電化を進めた「第2の波」が起きたのは、だれかビジョナリーがトーマス・エジソンの仕事を大きく進歩・発展させたからではない。単純に産業用発電所が増えたから、でもない。そうではなくて、電力管理、製造ハードウェア、製造理論などさまざまなイノベーションの相乗効果が一定レベルを超えたからだ。現場監督が手に持てるほど小さなイノベーションもあった。部屋ひとつほどのものもあった。街全体をカバーするようなものもあった。規模は違っていても、すべて、人次第、プロセス次第であった。そういうイノベーションがたくさん集まった結果、労働生産性も資本生産性も100年間で随一の伸びを示し、第二次産業革命が大きく進むことになった。「狂乱の20年代」と言われる時代が生まれたわけだ。

2008年にiPhone12を発売できたか

電化の歴史を参考にすると、モバイルの台頭も理解しやすい。タッチスクリーンからアプリストア、高速データ通信、インスタントメッセージングなど、いま「モバイルインターネット」と言われて想像するものすべてを触ることのできる製品にしたもの、手に持ち、毎日使える製品にしたのがiPhoneなので、その登場がモバイル時代の始まりだと感じる人が多いだろう。だが実は、iPhoneさえあればモバイルインターネットが生まれ、普及したわけではない。

iPhoneも市民権を得たのは2008年の2代目からだ。売上は初代の300%増。これを上回る記録は11世代のいまも登場していない。2代目iPhoneは3Gに対応して実用的なモバイル機器になったし、アプリストアも導入され、無線ネットワークとスマートフォンは便利だとの認識が広まった。

だが3Gもアプリストアもアップルが単独で生み出したイノベーションではない。3Gネットワークにアクセスするチップはインフィニオン社製だったし、使う規格は国際連合の国際電気通信連合（ITU）と無線業界団体GSMアソシエーションが中心になって推進しているものだった。この規格をAT&Tなどの移動体通信事業者が採用し、クラウンキャッスルやアメリカンタワーなどの会社に基地局を作ってもらってそこで使ったわけだ。

「そのためのアプリ、あります」と言えたのも、ものすごい数のディベロッパーがいろいろなアプリを作ってくれたからだ。そのアプリも、KDEからJava、HTML、ユニティなど、アップルと競っているところも含め、どこかが生み出したり維持したりしているさまざまな規格を利用して作られている。アプリの料金を徴収できるのも、大手銀行が決済システムやペイメントレールを用意しているからだ。CPUはARMのライセンスを受けたサムスンが作っているし、加速度センサーはSTマイクロエレクトロニクス、ゴリラガラスはコーニングだし、そのほかにもブロードコムやウォルフソン、ナショナルセミコンダクターなどさまざまな企業から部品の供給を受けている。こういうものが作られ、提供されているから、iPhoneという製品が生まれたのだ。改良についても同じことが言える。

5Gに初めて対応した2020年のiPhone12も、このあたりについては変わっていない。スティーブ・ジョブズの才気があり、金を湯水のように使っても、2008年にiPhone12を発売することは不可能だった。5G用チップを自前で開発できたとしても、当時は5Gネットワークそのものが世の中になかったし、5G通信の規格さえもなく、5Gの低レイテンシーや帯域を活用できるアプリもなかったからだ。ARMのようなGPUを（ARMに先駆けること10年以上前の）2008年に自社開発できたとしても、高性能を発揮させられるゲームエンジン技術などのゲームディベロッパーも持っていなかったからだ（アプリストア収益の70%はゲームディベロッパーがもたらしてくれている）。

iPhone12まで到達するにはエコシステム全体で幅広いイノベーションと投資が必要だった。アップルのiOSという儲かるプラットフォームがあるからそういうイノベーションや投資が進むという面もあるのだが、エコシステムの大半はアップルが押さえていない領域であることもまたまちがいのない事実である。

スポティファイやネットフリックス、スナップチャットといったアプリで高速・高品質の無線接続に対する需要が高まったことを受け、ベライゾンは4Gネットワークを展開し、アメリカンタワーは電波塔を増設した。そういう背景がなければ、少し速いだけのメールくらいしか4Gの「キラーアプリ」になれるものはなかっただろう。高性能GPUはゲームに活用されたし、インスタグラムなどの写真共有サービスがあったから高性能カメラに大きな価値が生まれた。ハードウェアがよくなればエンゲージメントが上がり、そうなればそれらを作る会社の収益が増えて成長する。それがまた優れた製品やアプリ、サービスを生むわけだ。

ハードウェアやソフトウェアが改善されるには技術が進化するだけでは不足で、消費者の行動も変わらなければならないことに第9章で触れた。そのとき例として挙げたのが、初代iPhone発売から10年がたち、物理的なホームボタンを廃し、スクリーンを下から上にスワイプすることでホームスクリーンに戻ったりマルチタスクの操作をしたりしてくれと消費者に頼んでも大丈夫だとアップルも思うようになったという件である。こうすれば高性能なセンサーやコンピューティング部品を搭載するスペースが生まれるし、ソフトウェアベースの複雑な操作を導入することもできるようになる。最近の動画アプリは音量調整するために一時停止したり、じゃまになるのにそのためのボタンをたくさん置いたりといったことはせず、ジェスチャーで調整できるものが増えている（2本指でスクリーンを上下にスワイプするなど）。

事態が動くに十分な量のパズルピース

このように電化とモバイルの事例をふり返ると、メタバースについても、あるとき突然に実現することにはならないとわかる。「メタバース前」から「メタバース後」にはっきり転換する瞬間などはなく、あとからふり返り、あのころはいまと様子が違ったよねと言うくらいのことしかできないわけだ。

この転換点はもう過ぎていると言う人もいるが、それはさすがに気が早いと言わざるを得ないだろう。仮想世界によくダイブする人はまだ14人にひとりもいないくらいだし、その仮想世界はほとんどがゲームだし、仮想世界同士はほとんどつながっていないし、つながっていたとしても意味のあるつながりではないし、社会に対する影響もないに等しいレベルだ。

だが、変化の兆（きざ）しはある。メタバースなど実現はかなり先のことだが、その実現に向けて努力すると公言すべきではあると、ザッカーバーグやスウィーニー、ファンなどの経営者が判断するくらいには。スウィーニーのツイートをもう一度紹介しよう。

「当社は大昔からメタバースを狙ってきた。最初は３００ポリゴンの怪しげな人同士がリアルタイム（ママ）3Dでテキストチャットをするという形だ。事態が動くに十分なだけの量、必要なパズルのピースがすごいスピードで集まるようになったのがつい最近というだけのことだ」

高解像度のタッチディスプレイを持つモバイルコンピューターが普及し、12歳以上の3分の2が持つほどになったこと。その内部には、数十人が同時接続し、自分のアバターを動かしてさまざまなアクションを起こせる複雑な世界をリアルタイムレンダリングで描くことが可能なCPUとGPUが装備されていること。4G対応のモバイルチップセットと無線ネットワークでどこからでもその世界にアクセスできるようになったこと。プログラマブルなブロックチェーンが登場した結果、世界中の人とコンピューターの力やリソースを結集し、メタバースを健全な分散型にすることができそうだと思えるようになったこと。こういうピースが集まったわけだ。

「クロスプラットフォームのゲーム」もそういうピースのひとつだ。異なるオペレーティングシステムを使うユーザーが一緒にプレイできる（クロスプレイ）、バーチャルな物品や通貨をあるプラットフォームで購入し、別のプラットフォームで使う（クロスパーチェス）、セーブデータやインゲームヒストリーを別のプラットフォームに持っていける（クロスプログレッション）ゲームである。20年近くも前から技術的には可能なことで、2018年から大手ゲーミングプラットフォームに対応が広がった（なんと言ってもプレイステーションが対応したことが大きい）。

クロスプラットフォームは三つの面で重要だ。ひとつめは、永続的なシミュレーションをクラウドに置くという考え方がデバイス側の制限とぶつかる点。メタバースでなにが見えるのか、なにができるのかをオペレーティングシステムが変えてしまう、それこそ、メタバースに行くこと自体できなくしてしまうといったことがあれば、それはメタバースでもなければ並行する存在空間でもなく、いろいろな仮想現実をのぞけるソフトウェアが手元の機器で走っているにすぎなくなってしまう。

ふたつめは、どの機器からでも、また、だれとでもやりとりができればエンゲージメントが格段に増える点。このあたりは、ＰＣとｉＰｈｏｎｅでアカウントも違えば登録されている友だちも、保存してある写真も違っているし、ＰＣからはＰＣを使う友だち、ｉＰｈｏｎｅからはｉＰｈｏｎｅを使う友だちにしか連絡できないとしたらいまほどフェイスブックを使うかと考えてみればわかるだろう。デジタル時代はネットワーク効果とメトカーフの法則がものを言う世界であり、クロスプラットフォームに対応すれば分裂したネットワークをまとめられるようになり、仮想世界の価値が高くなるわけだ。

三つめは、エンゲージメントが増えると、仮想世界を構築する側に驚くほど大きな影響が生じる点だ。『ロブロックス』でゲームやアバター、アイテムを作るとしよう。コストの大半は作るときに発生する。だから、プレイヤーによる課金が増えればそれはディベロッパーの収益に直結するし、ゲームやアバター、アイテムを新たに作ったり改良したりする能力にも直結するわけだ。

文化も変わりつつある。『フォートナイト』はリリースの２０１７年から２０２１年末で２００億ドルを売り上げたと言われているが、その大半は、アバター、バックパック、ダンス（「エモート」とも呼ばれている）の販売収益だ。その結果、エピックゲームズは、ドルチェ＆ガッバーナやプラダ、バレンシアガの何倍も売り上げる世界的ファッション大手になってしまった。また、シューティングゲームでさえ、単なるゲームと考えるのはまちがいであることもはっきりした。さらに、２０２１年にはＮＦＴが台頭し、バーチャルにしか存在しないオブジェクトがとほうもない価値を持ちうるという認識が広がった。

同時に、仮想世界に時間をつぎ込むことを悪とする見方が減っている点も考えておくべきだし、コロナ禍に後押しされてそうなったことも認識しておくべきだろう。

「ゲーマー」は、昔から、『カウンターストライク』でテロリストを殺す以外に、「フェイク」のアバターを作って自由時間をデジタル世界につぎ込み、『セカンドライフ』で自室を整えるなどゲームっぽくないことをしてきた。そして、そんなことをするのはちょっとおかしい、時間とエネルギーのむだだ、反社会的だなどと見られることが多かった。昔、いい大人が屋根裏部屋でひとり鉄道模型を作っていたのの新バージョンが仮想世界という見方もあった。1990年代からはバーチャルな結婚式や葬式などもおりおり行われるようになっているが、これなどは、滑稽千万だ、心に訴えるようなものではなく笑いどころにしかならないと考える人が多かった。

ところが、2020年から2021年にかけ、コロナのロックダウンで自宅に閉じこめられた結果、仮想世界に対する認識が大きく変わった。これほど大きく変わるとは驚きというほどに。疑いの目を向けていた人々も、なにかすることはないかと探した結果、仮想世界や『あつまれ どうぶつの森』、『フォートナイト』、『ロブロックス』などに参加し、大いに楽しむようになった。現実世界でできなくなったイベントにバーチャルで参加するためや、子どもと室内で過ごすために始めた人もいる。実際に体験する人が増えたことでバーチャルライフに対する社会の見方も変わったし、メタバースへの参加層が(上の年齢層にまで)広がることも考えられる。

引きこもり生活2年の影響は大きい。一番わかりやすいのは、仮想世界ディベロッパーの収益増だろう。その結果、投資が増えて製品の質が上がり、それが新たなユーザーを呼び込んだり新たな使い方を生んだりして収益をさらに増やし、と良循環も生まれる。

さらに、仮想世界を悪とする見方が減ったし、13歳から34歳の独身男性に限らず実はみんながゲーマーだったとわかったことから世界のトップブランドが次々に参入し、その結果、仮想世界に対する認識がさらに変わるとともに仮想世界の多様化も進んでいる。2021年末現在、自動車大手（フォードなど）、フィットネスブランド（ナイキなど）、非営利組織（国境なき記者団など）、ミュージシャン（ジャスティン・ビーバーなど）、スター選手（ネイマール・ジュニオールなど）、オークションハウス（クリスティーズなど）、ファッションハウス（ルイ・ヴィトンなど）、フランチャイズ（マーベルなど）と多くのブランドがメタバースを事業戦略の重要ポイントや場合によっては成長戦略の中核に位置づけている。

次なる成長の原動力

メタバース収益やメタバース採用を次に後押しするのはなんだろうか。まず考えられるのは、アップルやグーグルに対する規制強化である。オペレーティングシステム、ソフトウェアストア、決済機構、関連サービスなどのバンドルを禁止し、そうすることで領域ごとに競う環境を整えるのだ。

---

i 食品のオンライン販売についても似たような変化が起きている。そういうサービスがあることはみな知っていたし、服やトイレットペーパーはオンラインで買っているのに、食品のオンライン販売は普及しなかった。知らないだれかが棚から選んだ食品は腐っていたり傷んでいたりするのではないかと心配したり、なんとなく「それは違う」と思ってしまったりしていたし、この抵抗感を乗り越えるほどのマーケティングが展開されることもなければ、大丈夫なのだと安心できるほどの保証もなかった。だがコロナ禍が始まると四の五の言っていられず、食品配送を頼むしかなくなってしまった。そして実際に体験してみると、ふつうに食品が届くし、こういう買物も悪くないと思ったわけだ。コロナが落ちつけばまたお店に行くという人もいるはずだが、全員ではないだろうし、必ずでもないだろう。

もうひとつ、よく指摘されるのが、ｉＰｈｏｎｅと同じように多くの消費者とディベロッパーに受け入れられるＡＲヘッドセットやＶＲヘッドセットの登場だ。ブロックチェーンベースの分散型コンピューティング、低レイテンシーのクラウドコンピューティング、３Ｄオブジェクト共通規格の策定・普及なども考えられる。正解は時がたてばわかるわけだが、当面、原動力として可能性が高いと思われるのは三つである。

ひとつめは、メタバースを支える各種技術が年々よくなっていること。インターネットサービスはカバー範囲が広がり速度は上がり、活性も上がっている。コンピューティングパワーも同じで台数は増え能力は上がり、コストは下がっている。ゲームエンジンや統合仮想世界プラットフォームは使いやすくなっているし、できることも増えている。

同時に利用料金は下がっている。規格の統一や相互運用性の確保も、統合仮想世界プラットフォームやクリプト関連の成功を受け、また、経済的なインセンティブがあることから、少しずつ前進している。決済についても、規制や訴訟、ブロックチェーンのあれこれを通じてゆっくりとながら開放に向けて進んでいる。スウィーニーの言う「事態が動くに十分な量のパズルピース」というのはどんどん「集まる」ものであることを忘れてはならない。

ふたつめの原動力となるのは、いま進んでいる世代的変化だろう。本書の冒頭で、『ロブロックス』の普及には「ｉＰａｄネイティブ」世代が大きな役割を果たしたことを紹介した。この世代は、世界とはインタラクティブなものだと思っている、つまり、自分がなにを選び、どこに触るかで変わるものだと思っていて、その彼らが大きくなって消費者になれば考え方も行動も旧世代とは大きく異なるのが当たり前だ。

もちろん、これはいまに始まったことではない。世代によって、子ども時代、はがきを送っていた人もいれば、放課後は毎日長電話をしていた人もいる。インスタントメッセンジャーだったという人もいるだろう。オンラインのソーシャルネットワークに写真を投稿していたという人もいるはずだ。その結果がどうなるかはあきらかだろう。X世代よりY世代のほうがゲームをよくプレイする、さらに、Y世代よりZ世代、Z世代よりα世代のほうがゲームをよくプレイする、だ。米国では子どもの75%以上が『ロブロックス』で遊んでいる。最近生まれている子どもはほとんどがゲーマーだと言ってもいい。言い換えれば、いまは毎年1億4000万人のゲーマーが新たに生まれているわけだ。

三つめの原動力となるのは、ひとつめとふたつめが組み合わさった結果である。メタバースは体験を通じて広がっていくものだ。スマートフォンにGPU、4Gさえあれば、どこからともなく、リアルタイムレンダリングによるダイナミックな仮想世界が生まれるわけではない。ディベロッパーと彼らの想像力が必要だ。そして、この部分についても、「iPadネイティブ」世代が成長するに伴い、単なる消費者から趣味で仮想世界を創るアマチュアになり、さらにはプロのディベロッパーや経営者になっていくことを忘れてはならないだろう。

Chapter 13

メタビジネス

さて、では、ディベロッパーはこのあとどういうものを作ってくれるのだろうか。実はここまで、「2030年のメタバース」について書くことも避けてきたし、メタバース後の社会がどうなるのかも書くことを避けてきた。そのあたりを予想しようにも、フィードバックループ次第でどうなるかわからないのだ。2023年や2024年に想定外の技術が登場し、それがディベロッパーの創造性を刺激したりユーザーの行動を変えたり、新しい使い方を生み出したりしてイノベーションが進み、さまざまな変化やアプリケーションが生まれるなどするかもしれない。

それでも、メタバースによって変わるであろう領域はたしかにあるし、少なくとも短期的にどう変わるのか予想できる領域もある。そうして生まれた体験に何百万人から何十億人もの人が惹かれ、何百万ドルから何十億ドルものお金がそこに落とされることになるだろう。眉に唾（つば）を付けて聞くべきものではあるが、なにがどう変わるのかも見ておくべきだろう。

教育

まちがいなく変わるのは教育だろう。社会にとっても重要な分野なのだが、教育資源は不足しがちだし、その分布は大きくかたよっている。「ボーモルのコスト病」の代表例でもある。ボーモルのコスト病というのは、「労働生産性がまったく上がらない仕事や少ししか上がらない仕事に対する報酬の伸びと、労働生産性が大きく向上した仕事に対する報酬の伸びとの関係」[1]を説明するものだ。

先生が悪いと言いたいわけではない。ただ、ここ何十年かでデジタル技術が進み、いろいろと変わった結果、ほかの仕事は生産性が大きく高まったということだ。たとえば会計士の生産性は、コンピューターデータベースやマイクロソフトオフィスなどのソフトウェアによって大きく向上した。1950年代に比べると、時間あたりにできる実質的な仕事の量は増え、同じ時間で対応できるクライアントの数も増えた。清掃や警備の仕事もそうだ。いまならパワフルな電気掃除機があるし、デジタルカメラやセンサー、通信機器のネットワークで警備をすることもできる。ヘルスケアはいまも労働集約型だが、診断や治療技術、生命維持技術などが進んだおかげで高齢化に伴うコストのかなりを帳消しにできている。

生産性の向上という意味で、教育は最下位と言っていいだろう。2022年になったからといって何十年か前より生徒の数を増やしたら、教育の質が落ちるのは目に見えている。教育にかかる時間を短くする方法（教育速度を上げる方法）もみつけられていない。それでも、会計士と同じように給料を上げなければ教師になる人がいなくなるし、そもそも経済発展で生活費がかさむ分は上げなければ生きていくことさえできなくなってしまう。

さらに言えば、教師の時間以外も教育は資源集約型で、学校の大きさ、設備の質、消耗品の質など物理資源を大量に消費する。新技術（高解像度のカメラやプロジェクター、iPadなど）は高いこともあり、こういう資源にまつわるコストがむしろ増えることさえある。
教育生産性の伸びがほかより低いことは、ほかよりコストが大きく増えていることを見てもわかる。米労働省労働統計局の推計によると、１９８０年1月から２０２０年1月で物品コストの上昇は２６０％だったのに対し、大学の学費・費用は１２００％も増えたという。[2] ちなみに2位は医療で、コストの上昇率は６００％だ。

実際問題、西側諸国における教育の生産性はずっと低迷しているのだが、技術畑の予想は、あちこちの業界平均を上回るはず、だった。理由は、職業学校を中心に高校や大学もオンラインのリモートに転換すると見ていたからだ。登校せずリモートで、オンデマンドの動画やライブストリーミングの授業やＡＩが提示するクイズなどで学ぶのが主流になる、と。だが、ズーム授業は最悪であることがコロナ禍であきらかとなった。スクリーン越しの学びにはさまざまな課題があるが、一番は、（金銭的な）メリットよりデメリットのほうが大きいと思われることだろう。

リモート授業では、そこにいるという感覚、すなわち「プレゼンス」が失われる。教室に集まれば、いやでも教育環境に浸ることになる。触れることさえできないセットのような学校をカメラ経由でのぞいても、あの場の力は感じられないしどっぷり浸る感覚もない。

プレゼンスが重要な理由を深掘りしてもここではしかたないのだが、教育学の研究により、動画を見せるだけより実地見学に行かせたほうがいい、録画を家で見るより学校に来させたほうがいい、できるかぎり体験から学ぶよう仕向けたほうがいいことが確認されている。プレゼンスが失われると、先生と目を合わせることもなくなるし（先生による監督もなくなる）、友だちと学ぶこともできないし、触ってみることもできない。さらに、シリンジを使って油圧式ロボットを作るといったこともできなければブンゼンバーナーを使うこともできないし、カエルを解剖することも豚や猫の胎児を解剖することもできない。

そう考えると、対面の授業がなくなり、すべてが在宅授業やリモート授業になる日は来ないのではないかと思える。だが、立体ディスプレイ、VRやARのヘッドセット、ハプティックデバイス、アイトラッキングカメラなどメタバースを念頭に置いた新技術により、ゆっくりとだがその溝は埋まりつつある。

リアルタイムレンダリングの3D技術なら教室（と生徒）を好きなところに移動できるし、リッチなバーチャルシミュレーションが実用化されれば学びに大きなプラスとなるだろう。教育におけるVRの活用として当初よく語られたのは、古代ローマが訪問できる、程度だった（ローマ訪問はなぜかVRヘッドセットのキラーアプリになると昔から言われていたが、実際には退屈だと不人気に終わる）。だが、たとえばローマの街を実際に作り、水道橋の原理を学ぶといったことも可能だ。

いままで、重力について学ぶと言えば、先生が羽と金づちを落とすところと、アポロ15号のデビッド・スコット船長が同じことを月面でしたときの録画を見るのが一般的だった（月面だと羽も金づちも同じ速度で落ちる）。もちろんそれはそれで続けていいのだが、加えて、バーチャルなピタゴラ装置を作り、地球の重力下と火星の重力下で動き方を比べたり、それこそ、金星を覆う濃硫酸の雲に包まれたらどうなるか試してみることもできる。酢と重曹で火山の噴火を再現するのもいいが、バーチャルなら火山に潜り、マグマだまりをかき回してマグマと一緒に吹き上げられるといったこともできる。

『マジック・スクール・バス』に描かれたあれもこれも、いまならバーチャルに実現できるわけだ。しかも大スケールで。物理的な教室という制限がないので、オンデマンドにもできるし、地球の反対側に届けることもできる。体や社会性に障害を持つ人にも同じようにアクセスしてもらえる

（障害に合わせてカスタマイズも容易）。その道のプロにしてもらったライブ授業をモーションキャプチャーし、提供するという方法もある。

そして、こういう授業なら利用に伴って費用が増えることがない——毎回教師が時間を使う必要もなければ何回走らせても消耗品がなくなったりしないので、教室で学ぶ場合に比べてごく安い値段で提供することができる。解剖実習にも生徒全員が参加できる。親の財力や学校の予算に左右されなくなるのだ。学校に通う必要さえなくなる（切り開くのではなく、それこそ、さまざまな器官に入って中から学ぶことさえやろうと思えばできる）。

このバーチャル授業を先生が補完することもできてしまう。たとえば、動物行動学者ジェーン・グドールその人をバーチャル環境に再現し、タンザニアのゴンベ渓流国立公園を案内してもらう。そこに担任も参加し、生徒一人ひとりを細かくフォローする。そういうこともできるのだ。ここまでしても現地へ見学に行くのに比べたらごくわずかな費用しかかからないし（行き先がタンザニアならなおさらだ）、現地に行くより多くを学べる可能性さえある。

VRと仮想世界を使えば教育が簡単にできると言いたいわけではない。教育は特殊技能だし、学びを定量的に測るのは難しい。それでも、バーチャル体験を導入すれば幅広い人に優れた学びを提供できるし、コストも下げられるはずだ。対面授業とリモート授業の違いは少なくなるだろうし、レディメイドの授業やライブの個人教授といったものの市場もできるだろうし、優れた教師の授業を多くの人に受けてもらうこともできるようになるだろう。

お気づきの方もいるかもしれないが、こういう体験それ自体がメタバースになるわけでもなければ、メタバースがなければこういう体験ができないわけでもない。リアルタイムレンダリングの教育用3D世界はメタバースと切り離した形でも作れる。だが、現実世界を含めてあちこち行き来できたほうがいいのはあきらかだ。自分のアバターで入れたほうが訪れる回数も増えるだろうし、「学校で」教育アカウント履歴を記録し、それをほかで読んだり追加したりできるほうが学び続ける人は増えるだろうし、各自に合わせた体験とすることもできるだろう。

ライフスタイルビジネス

メタバースの到来で大きく変わると思われる社会的体験は教育以外にもいろいろとある。いま、多くの人がオンラインフィットネスのサービスを使って運動をしている。たとえば機能性ウェアを販売するルルレモンの子会社、ミラーのサービスでは、鏡型デバイスで半透明のインストラクターと自分の姿を見ながらさまざまなフィットネスができる。ペロトンという自転車型のマシンを使うサービスもある。ライブあるいはオンデマンドのサイクリングクラスを提供していて、リーダーボードやハイスコアトラッキングなどゲーム性も備えている。

最近はリアルタイムレンダリングのバーチャルゲーム、『レーンブレイク』も提供している。転がるタイヤを自転車の漕ぎ方でコントロールし、ポイントを稼いだり障害物をよけたりするのだ。これが未来の姿なのかもしれない。朝起きたら、フェイスブックのVRヘッドセットでペロトンのアプリケーションを起動し、『ロブロックス』のアバターで自転車に乗って『スター・ウォーズ』に出てくる雪と氷の星、ホスを走り回る。友だちとおしゃべりしながら。そんな日がもうすぐ来るのだろう。

マインドフルネス、瞑想、理学療法も大きく変わるだろう。筋電センサー、ホログラフの立体ディスプレイ、没入型ヘッドセット、プロジェクションカメラ、トラッキングカメラなどを組み合わせれば、いままでは不可能だったサポートや刺激、シミュレーションが実現できるはずだ。

マッチングサービスについてもメタバースの影響を考えておこう。ティンダーが登場する前、マッチングは「解決ずみ」だと考える人もいた。何十個か何百個かの選択式問題で相性を判断すれば、お似合いのふたりをマッチングできる、と。

だがティンダーは写真を見て話をしてみたいなと思えば右にスワイプ、思わなければ左にスワイプしていく。判断にかかる時間は一般に3秒から7秒だという。[3] また最近は、ちょっとしたゲームやクイズ、ボイスノート、スポティファイやアップルミュージックのプレイリストを共有する機能など、マッチング後に使える機能がいろいろと用意されることが増えている。

今後は、互いのことをよく知る助けになる没入型の仮想世界が提供されるようになるだろう。「パリでディナー」のような現実のシミュレーションもあるだろうし、「月面バージョンのパリでディナー」のようなファンタジー系もあるだろう。ロンドン・ロイヤル・バレエ団のデジタルツインやマリアッチなど、モーションキャプチャーによるライブパフォーマンスもあるかもしれない。マッチングのテレビ番組が昔あったが、そのあたりがリニューアルされる可能性もあるだろう。マッチングアプリとサードパーティーの仮想世界が合体し（なにせメタバースなのだから）、出会ったふたりがそのままバーチャルなペロトンやマインドフルネス体験に突入できるようになることも考えられる。[i]

映画やテレビ

映画やテレビ番組など、いわゆる「リニアメディア」の未来はVR・ARにあると言われることが増えている。ソファに座り、70インチの大画面で『ゲーム・オブ・スローンズ』を観たりプロバスケットチーム、ゴールデンステート・ウォリアーズとクリーブランド・キャバリアーズの試合を観たりするのではなく、VRヘッドセットでIMAXに相当する映像を楽しんだり、友だちと並んでコートサイドに座って楽しんだりするようになるというわけだ。拡張現実のメガネで、居間にテレビがあるかのように番組を楽しむという可能性もある。もちろん、映画もテレビ番組も、全方位の没入型で撮影されている。だから、『タクシー・ドライバー』でトラヴィス・ビックルが「オレに用か?」と問うシーンで、ビックルの前や後ろに立つなどもできてしまう——。

こういう話を聞くたび、私は、インターネットの登場でニューヨークタイムズ紙などの新聞が大きく変わると言われていたことを思い出してしまう。[4]「今後は」その日のPDFが新聞社から定期購読者のプリンターに送られてきて、朝起きる前に印刷されるようになる、だから、経費がかさむ印刷機械も配達の仕組みもいらなくなる——1990年代にはそうささやかれていたのだ。紙やインクを節約するため、その読者が読みたくない記事は省略したPDFになると予想した人もいる。たしかに、後々、そういう選択肢が用意されたのだが、利用する人はほとんどいなかった。みな、どんどん変わっていくオンライン版を印刷などせずに読むようになっていたからだ。

「〜面」という概念もなくなったし、通読などなにを言っているのかわからない状態だ。新聞を読むという概念も消えかけているかもしれない。アップルニュースなどのまとめサイトを使うか、友だ

i ニール・スティーヴンスンはこのような技術とその体験についても、『ダイヤモンド・エイジ』なる本で語っている。『スノウ・クラッシュ』から3年の1995年に刊行されたこの本でプロダクトは「ラクティブ」(インタラクティブ・ブック)、パフォーマーは「ラクター」(インタラクティブ・アクター)と呼ばれている。

ちゃ家族の写真に並んでさまざまなパブリッシャーのニュースが並ぶソーシャルメディアのニュースフィードで読むなどが主流になったからだ。

エンターテイメントも同じようになっていくのだろう。登場から何十年、何百年と時間がたっても、語り部も続き物も小説もラジオもなくなっていない。同じように「映画」も「テレビ」もなくなりはしないだろう。ただ、映画とインタラクティブな体験（「ゲーム」の類い）の融合は進むだろう。リアルタイムのレンダリングエンジン（アンリアルやユニティなど）を映画制作に活用するなど、そちらにつながりそうな動きがすでに始まっている。

過去、『ハリー・ポッター』や『スター・ウォーズ』などの映画では非リアルタイムのレンダリングソフトウェアが使われていた。別にミリ秒単位でフレームを生成する必要はないわけで、であれば、もうあと数ミリ秒でもそれこそ数日でも時間をかけ、リアルな映像や緻密な映像を追い求めたほうがよかったのだ。

またそのころのコンピューターグラフィックスは、絵コンテで定められた映像を作るものだった。だから、たとえば『アベンジャーズ』でもセットの補助としてマンハッタンを再現する必要などなかったし、それどころか通りひとつを再現する必要もなかった。まして、現実のニューヨークを丸ごと再現し、宇宙人が攻めてきたり、六つそろうと宇宙も消し飛ばせるというインフィニティ・ストーンがらみの事件が起きたりしたとき、そこで起きることまでシミュレーションする必要などなかった。

それがここ5年ほどで状況が大きく変わった。ユニティやアンリアルなど、リアルタイムのレンダリングエンジンを使うことが増えているのだ。２０１９年の『ライオン・キング』は完全ＣＧＩのアニメ映画だが、ライブアクションであるかのように見える。その制作にあたり、ジョン・ファブロー監督はＶＲヘッドセットをつけ、ユニティが描くシーンに飛び込むことが多かったという。こうすると現実世界で映画を撮影しているのと同じ感覚でバーチャルなセットを理解できるようになり、どこからどういう角度のショットを撮るべきか、バーチャルな主役をカメラでどう追うのか、さらには光の当て方や周囲の色合いをどうすべきかなどまで、いろいろなことがわかりやすいのだという。なお、最終的なレンダリングは、オートデスクが作った非リアルタイムのアニメーションソフトウェア、マヤで行われた。

ファブローの経験なども参考に開発されたのが、バーチャルプロダクション用ステージなるものだ。丸く大きな部屋で、壁も天井も高輝度ＬＥＤで埋め尽くされている（部屋そのものは「ボリューム」と呼ばれる）。このＬＥＤをアンリアルベースのリアルタイムレンダリングエンジンでコントロールするのだ。

このやり方にはさまざまなメリットがある。まず、このボリュームに入れば、だれでも、ファブローがＶＲでしたのと同じことをヘッドセットなしですることができる。さらに、予定どおりに作られたアニメーションを観るだけでなく、そこに「本物の人」を置いてみることができる。ボリュームのＬＥＤが役者に与える影響も確認できる。バーチャルな太陽から注ぐ光で役者の見え方も変わるし、影もリアルになる。ポストプロダクションで色を調整したり影を修正したりする必要がなくなるのだ。いつでも理想的な日没のシーンが撮れるし、後々、同じ設定が必要になった際にはものの数秒で再現することができる。

バーチャルプロダクションをリードする企業のひとつが、『スター・ウォーズ』のジョージ・ルーカス監督が立ち上げ、いまはディズニーの傘下に入っているインダストリアル・ライト・アンド・マジック（ＩＬＭ）だ。ＩＬＭによると、ＬＥＤボリュームを前提に制作すると、現実世界とグリーンバックのセットを組み合わせた場合に比べて撮影時間を30％から50％も短縮できるし、ポストプロダクションの費用も節約できる。その証拠に、ファブロー監督の人気テレビシリーズ、『マンダロリアン』（『スター・ウォーズ』の実写ドラマ）は1分あたりの制作コストが映画の4分の1程度だという（しかも視聴者からも評論家からも映画より高い評価を得ている）。また、第1シーズンは氷の世界、砂漠の惑星ネヴァロ、森林の惑星ソーガン、宇宙空間が舞台だったのだが、撮影は、ほぼすべて、カリフォルニア州マンハッタンビーチに作ったバーチャルステージひとつで行えたそうだ。

エンジンと仮想世界以外、バーチャルプロダクションとメタバースをつなぐものはあるのだろうか。ある。バーチャルバックロットだ。ディズニー撮影所のリアルなバックロットに行くと、大昔の『キャプテン・アメリカ』で使った衣装やデス・スターの模型、『モダン・ファミリー』、『New Girl／ダサかわ女子と三銃士』、『ママと恋に落ちるまで』などで使った居間のセットなどが山のように積まれている。それがいまはバーチャルになり、3Dオブジェクトやテクスチャー、衣装、環境、建物、顔のスキャンなど撮影に使ったものはすべてディズニーのサーバーに収められている。このほうがシリーズものの制作が簡単になるし、派生作品も作りやすい。

たとえば、デス・スターやアベンジャーズ・キャンパスのコースを使いたいとペロトンが言ってきたら、サーバーに保存したデータを流用すればいいのだ（ライセンス供与する、とも言う）。『スター・ウォーズ』に登場する惑星ムスタファーでバーチャルデートを提供したいとティンダーが言ってきても同じことだ。動画で構成されたiCasinoでブラックジャックをするくらいなら、『スター・ウォーズ』に登場するカジノ都市、カント・バイトで遊ぶのがいいのではないだろうか。『スター・ウォーズ』と『フォートナイト』でコラボをするのもいいし、過去の成果を活用し、ディズニー自身が『フォートナイトクリエイティブ』にミニワールドを作る手もある。

映画『スター・ウォーズ』の世界を各自が楽しむ以外にもいろいろなことが考えられる。これを中心に物語をつむぐなどもできるのだ。次週の『マンダロリアン』や『バットマン』を待つ間に、公式（あるいは非公式の）イベントに参加してヒーローに会ったり、ヒーローと一緒にサイドミッションをこなしたりするのもいいだろう。水曜夜9時にアベンジャーズを手伝ってくれというマーベル社のツイートに応じ、アイアンマンのトニー・スタークと一緒に戦うなどだ。

ちなみに、トニー・スタークはいつものロバート・ダウニー・ジュニアがライブで演じてもいいし、まるで似ていない誰かがアバターを動かすという形でもいい。映画や番組で観たシーンをファンが体験するなども考えられる。２０１５年公開の映画『アベンジャーズ／エイジ・オブ・ウルトロン』では、最後、空中に浮かぶ島で悪のロボット軍とアベンジャーズが死闘を繰り広げている。２０３０年にもなれば、これと同じことをプレイヤーがしてみられるようになっていたりするわけだ。

スポーツやギャンブル

スポーツについても、同じようにさまざまな可能性が広がっている。ＶＲでコートサイドに座るのもいいが、試合そのものをキャプチャーし、ビデオゲームにしてしまうなどもおもしろいだろう。ＮＢＡの公式ゲームソフト、『２Ｋ２７』を持っていたら、数分前に終わったばかりの試合を途中まで巻き戻し、スタープレイヤーができなかったショットを試すなど、そこからプレイできたりするわけだ。スポーツファンの楽しみは、いま、観戦する、ビデオゲームでプレイする、架空のスポーツに参加する、オンラインで賭けをする、NFTを買うなどに分かれているが、将来はこれがひとつに溶け合い、そこから新たな楽しみ方が生まれたりするだろう。

賭けやギャンブルも大きく変わるだろう。いまも、『グランド・セフト・オート』に登場するカジノ、「ビー・ラッキー：ロス・サントス」などやズームのカジノでたくさんの人が賭けを楽しんでいる。これが将来的にはメタバースのカジノになり、ディーラーもモーションキャプチャーのライブになり、音楽の演奏もモーションキャプチャーのライブで楽しめるようになったりするわけだ。

第11章で紹介した『ゼッドラン』のようなものも増えるだろう。『ゼッドラン』では、バーチャルな競馬に毎週多額の現金がつぎ込まれていて、人気馬には何百万ドルもの価値が生じている。これほどのお金が飛び交うのは、『ゼッドラン』がブロックチェーンベースであり、賭けるほうにとっては八百長がないと安心できるし、馬主にとっては、自分の馬が種付けすればバーチャルな遺伝子がちゃんとうけつがれていくと信じられるからだ。

エンターテイメントを概念から変えようとしている企業もある。そのひとつ、ジェンビッド・テクノロジーズが2020年12月から2021年3月にかけ、フェイスブックウォッチで開催したのが、『ライバル・ピーク』という「マッシブリー・インタラクティブ・ライブ・イベント（MILE）」である。人気番組の『アメリカン・アイドル』と『ビッグ・ブラザー』と『ロスト』をマッシュアップした雰囲気のバーチャルイベントだ。北米大陸の太平洋岸北西地区にある離島に閉じ込められたという設定で、AIキャラクター13人が13週間にわたり、協力したり、生き残りをかけて戦ったり、さまざまな謎を解いたりするのを、常時稼働のカメラ数十台で見ることができる。

視聴者は、AIキャラクターを直接どうこうはできないが、シミュレーションにリアルタイムで干渉することはできる。推しのヒーローを助けるためにパズルを解く、ゾンビを困らせる障害物を作る、AIキャラクターの行動を決める投票に参加する、島から追放する人を決める投票に参加するなどができるのだ。

『ライバル・ピーク』はビジュアルもクリエイティブもたいしたものではなかったが、インタラクティブなライブエンタメはこうなっていくのだろうと思わせるものがあった。物語の流れをあらかじめ決めることはせず、みんなでインタラクティブに決めていくわけだ。

2022年、ジェンビッドが、漫画家ロバート・カークマンおよび彼の会社スカイバウンド・エンターテイメントと共同で製作すると発表した『ウォーキング・デッド：ザ・ラストMILE』も同じ流れだ。こちらは、だれが生きてだれが死ぬのかも視聴者が決められるし、ライバル集団を衝突に導いたりそういう衝突を回避したりすることもできる。視聴者が作ったアバターをストーリーに登場させる機能も用意されている。

この先はどうなるのだろうか。『ハンガー・ゲーム』で最後のひとりになるまで殺し合うなど、本当だったらぞっとしないわけだが、人気の俳優やスポーツ選手、あるいはそれこそ政治家がアバターで参加し、リアルタイムレンダリングのリアルな映像で『ハンガー・ゲーム』をくり広げてくれれば、それはそれで見ものになるかもしれない。

セックスとセックスワーク

セックス産業はハリウッドより大きく変化するだろうし、その変化により、ポルノと売春の境がいまよりさらに曖昧になることだろう。2022年現在、セックスワーカーを雇って貸し切りのオンラインショーをしてもらうことができるし、そのとき、スマートセックストイをこちらでコントロールすることも、逆に、自分のトイをコントロールしてもらうこともできる。最近はインターネット対応のハプティック機器が進化しているし、リアルタイムレンダリングや没入型のAR・VRヘッドセットや並行処理のGPUも進化しているわけだが、そのあたりを考え合わせると、どういう展開があり得るのだろうか。

VRでセックスなど当然に予想されるものもあるが、そうでもないものもある。第9章で、筋電計測法を使い、指の動きを再現したり、カニの足など動き方がまるで違うものにマッピングしたりというCTRLラボの実験を紹介した。さらに、超音波のフォースフィールドを通じてセックスしたらどういうことになるのだろうか。リアルタイムレンダリングの複合現実でコンサートやバトルロイヤルではなく、同時接続ユーザーが5人とか100人とかそれこそ1万人とか集まって乱交パーティというのもあるのではないだろうか。

もちろん、そのあたりには乱用という懸念がつきものなのだが（詳しくは少しあとで検討する）、同時に、プラットフォームの力という問題も考えておかなければならない。いま、モバイルでもコンソールでも、コンピューティングプラットフォームの大手でセックス系・ポルノ系のアプリケーションを許しているところはない。

よく使われているウェブサイトで世界のトップ70～80位にランクされるポルノハブ・ドット・コムも、トップ50位にランクされるチャッターベートも、ランキングこそ500位くらいだが収益ではティンダーにマッチ・ドット・コム、ヒンジ、プレンティオブフィッシュを擁するマッチ・グループの上を行くオンリーファンズも、iOSのアプリストアやアンドロイドのアプリストアでみつけることができない。

理由はいろいろあるだろう。たとえばスティーブ・ジョブズは、「道徳的な責任からiPhone

でポルノを禁止すべきだと我々は考えます」と語っている。セックスワークから手数料収入を上げているると見られるのはマイナスだと判断しただけだろうとの批判もあるが。ともかく、その結果、セックスワーカーが不利益をこうむっていることはまちがいない。ここまでくり返し指摘してきているが、使い勝手という意味でも収益化という意味でもブラウザベースよりアプリケーションのほうが格段に優れているのだから。それでもポルノは一大産業として栄えている。動画や写真程度ならモバイルのウェブブラウザで十分に対応できるし、ブラウザで使い勝手が多少悪くても「だったらアクセスしない」という人はほとんどいないからだ。

だが、すでに確認したように、モバイルウェブブラウザでリッチなレンダリングによるVRやARを実現することは基本的にできない。つまり、セックス分野の進歩は、実質、アップル、アマゾン、グーグル、プレイステーションなどのポリシーによって止められているわけだ。そのほうがいいという意見もあるだろう。セックスワーカーにとっては安全に収入を増やせる道を閉ざされることになるという考え方もあるだろう。

ファッションと広告

ここまで60年ほど、広告業界もファッションハウスも仮想世界など見向きもしなかった。だからいまも、ビデオゲーム収益に占める広告の割合は5%以下にとどまっている。ちなみにテレビ、オーディオ（音楽、トーク番組、ポッドキャストなど）、ニュースなどの主要メディアは収益の半分以上を視聴者からではなく広告から得ている。そして、仮想世界を楽しむ人の数は億人単位だというのに、２０２１年までは、アディダスやモンクレール、バレンシアガ、グッチ、プラダなどのブランドが広告の対象として仮想世界を見ることはなかった。このあたりはこれから変わっていかなくてはならない。

仮想空間への広告出稿にはいくつか難しい点がある。まず、昔のゲーム業界がオフラインだったこと、かつ、ゲームの開発には年単位で時間がかかっていたことが挙げられる。これではゲーム内の広告を入れ替えることができず、広告を組み込んでも、すぐに古くなってしまう。新聞や雑誌は広告に頼るのに書籍には著者の既刊本以外、広告らしい広告がなかったりするのも同じ理由だ。実際に読まれる時点で旧モデルの「仕様」を高らかにうたう形になってしまう広告になど、フォードがお金を出すはずがない（そんな広告はマイナスの効果しかないと考えるはずだ）。

いまのビデオゲームならインターネット経由でアップデートできるので、こういう制約はなくなったわけだが、文化的な影響が残っている。『キャンディークラッシュ』など気軽に遊ぶモバイルゲームは別として、ゲームで広告を見せられるのはいやだ、うるさいと思う人が多いのだ。テレビでも紙版の雑誌や新聞でも、また、ラジオでも、山のように突きつけられる広告を楽しいと思う人はまずいないのだが、このようなメディアには昔から広告が付きものだったので、そういうものだ、しかたないと受け入れられているわけだ。

もっと大きな問題になるのは、リアルタイムレンダリングによる3D仮想世界における広告とはどういうもので、その値段はどう決めるのか、どう売るのか、だろう。20世紀の広告は、基本的に値段を個別に交渉し、出稿していた。プロクター・アンド・ギャンブルの担当者がCBSの担当者と話し合い、夜9時から放映される『アイ・ラブ・ルーシー』で、ふたつめの広告スロットの最初にアイボリーソープの広告を流す、値段はこれこれと決めたりするわけだ。

対していまのデジタル広告は機械的に処理する形が多い。ターゲットはこういう人、広告のタイプはこれ（バナーなのかソーシャルメディアの記事なのか、検索結果なのかなど）、期限は1クリックあたりで設定されている料金が一定額に達するまでとか一定時間が経過するまでとか、条件を広告主が指定して出稿するわけだ。

3Dレンダリングの仮想世界ではなにを広告ユニットとすべきなのか。これは難しい問題だ。マンハッタンが舞台のPS4ゲーム『スパイダーマン』やクロスプラットフォームのヒット作『フォートナイト』など、ゲームの多くには大型の広告板が登場する。だが、たとえば大きさだけでも何倍もの違いがあるなど、細かく見るとそれぞれに大きく違っている。一つひとつ大きさに合わせた画像が必要になるおそれがあるのだ（グーグルのアドワーズのように、スクリーンの大きさが違っていても問題ない広告もある）。

さらに、それを見るプレイヤーの移動速度もそれぞれに違えば、どのくらい離れているのかも違う。状況も一様ではない（ぶらぶら歩いているのか、銃撃戦の真っ最中なのか）。この状態で広告の価値を決めるのは難しいし、まして、機械的にどうこうはできるはずがない。さらに、運転中に聞くラジオからコマーシャルを流す、現実世界と同じようにブランドもののソフトドリンクを並べるなど、仮想世界で広告ユニットに使えそうなものはいろいろあるが、いずれも、広告板以上に設計も計測も難しい。体験そのものは同期させつつ、ユーザーごとに適した広告を入れるのは技術的に難しいという問題もある。映画『アベンジャーズ』の予告バナーならスクワッド全員に示していいが、薬用クリームの広告は必ずしもそうでないなど、広告によってひとりにだけ示すべきかみんなに示すべきかを判断しなければならないなど、挙げていけばキリがない。

拡張現実なら現実世界をキャンバスに広告を示せばいいので、考え方はかなり単純になる。だが、実際にどうすればいいかは別問題で、むしろ難しいだろう。頼んでもいない広告を山のように見せられればじゃまだと感じ、ヘッドセットを別の物に換えてしまうはずだ。拡張現実の広告で事故が起きることも十分に考えられる。

米国の広告費は、ここ100年あまり、GDPの0・9%から1・1%というところである（戦時中をのぞく）。今後メタバースが大きな経済力を持つのであれば、どういうふうに広告を出せばいいのかをあきらかにしなければならないし、メタバースの多様な仮想空間やオブジェクトへプログラム的に広告を掲載する方法も、その効果を適切に測れる方法も開発しなければならない。

メタバースではどういう広告がいいのか、根本的に考え直すべきだとの意見もある。

2019年、ナイキはフォートナイトのクリエイティブモードを使い、「ダウンタウンドロップ」というエアジョーダンブランドの没入型世界を構築した。ここでは、ロケットシューズを履いて街中を走り回り、難しい動きをしたりコインを集めたりとプレイヤー同士で競うことができる。これは「期間限定」モードで、特別なエアジョーダンのアバターやアイテムがもらえるなどの特典も用意されているが、本来の目的は、ナイキエアジョーダンのイメージを高めることである。メディアに依存しないブランドの雰囲気をプレイヤーに知ってもらおうというのだ。

ティム・スウィーニーも、2021年9月、ワシントンポスト紙にこう語っている。

「車メーカーがメタバースでプレゼンスを示したいと思えば、広告なんか流してもだめです。仮想世界に新車を投入し、プレイヤーに運転してもらわなければ。その車があちらでもこちらでも楽しめるようにして、ちゃんと注目してもらうには、さまざまな経験のコンテンツクリエイターと協力する必要があるでしょう[5]」

当然ながら、運転できる形の新車を仮想世界に投入するのは難しい。ターゲットとした検索の結果と一緒に宣伝文句を表示するよりずっと難しいし、30秒や2分のコマーシャルで魅力的なストーリーを語るよりずっと難しいし、ユーチューバーと「ネイティブ広告」を作るよりずっと難しい。もともとそんなつもりではなかったユーザーがこれはおもしろそうだと積極的に選んで遊んでみるほどのモノや体験を用意しなければならないからだ。そして、いま、そういうノウハウは広告代理店にも企業の広告部門にもないに等しい。だが、メタバース広告には大きな効果が見込めること、差別化が必要であること、消費者インターネット時代の教訓などから、今後は実験に力が入るものと思われる。

キャスパー、クイップ、ロー、ワービーパーカー、オールバーズ、ダラーシェーブクラブなどの新興ブランドが力を持ち、老舗からシェアを奪っているのは、電子商取引で直販をしているからだけが理由ではない。検索エンジン最適化（ＳＥＯ）やＡ／Ｂテスト、リファラルコード、ソーシャルメディアにおける独特なアイデンティティの確立といった新しいマーケティング手法を活用していることも大きい。だがこういう手法も、２０２２年にはもう新しいとは言えない。一般的でやって当然のこと、切れ味もたいしたことのない手法になり下がってしまった。このあたりをやったからといってリーチが広がるわけでもなければ注目を集めるわけでもない。だが仮想世界は未開拓だ。

同じ理由から、ファッションブランドもメタバースに参入しなければならなくなると思われる。文化が仮想世界に移れば移るほど、自分らしさを表現する新しい方法も求められるのが当たり前だ。これは、『フォートナイト』がファッションアイテムの販売を中心にゲーム史上トップの収益を上げていることを見てもあきらかだ（その売上はトップクラスのファッションレーベルに匹敵する）。ＮＦＴもいい例だろう。トップクラスの成功を収めているＮＦＴコレクションはバーチャルな物品でもトレーディングカードでもなく、クリプトパンクやボアード・エイプなど、アイデンティティやコミュニティを指向する「プロフィール画像」なのだ。

既存レーベルがこういう需要を満たせなければ、新しいレーベルに食われることになるだろう。現実世界におけるルイ・ヴィトンやバレンシアガなどの売上にも下押しの圧力がかかるはずだ。仕事もレジャーも仮想空間にシフトしていけば、かばんの数も少なくてすむようになるだろうし、買うにしても安いものに走りがちになるだろう。

ただこの点については、現実世界の販売力を活用してデジタル商品の価値を高める手がありうる。たとえば、現実世界でブルックリン・ネッツのジャージやプラダのバッグを買ってくれた人にはバーチャル版やNFT版も提供する、割引販売するなどだ。「正規品」を買った人にだけデジタル版も提供するなども考えられる。デジタル版からリアル版という流れもありうる。すべてがオンラインとかすべてがオフラインということはなく、我々のアイデンティティもリアルからバーチャルまで綿々とつながっているのだから。

産業界

コンピューティングやネットワーキングの拡大と同じようにメタバースも、消費者のレジャーとしてスタートし、産業や企業へと広がっていくことを第4章で指摘した。

産業界への浸透には時間がかかるだろう。理由は、ゲームや映画よりシミュレーションの精度や柔軟性を実現する技術的ハードルが高いから、また、旧弊なソフトウェアや事業プロセスで育った社員を教育しなおせないと成功できないからだ。

そもそも「メタバース投資」はベストプラクティスではなく仮説が前提の話で、額も限られれば収益も思ったほど上がらないはずだという問題もある。だがそのうち、インターネットが現状のままだったとしても、ふつうの消費者からは見えない部分でメタバースが活用され、そこから収益を上げるという形が基本になるだろう。

数十億ドルの費用をかけ、ビル20棟が22万平方メートルあまりに広がるフロリダ州タンパのウォーターストリートを再開発するプロジェクトを見ればイメージがつかめるかもしれない。このプロジェクトを推進するにあたり、直径5メートルの模型を3Dプリントで作り、天候、交通量、人口密度などの都市データが反映されるように5Kのレーザーカメラ12台で2500万ピクセルもの映像を投影したのだ。アンリアルベースのリアルタイムレンダリングによるシミュレーションで、タッチスクリーンやVRヘッドセットで見ることができる。

ここまでのことをしてなにがいいのか、言葉で説明するのは難しい。だが、だからこそ、ストラテジック・ディベロップメント・パートナーズ（SDP）はこういう方法としたのだ。このおかげで、タンパもテナント出店を考えていた企業も、投資家も、もちろん再開発の業者も、このプロジェクトを深く理解し、計画を立てることができた。

この再開発はタンパにどういう影響があるのかも、完成したらどうなるのかもその目で見て確かめることができたからだ。5年の再開発で交通の流れはどう変わるのか。さらに6年の再開発でどう変わるのか。ビルをやめて公園にしたらどうなるのか。建物の高さを15階から11階と低くしたらどうなるのか。光の反射や熱の発散なども含め、建物や公園の見え方はどう変わるのか。そのあたり、時間や季節によってどう違うのか。緊急対応に要する時間はどう変わるのか。警察署や消防署、救急病院などを新設する必要はあるのか。避難経路は建物のどちら側に作るべきなのか。

いまこのようなシミュレーションは、ビルやプロジェクトの企画・設計・理解などに用いられることが多い。だがそのうち、建物が完成したあと、その運用やそこに入った事業にも活用されるようになるだろう。

たとえば、いつ、どういうタイプの人が来店するのかをリアルタイムにチェックするとともに現地在庫も追跡して、スターバックス店内の（物理的・デジタル的・バーチャルの）案内表示を切り替えるといったことが考えられる。人の流れや同業種の別店舗（あるいは別のスターバックス）との距離に応じて、モール側も、スターバックスに人が流れるようにすることもできれば逆に流れにくくすることもできる。モールと都市インフラをつなぎ、信号機ネットワークをＡＩで制御すれば、詳しい情報をもとに運用できるようになるし、消防車やパトカーの緊急対応を支援するなども可能になる。

活用は建設、建築、工学以外にもいろいろと考えられる。軍における3Dシミュレーションの活用は昔から世界各地で進められていて、ハードウェアの章でも紹介したように、すでに、米国陸軍がマイクロソフトからホロレンズのヘッドセットとソフトウェアを総額２００億ドル以上も購入するといったことも起きている。航空宇宙産業や防衛産業がデジタルツインに価値を見いだすであろうこともまちがいない（軍によるVRの活用より怖いかもしれない）。医薬やヘルスケアは期待の大きい分野だ。３Ｄシミュレーションは学生が人体を学ぶ際にも役立つし、医師が活用することも考えられる。たとえばジョンズ・ホプキンス大学では、２０２１年、神経外科のＡＲ手術が実際に行われている。執刀したのは脊椎（せきつい）固定術ラボのトップ、ティモシー・ウィットハム医師だ。手術はすごくやりやすかったらしい。

「ごく自然に見える場所にＧＰＳナビがあるような感じで、ＣＴスキャンを確認するため別スクリーンを見る必要がないのです」[6]

GPSという表現は秀逸だ。商用のARやVRと遊び用でいわゆる実用最小限の製品がどう違うのかがよくわかる。ARやVRのヘッドセットは、ビデオゲームのコンソールやスマートフォンのメッセージアプリといった選択肢を魅力や機能で上回らなければ普及にいたらない。

複合現実デバイスによる没入感は捨てがたいが、第9章で見たように課題もまだ多い。さまざまな種類の機器でプレイできる『フォートナイト』なら友だちと一緒に遊べるが、『ポピュレーション:ワン』はVRヘッドセットを持っていない人とは遊べない。さらに、『フォートナイト』のほうが解像度も高いし映像もリアルだし、フレームレートは高いし、同時接続ユーザー数も多いし、VR酔いの心配もない。いまのVRゲームは、コンソールやPC、スマートフォンのゲームに太刀打ちできるレベルまで来ていないのだ。

だがARありの手術となしの手術はGPSありの運転となしの運転くらい違う。GPSという技術があろうがなかろうが目的地まで行くことはできる。だから、使うか否かは運転時間が短縮されるなど、実質的な効果があるかどうか次第だ。手術なら成功率が上がる、回復が速くなる、費用が削減できるなどだろう。いまのAR機器やVR機器は技術的にまだまだであり、そのせいで手術への応用も難しいが、手術なら少しの違いでも導入する意義があるわけだ。

Chapter 14

メタバースの勝ち組と負け組

メタバースがモバイルとクラウドの時代におけるコンピューティングやネットワーキングの「後継的状態」にあり、産業のほとんどに変革をもたらすとともに、世界中の人々ほぼ全員が使うようになるのだとすれば、考えておくべき大きな問題がいくつかある。新しく登場する「メタバース経済」はどの程度の規模になるのか、どこが勝つのか、そして、社会にとってメタバースはなにを意味するのか、である。

メタバースの経済的価値

メタバースとはなんであるのか、いつ到来するのかさえ人によって言うことが違うが、兆ドル単位で表される規模になると予想する向きが多い。NVIDIAのジェンスン・フアンのように現実世界を超える規模になると予想する人もいる。

メタバース経済の規模を予想するのは、もどかしく思うこともあるがなかなかに楽しい作業である。ちなみに、メタバース時代に入ってもなお、その価値について共通認識が生まれることなどどないだろう。

いま現在、モバイルインターネット時代に入ってからでも15年以上がすぎているし、インターネット時代に入ってからなら40年以上、デジタルコンピューティング時代ならそれこそ75年からがたっているというのに、モバイル経済の規模もインターネット経済の規模もデジタル経済の規模も共通認識などないのだから。どころか、規模を推測しようとする人さえほとんどいないのが現実だ。[i] 数字が紹介される場合は、カテゴリーごとに主な企業の市場価値や収益を合計したものだったりする(カテゴリーの定義さえも実ははっきりしていないのだが)。

「〜経済」とは言うが、そもそもその実態は絡みあう技術の集合体が「従来型経済」に乗っているだけであり、本当の意味で「経済」などではないのだから推測も難しいのが当たり前だ。計測や観測といった科学的なものではなく、どこまで含めるのか、鉛筆をなめて決める芸の類いと言ってもいいだろう。

本書を例に考えてみよう。紙の本を通販サイトで買ったという人も少なくないだろう。そのとき、その代金は「デジタル収益」にカウントされるのか。物理的に作られ、物理的に配送され、物理的に消費されているものなのだが。一部がデジタルだと考えるなら、どの範囲がそうなのか。それはなぜなのか。電子書籍ならその割合はどう変わるのか。飛行機に乗ってふと気づくとすることがなにもない、だからiPhoneでデジタル音楽をダウンロードした、すでに買っているもののコピーを、だ。その場合、デジタルとそうでないものの割合は変わるのか。フェイスブックの記事がなければ本書など知りもしなかったとしたらどう考えるべきなのか。本書を書くのに使ったワープロが

i 本書ではそういう推測をあちこちで紹介しているので、そうでもないという印象があるかもしれない。

オフラインかクラウドベースかによってもそのあたりが変わると考えるべきなのか（手書きで書いたりしたらまた違うのか）。

インターネット収益やモバイル収益など、デジタル収益の一部を取り出して考えると、話がさらにややこしくなる。このふたつと「メタバース経済」は、同じような考え方で推測することになるはずなのだが。

インターネットベースの動画サービス、ネットフリックスはモバイル収益を上げているのか。モバイル会員という設定がたしかにあり、その会費はモバイル収益だと言えるだろうが、では、アクセス手段が限定されないサービスを契約していてときどきモバイル機器で動画を見るという人の会費はどう考えればいいのか。視聴時間の割合で会費を割り振る？　だがそれは、居間に置いた65インチの大画面で見る映画も地下鉄に乗っているとき7インチのスマホ画面で見る映画も価値は変わらないと考えるに等しいだろう。

Ｗｉ－ＦｉにしかＷ対応していなくて自宅の外に持ち出さないｉＰａｄは「モバイル」機器なのか。たぶんそう考えるべきなのだろうが、では、Ｗｉ－Ｆｉ対応のスマートテレビがモバイル機器でないのはなぜなのか。そもそも、無線で送受信されるビットも伝送経路のほとんどは有線なのに、それでも「モバイル」インターネットの収益だと言えるのか。そういう意味では、インターネットがなかったとしても売れる「デジタル機器」などないだろう。テスラ車のソフトウェアをインターネット経由でアップデートし、電池寿命を延ばしたり充電効率を上げたりした場合、その価値はどう測定し、どうカウントすればいいのか。

メタバースについても同じことが起きる。リアルタイムレンダリングで同時接続ユーザーが多い３Ｄ仮想世界を楽しみたいからＧＰＵをアップグレードしたいと、それだけを目的に3年前のｉＰ adを新しいiPadプロに買い換えた場合、いくらをメタバース分としてカウントすればいいのか。NFTや『フォートナイト』版をバンドルしたスニーカーをナイキが売ったとき、メタバース収益にカウントすべき部分はあるのか、あるとしたらいくらなのか。バーチャルな物品について相互運用性がこれ以上だったら単なるビデオゲームアイテムではなくメタバースの収益だと言えるレベルはあるのか。ブロックチェーンの馬に賭けた場合とリアルな馬に仮想通貨を賭けた場合で違いはあるのか。ビル・ゲイツが思い描いているようにマイクロソフトチームズのビデオ通話がリアルタイムレンダリングの3D環境になったとしたら、サブスクリプション料金のどこまでを「メタバース」分にカウントすべきなのか。建物の運用にデジタルツインを使った場合、どこまでをメタバースにカウントすべきなのか。ブロードバンドのインフラを大容量のリアルタイム回線に交換したら、それは「メタバース投資」なのか。新しいインフラのおかげをこうむるものの大半はメタバースと関係がないというのに(少なくともいま現在は)。だが、わざわざ低レイテンシーのネットワーキングに投資するのは、同期性が大事なリアルタイムレンダリングの仮想世界、拡張現実、クラウドゲームストリーミングなど、少数ながらそれを必要とする人がいるからだ。

このあたり、いい頭の体操にはなるが、正解のない問いであることもまちがいない。いまだに存在もしていないしいつ到来するのかも定かでないメタバースについて考えるとなればなおさら難しい。だから、「メタバース経済」の規模については哲学的に考えたほうが現実的である。

世界経済に占めるデジタル経済は、ここ80年ほど、右肩上がりで増えてきた。数少ない推定によると、2021年現在、世界経済の約20%、19兆ドル前後がデジタルだという。1990年代から2000年代の初めにかけてデジタル経済を推進したのは基本的にPCとインターネットサービスの普及であり、そのあと20年はモバイルとクラウドが中心だった。

この後半ふたつの波が意味するのは、デジタルの事業やコンテンツ、サービスにアクセスできる人と場所が増え、アクセスが容易になったことと、同時に新しい使い方がいろいろと登場したことだ。また、モバイルとクラウドは、先行のあらゆるものを飲み込む大波だった。しかも、「デジタル収益」など、実はほとんどのケースで昔からあるものだったりする。たとえばデートサービス業界はインターネット前にごく小さかったのがモバイル時代になってけた違いの大きさに成長したものだし、録音された音楽の業界はデジタル方式のコンパクトディスク登場で倍以上に拡大したあと、インターネット配信になって25％まで落ち込んだという流れになっている。

メタバースも同じように推移するものと思われる。不動産など縮んでしまう分野もないではないが、全体としては世界経済の発展を後押しするはずだ。そして、デジタル経済に占めるメタバースの割合も増えるし、世界経済に占めるデジタルの割合も増えるだろう。

こう仮定すればそれなりにモデルを考えることができる。2032年にメタバース経済がデジタル経済の10％を占め、デジタルが世界経済に占める割合がそれまでに20％から25％になる、また、世界経済は平均年率2・5％で成長を続けるとすれば、10年後、メタバース経済は年間3兆6500億ドル規模ということになる。言い換えれば、メタバースは、2022年から10年間、デジタル経済成長の4分の1を支える、リアルGDPの伸びの10％近くをたたき出すわけだ（残りは人口増加と、車の購入や水の消費が増えるなど消費行動の変化による）。デジタル経済に占める割合が15％なら年間5兆4500億ドル規模で、デジタル経済成長の3分の1、世界経済成長の13％を支えることになる。20％なら、それぞれ7兆2500億ドル、2分の1、6分の1となる。念のため申し添えておくと、2032年にメタバースがデジタル経済に占める割合としては、30％を予想している人までいる。

当たるも八卦(はっけ)当たらぬも八卦の世界だが、経済が変わっていくときというのはこんな流れになるものだ。早い段階からメタバースに飛び込むのは圧倒的に若い世代であり、そういう企業は「デジタル」経済や「物理」経済をリードしているところより成長が速く、世の中のビジネスモデルや行動、文化などをどんどん変えていってしまう。そして、ベンチャーも公開市場もそういう企業に高い価値を置いて投資することが多く、そういう企業を立ち上げる人々、そこで働く人々、さらにはそこに投資する人々が巨万の富を手にすることになるだろう。

そういう企業のなかには消費者と事業者と官公庁の橋渡しという大事な役割を果たすところもあり、そういうところは兆ドル単位の巨大企業になることだろう。これが、デジタル経済が世界経済の20％を占めるという表現の微妙な点だ。まっとうな推測方法ではあるのだが、結論は、残りの80％もなにがしかの形でデジタルを活用している事実がどこかに飛んでしまうのだ。

テックジャイアント5社が売上規模以上の力を持つと考える理由もここにある。グーグル、アップル、フェイスブック、アマゾン、マイクロソフトのいわゆるＧＡＦＡＭは、２０２１年、合計売上が1兆４０００億ドルとデジタル関連支出の10％にも満たないし、世界経済全体の１・６％にすぎない。だが、自社の貸借対照表に現れない売上にも大きな影響を与えているし、そういう売上から収益を上げてもいる（アマゾンのデータセンターやグーグルの広告など）。さらに、他社の技術規格やビジネスモデルさえも左右することがある。

GAFAMから勝ち組は出るのか

ＧＡＦＡＭのうちメタバース時代をリードするのはどこなのだろうか。そのあたりを考えるために、まずは歴史をふり返ってみたい。

企業の先行きを占うには五つのカテゴリーを見てみなければならない。まず、企業、製品、サービスが山のように生まれ、その影響がほぼすべての国、消費者、産業に波及し、その変革を促していく。いま業界をリードしているところの一部は後発に取って代わられ、消えたりその他大勢のひとつになってしまったりする。例としては、AOL、ICQ、ヤフー、パーム、ブロックバスター（第2のカテゴリー）などが挙げられる。

トップの座から滑り落ちた企業も、デジタル経済全体の拡大で成長が続く可能性はある。IBMやマイクロソフトがいい例で、両社とも、コンピューター市場のシェアは過去最低だが、企業価値は一番光っていた時代より大きくなっている。第5のカテゴリーに属する企業は取って代わられたり業界の変革などをうまくかいくぐり、中核事業を伸ばしていく。では、メタバースへのシフトで参考になるのはどのタイプなのだろうか。

マイスペースと異なり、フェイスブックはモバイルへの移行にうまく対応した。では、もう一度、変革に成功できるのだろうか。前回はインスタグラムやワッツアップなどの買収でモバイルへの移行をスムーズに進められたし、メタバース計画の基礎もオキュラスVRやCTRLラボの買収で形にしたわけだが、今後はそうした買収に規制当局が厳しい目を向けそうだ。サービスの大半が依存するハードウェアベースのプラットフォームという戦略的障害もあるし、社会的な評価がかつてないほどネガティブになってもいる。

それでも、フェイスブックはあなどれない。なにせ月間ユーザー数が30億人、1日あたり20億人と世界一よく使われているオンラインアイデンティティのシステムを持つのだから。メタバース関連に年120億ドルも支出しているし（ちなみに売上は1000億ドル近く、キャッシュフローも年500億ドル以上に達している)、VRハードウェアについては何年も先行できている。そして、経営している創業者は企業経営者のなかでもこれほどメタバースに入れ込んでいる人はいないというほど入れ込んでいるのだ。

というわけでフェイスブックを軽んじることなどできるはずがないのだが、同時に、やる気とお金さえあれば成功するという話でもない。ディスラプションとは一本道ではなく、行ったり来たりしながら進むもので先行きが予想できない。

しかも、メタバースはわからないことだらけで混乱している。技術革新はいつ起きるのか。そのときどう実用化するのが一番いいのか。どういう形で収益化すればいいのか。新技術の登場でユースケースや消費行動はどう変わるのか。

1990年代、マイクロソフトは、モバイルとインターネットが重要だと考えていたし、その後世界を支えるようになったあれこれを作るのに必要な製品も技術も資源もほとんどそろえていた。なのに、グーグルやアップル、フェイスブック、アマゾンにしてやられてしまった。大成功したウィンドウズオペレーティングシステムやマイクロソフトエクスチェンジ、サーバー、オフィススイートを守るほうに気を取られたこともあり、アプリストアやスマートフォンの役割からタッチスクリーンの重要性にいたるまであらゆる判断をミスってしまったのだ。いまもマイクロソフトに大きな価値があるのは、過去の資産やスイートにこだわるのをやめ、ユーザーが望むことをサポートする姿勢に転じたからである。

このときさまざまな分野でマイクロソフトを追い抜いたのがグーグルだ。世界一の人気を誇るのはオペレーティングシステムもグーグルだし(ウィンドウズではなくアンドロイド)、ブラウザもそうだし(インターネットエクスプローラーではなくクローム)、オンラインサービスもそうだ(ホットメールやウィンドウズライブではなくＧｍａｉｌ）。

ではそのグーグルは、メタバースでどういう役割を果たすのだろうか。グーグルは「世界の情報を整理し、そこに誰でもアクセスできるようにする」をミッションに掲げているが、仮想世界の情報にはほとんどアクセスできないし、それを活用するなど夢のまた夢である。自社では仮想世界も展開できていないし、仮想世界のプラットフォームもエンジンも持っていない。ナイアンティックはもともとグーグルの子会社だったが２０１５年に独立してしまっている。またその2年後には、衛星画像事業をプラネットラボに売却。２０１６年にはゲームストリーミングのクラウドサービス、ステイディアを提供しようと準備を始め、２０１９年末にはリリースにこぎ着けたし、同年、ステイディアゲームとエンターテイメント部門を「クラウドネイティブ」なコンテンツスタジオにすると発表してもいる。だがそれも２０２１年には閉鎖となり、ステイディア関係の人々は、トップ以下、グーグル内の他グループに異動するか退職するかしてしまっている。

エピックゲームズやユニティ、ロブロックスといった会社にディスラプションが芽生えつつあることはすでに見てきたとおりだ。評価価値で見ても売上で見ても、事業規模で見ても、ＧＡＦＡＭより小粒な会社ばかりだが、プレイヤーネットワークもディベロッパーネットワークもあるし、仮想世界も展開しているし、「バーチャル配管」もあるしとメタバースのリーダーに必要なものがみなそろっている。さらに、その歩んできた道も文化も、保有スキルも、いまのテックジャイアントと大きく異なっている。

共通しているのは、未来はメタバースにあるという認識くらいだろう。ここ15年ほど、ＧＡＦＡＭが気にしてきたのは、ストリーミングＴＶ、ソーシャルビデオやライブ配信、クラウドベースのワープロ、データセンターなどだ。そこに注力したのがいけないわけではないのだが、その分、ビデオゲームには注目してこなかったし、ましてや、「メタバース」に乗るならバトルロイヤルや子ども向けのバーチャル遊び場や、それこそゲームエンジンが大事だと認識してこなかったのはまちがいのない事実である。テックジャイアントがゲームを軽視してきたのは、新時代への転換に向け、どう準備してきたのか、さらにはそれをどう予想してきたのかを示していると言えるだろう。

2012年にマーク・ザッカーバーグがインスタグラムを10億ドルで買ったのは、わりとすぐに、デジタル時代有数の賢い買い物だったと言われるようになった。買収当時、インスタグラムは社員も十人ほどなら月間アクティブユーザーもようやく2500万人というレベルで、売上はまったく上がっていなかった。それがわずか10年で5000億ドル以上もの評価価値を持つようになったのだ。インスタグラムの2年後にはユーザー数7億人のワッツアップも買っていて、200億ドルなら同じように格安の買い物だと言われた。いまは両方とも、賢すぎる買い物だった、独占禁止法上、国が却下すべき買収だったとまで言われているほどだ。

ザッカーバーグは買収がうまいとよく言われるが、それでもなお、フェイスブックもそのライバル各社も、エピックゲームズやユニティ、ロブロックスを買収していない。ここ10年ほど、どの会社も評価額はせいぜいが数十億ドルと、GAFAMなら1週間の利益で買えるくらいでしかなかったというのに、だ。[ii]

なのになぜ買わなかったのか。どの会社も、どういう役割をどこまで果たすことになるのか、まっ

[ii] ハリウッド大手は「もう少しでネットフリックスを買おうとしていた」「インスタグラムを買うことも考えたんだけどね」などと言うことが多い。そういう会社が、エピックゲームズやロブロックス、ユニティを買っていれば、いまごろ、親会社を超える買収だと言われていたはずだ。

たくわからなかったからだ。

ビデオゲームはよくてニッチ、下手すれば低俗な領域だとしか思われていなかった。ニール・スティーヴンスンでさえ、もともと、ビデオゲームこそがメタバースにいたる道だと考えていたわけではない。でも、2011年には、そういうことだと言い始めているし、西側諸国のテック企業経営者にとって『セカンドライフ』や『ワールド・オブ・ウォークラフト』は常識になっているし、プレイしたことのある人も少なくないはずだ。

実は、ザッカーバーグは、2015年にユニティの買収を取締役会に打診したという。そういう社内メモがあるのだ。当時、ユニティは、評価価値がユニコーンと称される10億ドルにも達していなかった（評価価値が100億ドルを超えたのは2020年である）。だから、本当に買収を打診していたとしても、かなり安かったはずだ。

フェイスブックは2014年にオキュラスVRを買収しているが、このプラットフォームは、使ったことのあるユーザー総数がエピック、ユニティ、ロブロックスなら24時間で達成するくらいしかいない。だから買収が失敗だったと言いたいわけではない。今後大化けする可能性もある。それに、買収は1回しかできないわけではない（実際、フェイスブックはこのあと何十社も買収している）。

また、フェイスブックのメタバース戦略で中核となるのは、オキュラスでもなければVRでもARでもなく、『ロブロックス』や『フォートナイト』に似た統合仮想世界プラットフォーム『ホライズンワールド』（ユニティで作られている）ということになっている。一方、『ロブロックス』には、フェイスブックの未来を脅かす消費者が集まっている。ソーシャルネットワークをやめるどころか、そもそも使おうともしない人々だ。

「中間」にいるアマゾン

メタバースに一番入れ込んでいるのはフェイスブック、一番後れを取っているのはグーグルで、その中間にいるのがアマゾンだろう。本書でくり返し検討してきたように、メタバースは、コンピューティングパワー、データストレージ、ライブサービスに大きな負荷をかけることになる。つまり、クラウドインフラ市場の3分の1近くを占めているアマゾンウェブサービス（ＡＷＳ）は、今後の成長を他社にかなり持っていかれたとしても、相当の利益を得ることができるわけだ。

ちなみにアマゾンもメタバース向けのコンテンツやサービスを作ろうとしてはいるが成功しているとは言いがたいし、音楽やポッドキャスト、動画、ファストファッション、デジタルアシスタントといった従来型市場に比べて優先順位が低いようだ。

各種報道によると、アマゾンは、創業者ジェフ・ベゾスが言う「コンピューター的にとほうもないゲーム」を作るため、毎年何億ドルもの予算をアマゾンゲームスタジオに投じているという。だがゲームのほとんどはリリースできず打ち切りになっている（基本的に、ヒット作のライフタイム予算以上に開発費がかかると打ち切りになる）。

２０２１年９月にリリースされた『ニューワールド』も（既存ＡＷＳサーバーで動いているのは驚きだ）、話題にもなれば評価もよかったというのに、月間ユーザー数が数百万人にとどまっている。『ロストアーク』にも触れておくべきだろう。２０２２年２月にアマゾンゲームスタジオがリリースし、人気となったのはいいのだが、実はこのゲーム、アマゾンゲームスタジオが開発したものではない。スマイルゲートが開発し、２０１９年に韓国でリリースしたゲームで、１年後にアマゾンが英語版の権利を買ってリパブリッシュしたのだ。

もちろん、この先、いろいろとヒット作が出てきたりもするのだろうが、アマゾンミュージックやプライム・ビデオに合計で年間何十億ドルも支出していることを見れば（ハリウッドのMGMスタジオも85億ドルで買収している）、ゲームに力を入れていないのはあきらかだ。テレビドラマ『ロード・オブ・ザ・リング』の1年分だけで、ゲームスタジオの年間予算を超えるという報道もある。

２０２０年10月に立ち上げられたゲームストリーミングのクラウドサービス、ルナについても似たような話がある。グーグルのステイディアにも負けているほどで、契約すれば追加料金なしで楽しめるコンテンツもないに等しい（アマゾンにしてはきわめて珍しいことだ）。立ち上げの4カ月後、ルナ部門統括がユニティエンジンのゼネラルマネージャーに転職するといったことも起きている。ツイッチは成功していてビデオゲームのライブストリーミングサービスをリードする立場だし、アマゾンプライムという強みもあるというのに、スチームに対抗できるゲームストアは作れていない。

ゲーム関連で特筆すべきなのは、ゲームエンジンの開発だろう。まず、ゲーム『ファークライ』を開発したクライテックからそれなりのゲームエンジンであるクライエンジンのライセンスを取得。費用は５０００万ドルから７０００万ドルと言われている。その後数年、数億ドルを投じて改良を施し、完成したのがランバーヤードだ。ＡＷＳに最適化されたゲームエンジンで、アンリアルやユニティのライバルになることが期待された。だが利用は広がらず、２０２１年、開発がリナックスファウンデーションに引き継がれ、無償のオープンソース、「オープン３Ｄエンジン」として提供されることになった。ＡＲやＶＲのハードウェアはそれなりに成功しているが、リアルタイムレンダリング、ゲーム制作、ゲーム配信については、いまのところ失敗続きと言っていいだろう。

注目すべきはアップルよりマイクロソフト

ハードウェアの章と決済の章で検討したように、アップルも、メタバースの恩恵を確実に受ける1社である。規制でサービスのバンドルが禁じられる事態になっても、アップルのハードウェアやオペレーティングシステム、アプリプラットフォームが仮想世界の入口として重要な役割を果たすであろうことは変わらないし、それが利益率の高い事業になることもまちがいなければ、技術規格やビジネスモデルに大きな影響を与えるであろうこともまちがいない。

アップルはまた、軽量・高性能で使いやすいARヘッドセットやVRヘッドセットといったウエアラブル機器の開発には一番有利な立場にある。iPhoneを活用するなどの方法もあるだろう。『ロブロックス』のような統合仮想世界プラットフォーム（IVWP）があれば仮想世界のユーザーやディベロッパーともつながれるはずだが、IVWPを開発しているという話は聞かない。アップルという会社はゲーム関連のノウハウを持たないし、そもそも、ソフトウェアやネットワークよりハードウェアが中心であることを考えると、人気IVWPの開発は難しいとも思われる。

メタバース時代に注目すべきGAFAMは、モバイルへの移行に乗り損ねたマイクロソフトかもしれない。Xboxを世に送り出した2001年、投資家はもちろん社内からも、ゲーム部門は必要なのか、むしろないほうがいいのではないかと疑問の声が上がった。対して創業者であるビル・ゲイツ会長は、CEOがスティーブ・バルマーからサティア・ナデラに代替わりした3カ月後、ナデラがXboxをスピンオフすると言うなら自分はそれを心から支持する、「ただし今後はゲーム戦略が不可欠になるので、どうすべきかは意外に難しい」と表明している。

そして、ナデラはマインクラフトの買収を決断。数十億ドル規模の大型買収だ。しかも、提供プラットフォームをＸｂｏｘとウィンドウズに限定しなかった（Ｘｂｏｘやウィンドウズなら一段よくなるようにもしなかった）。いまなら当たり前に思えるが当時はあり得ないと言われていた考え方である。この方針が功を奏し、『マインクラフト』はユーザー数が買収当時の月間２５００万人から1億５０００万人へと6倍にも増え、世界で2番目に人気の高いリアルタイムレンダリング３Ｄ仮想世界となった。

いま、ゲーム体験はマイクロソフトに限らず業界の最前線となっている。すでに紹介したように、『マイクロソフトフライトシミュレーター』は、技術面でもコラボレーション面でもすごい製品である。開発はＸｂｏｘゲームスタジオだが、ビングマップの協力を仰いでいるし、無償で使えるオンライン地図の共同作業プロジェクト、オープンストリートマップスのデータも活用している。さらに、データをまとめて3D化したり気象データをリアルタイムに反映させたり、クラウドからストリーミングしたりしているのはアジュールの人工知能である。

またＸｂｏｘ部門にはハードウェアスイートもあれば、世界一の人気を誇るゲームストリーミングのクラウドサービスも、ゲームスタジオもあるし、独自エンジン各種もある。ホロレンズはアジュールＡＩ部門が担当しているが、ここととゲーム部門が近い関係なのはあきらかだ。さらに、マイクロソフトは、２０２２年1月、中国を除く世界で一番大きな独立系ゲームパブリッシャー、アクティビジョン・ブリザードを７５０億ドルで買うと発表し（ＧＡＦＡＭ史上最大の買収劇である）、その際、「この買収により、モバイル、ＰＣ、コンソール、クラウドにまたがるマイクロソフトのゲーム事業は今後一層発展するでしょう。また、アクティビジョン・ブリザードはメタバースの構築に必要な各種材料を提供してくれるものと期待しています」と語っている。[1]

『マインクラフト』の扱いを見れば、マイクロソフトをどう変えていこうとナデラが考えているのかがわかる。今後の製品は、自社のオペレーティングシステムやハードウェア、技術、サービスに特化したものとしない（その組み合わせが一番という最適化さえしない）、だ。逆に、プラットフォームを気にせず使えるように、なるべく多くのプラットフォームをサポートする。オペレーティングシステムの覇権を失っていく中、それでも成長できたのは、こういう方針に転換したからだ。マイクロソフトのシェアが縮む以上にデジタル世界が大きくなったからと言ってもいい。これはまた、メタバース時代にも対応可能な方針でもある。

GAFAM以外の注目株はソニー

もう1社、注目すべきコングロマリットが1946年創業のソニーだ。ソニー・インタラクティブエンタテインメント（SIE）は独自規格のハードウェアとそのゲームに加え、サードパーティが開発したもののパブリッシングや流通も手がけており、世界一の売上を誇るゲーム会社となっている。また、有料ゲームのネットワークも世界第2位（プレイステーションネットワーク）、ゲームストリーミングのクラウドサブスクリプションも世界第3位（PSNow）である。

写実的なゲームエンジンも各種展開していて、SIEの『ザ・ラスト・オブ・アス』、『ゴッド・オブ・ウォー』、『ホライゾン ゼロ ドーン』などは業界史上まれに見るほど迫真かつクリエイティブなゲームだと評価されている。また同社のプレイステーションは、第5世代、第6世代、第8世代、第9世代のコンソールにおいて一番売れた製品であるし、2022年にはPS VR2プラットフォームも発売する予定だ。

ソニー・ピクチャーズも売上で世界一の独立系映画スタジオであるとともに、テレビや映画の独立系スタジオとしても世界最大となっている。半導体部門はイメージセンサーで世界をリードしていて、その市場シェアは50％近い（最大の顧客はアップルである）。ビジュアルエフェクトやコンピューターアニメーションの世界で高く評価されているイメージワークス部門もある。

3Dシミュレーションによる再現で審判を支援するため、世界のプロスポーツで広く採用されているコンピュータービジョンのシステム、ホークアイもソニーの製品だ（サッカーチーム、マンチェスター・シティは、スタジアム、プレイヤー、ファンの様子をリアルタイムに再現するデジタルツインをこの技術で提供している）。売上で世界第2位の音楽レーベル、ソニーミュージックもあれば（トラヴィス・スコットもソニーミュージック所属だ）、クランチロールとファニメーションによってアニメストリーミングの世界をリードしているのもソニーである。これほどの資産やクリエイティビティがあれば、メタバース時代に大活躍できるはずだと思うだろう。ただし、課題もたくさんある。

ソニーのゲームはプレイステーション専用ばかりで、SIEも、モバイルやクロスプラットフォーム、マルチプレイヤーのゲームでヒットを飛ばした実績がほとんどない。ゲームのハードウェアやコンテンツには強いが、オンラインサービスへの対応は鈍いし、コンピュートやネットワーキングインフラ、バーチャルプロダクションをリードする立場にもない。日本は半導体に強い国であるにもかかわらず、有力と目される企業は出ていない。つまりソニーがメタバースに舵を切る際には、おそらく、GAFAMのサービスや製品を使わざるをえないわけだ。[iii]

ソニーは、2020年、ドリームズをリリースした。パワフルなIVWPでプロが制作したゲームが多数用意されていたにもかかわらず、ユーザーもディベロッパーもあまり惹きつけることができなかった。これはＵＧＣ（ユーザー生成コンテンツ）プラットフォームの経験不足が原因で、ドリームズは最初から失敗が約束されていたというのが大方の見方だ。ＩＶＷＰは基本プレイ無料が普通なのに、ドリームズは最初に40ドルもかかる。ディベロッパーに売上の一部を還元する仕組みもない。また、ほかのＩＶＷＰはさまざまな機器で遊べるのに、ドリームズはプレイステーション専用だった。[iv]

ＧＡＦＡＭに比べると、ソニーはユーザー数も少ないし、エンジニアの数も少ない。研究開発費もＧＡＦＡＭならせいぜい数カ月分か下手すれば数週間分が年間予算だ。そのせいか、ソニーは、機会損失をくり返してきたことで知られている。

たとえば、ウォークマンでポータブルな音楽デバイスの世界市場をリードしていたし、世界第２

[iii] ソニーは、２０１９年5月、クラウドゲームなどのコンテンツをストリーミングするサービスにアジュールのデータセンターを使う「戦略的パートナーシップ」をマイクロソフトと締結した。だが、翌２０２０年2月、Ｘｂｏｘのトップは「任天堂もソニーもすごい会社で尊敬しています。でも今後ライバルになるのはアマゾンやグーグルだと考えています……任天堂やソニーをディスるつもりはないのですが、いわゆるゲーム会社は立ち位置が微妙に苦しいと思うのです。彼らもアジュールと同じようなものを作ろうとすることはできるでしょうけど、でも、我々は、ずいぶん前からクラウドに膨大な投資をしてきていますからね」と語っている（Seth Schiesel,"Why Big Tech Is Betting Big on Gaming in 2020," Protocol, February 5,2020, https://www.protocol.com/tech-gaming-amazon-facebook-microsoft）。

[iv] ドリームズがプレイステーション専用なのは、このゲームが技術的にすごく進んでいて、そこまでの能力がないモバイル機器には荷が重すぎるというのも理由のひとつである。だが、ハイエンド機器向けに開発したＩＶＷＰをほかのプラットフォームでも使えるようにするのは至難の業だ。

位の音楽レーベルも傘下に持っていたというのに、デジタル音楽という革命を起こしたのはアップルだった。消費者家電にもスマートフォンにもゲームにも強いのに携帯電話事業では競り負けているし、スマートテレビでは波に乗り遅れている。また、ハリウッド大手のなかで唯一、従来型テレビを守る必要もなく、また、ネットフリックスがDVDレンタルからストリーミングに転換するのと同時期にストリーミングサービスのクラックルを立ち上げたにもかかわらず、成果を挙げられていない。

今後、メタバースで異彩を放つには、技術革新に加え、もともと横のつながりを強みとする会社にとっても難しいレベルで部門間の協力を実現しなければならない。また、いま、プレイステーションをはじめソニーのエコシステムはいずれも自社製品のみでかっちり組み上げられているが、今後はそういう縛りをなくし、サードパーティーのプラットフォームにも対応しなければならない。

まだ影も形もない企業が歴史に名を残す

30年にわたり、グラフィックスベースのコンピューティングに特化して成長してきたNVIDIAのことも忘れてはいけない。NVIDIAは、インテルやAMDといったプロセッサーやチップの大手と並び、増えていくコンピュート需要の恩恵を手にすることになる。アマゾンやグーグル、マイクロソフトなどのデータセンターはもちろん、我々が手にする機器も、このような企業が提供するハイエンドのGPUやCPUを使っているからだ。

だが、NVIDIAは、もっと大きなことを考えている。いま、NVIDIAのGeForce Nowは、ゲームストリーミングのクラウドサービスで2番手につけている。そのシェアはソニーに対しても数倍、アマゾンのルナやグーグルのステイディアに対してはけた違い、リーダーであるマイクロソフトに対しても半分ほどだ。また、異なるエンジンやオブジェクト、シミュレーションの相互運用性を高める3D規格を推進するプラットフォーム、オムニバースは、「デジタルツイン」や現実世界において『ロブロックス』的なものとなれる可能性を秘めている。NVIDIAブランドのヘッドセットやNVIDIAがパブリッシャーのゲームが登場することはないかもしれないが、少なくとも2022年のいま現在、NVIDIAがかなりの部分を支えるメタバースに住むことになりそうな感じがするのはまちがいない。

このようなとき、業界リーダー各社は未来に対応する準備が整っているように見えてしまうという問題がある。当たり前だろう。お金も技術も、ユーザーも、エンジニアも、特許も、コネも、なにもかも潤沢なのだから。それでもなお、いや、そういう強みを持つがゆえに（強みに足を引っぱられることも少なくない）、つまずくところが出てくるのは、歴史が示すとおりだ。

しばらくすれば、いまは小さすぎたりたまたま著者の目にとまっていなかったりで本書に取りあげていないところがあちこち、メタバースのリーダーに名前を連ねているはずだ。それこそ、まだ影も形もないところもあったりするだろう。

いまは『ロブロックス』ネイティブの世代が大人になりかけている時代であり、同時接続ユーザー数千人、数万人のゲームやブロックチェーンベースのIVWPを作るのはシリコンバレーではなく、彼らであるはずだからだ。ウェブ3という考え方に共感した、兆ドル規模とも言われるメタバースの市場規模に惹かれた、あるいは、規制によってGAFAMに買ってもらえなかったなど、経緯はいろいろとあり得るが、とにかく、GAFAM5社のどこかに取って代わるところが育つであろうことはまちがいない。

集中化と分散化は両輪

どこがメタバース時代の覇権を握るのかはわからないが、垂直・水平に統合された少数のプラットフォームがアクセス時間、コンテンツ、データ、収益のかなり多くを占めるようになる可能性が高い。ＧＡＦＡＭを合計しても２０２１年デジタル収益の10％以下にしかならないことを見てもわかるように大半を占めるようになるとは限らないが、でも、メタバースの経済やユーザーの行動に大きな影響を与え、現実世界やその住人の経済を左右するくらいにはなるだろう。

データが増えれば口コミも増える、ユーザー総数が増えればハマる人も増えるし広告も増える、収益が増えればライセンスの拡大速度もあがる、投資が増えれば人材も集まると好循環が生まれ、ソフトウェア系を中心にあらゆる事業がその恩恵を受けることになる。このあたりはブロックチェーンであっても変わらない。１９９０年代になってたくさんのサイトが生まれても、ヤフーやＡＯＬといったポータルなど一部ウェブサイトがにぎわっていたことを見ればわかるだろう。

ハマるというのは習慣になると同義であり、だから、ブロックチェーンのＤＡｐｐは「ウェブ2・0」に比べてユーザーやデータに対する影響力が大きく下がるにもかかわらず、何十億ドルもの価値があると見るベンチャーキャピタリストが多いのだ。

ただし、本当のところ、メタバースとは大手企業同士の戦いでもなければ大手企業に取って代わろうとするスタートアップと大手企業の戦いでもなく、「集中化」と「分散化」の戦いだと見る人が多い。もちろん、集中化vs分散化は勝敗が決するような話ではない。ポイントは、両者の中間、どのあたりに落ちつくのか、また、その位置が時間とともにどう動くのか、なぜ動くのか、だ。

アップルは、２００７年、常識に逆張りしてクローズドなモバイルエコシステムを立ち上げた。これが功を奏したから、モバイルを中心としたデジタル経済が拡大・成熟したし、史上最高の製品を持ち、評価価値でも利益率でも史上最高の企業が生まれたわけだ。

だが、それから15年がたち、米国におけるパーソナルコンピューターに占めるアップルのシェアが２％以下から3分の2以上に増えた結果（ソフトウェアの売上は4分の3に近い）、ディベロッパーにとっても消費者にとっても選択肢が狭まってしまい、業界全体が足を引っぱられるようになってしまった。

エピックゲームズに訴えられた裁判でアップルのティム・クックＣＥＯは、他社の決済システムに飛べるリンクをアプリに組み込むことを許すのは、「知的財産による収益を減らすに等しい行為だ」と語っている。[2] 次世代インターネットがそのようなポリシーに足を引っぱられることなどあってはならない。だが、『ロブロックス』がいま一番人気の「プロトメタバース」となっている理由がアップル・ｉＯＳと同じ理由、すなわち、コンテンツ、配信、決済、アカウントシステム、バーチャルグッズなどをすべてバンドルし、あらゆる体験をできるかぎりコントロールしたからなのだから、なんともはやである。

結局、現実世界と一緒で、メタバースにとっても分散化と集中化、両方が成長の原動力になるということなのだろう。そして、これまた現実世界と一緒で、両者の中間というのは動かないものでもなければどことはっきり認識できるものでもなく、まして、ここにしようと話し合ってそこに持っていけるものでもない。であっても、白黒つけられるものではないのだと企業、ディベロッパー、ユーザーが受け入れれば、それなりのポリシーを生み出すことができるはずだ。

たとえばエピックゲームズのディベロッパー向けライセンスは、特定ビルドのアンリアルエンジンに関するあらゆる権利を与えるものとなっている。4・13やそれこそ5・0、6・0など、その後のビルドやアップデートについてはエピックが条件を変える可能性はあるし、その権利まで譲渡するのは金銭面で非現実的であるし、ということはつまりディベロッパーにとってもおそらくはマイナスであろう。

だがこのポリシーなら、アンリアルを使うと一度決めたらエピックがなにを言ってきても首を縦に振るしかなくなると心配しなくていい（なにせメタバースには家賃規制もなければ苦情を申し立てられる裁判所もないのだ）。また、カスタマイズやサードパーティー製品の組み込みなども自由にできるライセンスなので、アップデートが出たときそちらに乗り換えず、4・13、4・14、5・0などでエピックが追加した部分は自作するという選択肢も残る。

2021年、エピックゲームズは、アンリアルのライセンスに大きな変更を施した。ライセンス料の支払いが滞ったり契約違反があったりした場合でも、エピック側から契約解除を通告することはできないとしたのだ。必要なら、支払いを求める訴えを起こす、サポートを中断してもよいとの命令を裁判所から得るなどしなければならない。契約順守を求めるのにかかる手間暇もお金も増えてしまうが、ディベロッパーと信頼関係を結ぶにはこのほうがいい、そのほうが事業にとってもいい結果になるとエピックは判断したわけだ。

賃貸契約に違反した、支払いが1日遅れた（あるいは60日遅れた、でも）、だからアパートの部屋に入れなくしたと家主に言われたらたまったものではない。そういう契約だったら心配になるだろうし、であれば、部屋を借りるのもどうしようかとためらうだろう。さらには、その街に引っ越すこと自体を考え直すかもしれない。メタバースでは、店子を締めだす、出禁にするなどが簡単にできてしまうし、そのとき店子の持ち物は永久に失われたりする。これを技術的に解決しようというのが、ブロックチェーンなどによる分散化というわけだ。もうひとつ、現実世界の法制度を拡張し、非実体の実体性をカバーするというやり方も考えられる（両者は併存も可能）。

ティム・スウィーニーも語っているように、力のある企業が裁判官、陪審員、刑の執行官を兼ねていて、製品を作る、製品を販売する、顧客に対応するなどをやめさせることがいつでもできるのは、だれにとっても得な状態ではないのだ。

これからは信頼が鍵を握るであろう理由

私としては、「信頼を勝ち取る競争」が生まれてほしいと思う。

バーチャルな物品、空間、世界を多くの利益が得られるすばらしいものにしよう、時間も費用もかけず簡単にそういうものが作れるようにしよう、そうして多くのディベロッパーに集まってもらおうと、いま、大手プラットフォームはとてつもない額の投資を続けている。それと並行して、単なるパブリッシャーやプラットフォームではなく、パートナーになりたいと考え、そういう方向性のポリシーにするところが出てきている。これは優れていると昔から言われている事業戦略なわけだが、メタバースの場合は必要な投資も膨大ならディベロッパーに深く信頼してもらう必要もあることから、ここに注目が集まっているのである。

マイクロソフトも、2021年4月、マイクロソフトストアのゲーム向け手数料を従来の30％から12％に引き下げると発表（Xｂｏｘストアは変わらず30％）。また、Xｂｏｘも基本プレイ無料のゲームだけならライブサービスを契約せずに遊べるようにした。2カ月後にまたポリシーを改定し、ゲーム以外のアプリではマイクロソフト以外の決済手段を使ってよいとした。最終的に決済を行う

VISAやペイパルといったペイメントレールが徴収する2〜3%だけに決済手数料を減らせるわけだ。そして9月、こんどは、Xboxのエッジブラウザを「ウェブ標準」にアップデートし、XboxのライバルであるグーグルのステイディアやNVIDIAのGeForce Nowなどが提供するストリーミングゲームもプレイできるようにした。その場合、マイクロソフトのストアもライブサービスも使う必要がない。

マイクロソフトは、2022年2月にもポリシーの大改訂を断行する。オペレーティングシステムのウィンドウズと「ゲームの次世代市場」について、新しい14項目のポリシープラットフォームを発表したのだ。サードパーティーの決済ソリューションやアプリストアをサポートする（もちろん、そちらを使うとデメリットが生じるようにもしない）、基本的にそちらを使う設定も可能にする、ディベロッパーがエンドユーザーと直接やりとりすることを許す（マイクロソフトのストアやサービススイートを使わなければもっと安くなる、あるいはもっと使いやすくなると伝えるためであっても）といった内容が並んでいる。

ただし、Xboxは原価割れの価格でハードウェアを販売し、マイクロソフトストア経由のソフトウェア販売で儲けを出すものであり、Xboxコンソールストアにもこの原則すべてをすぐに適用するわけにはいかないとの断り書きも添えられていた。「Xboxコンソールのストアについてもビジネスモデルを変えていかなければならないと考えてはいる……多少時間はかかるかもしれないが、このギャップは必ず解消していく」という決意表明とともに[3]。

マーク・ザッカーバーグも、2021年10月にフェイスブックのメタバース戦略を発表した際、メタバース経済を育て、ディベロッパーをサポートすることが大事だと語っている。また、ポリシーについても、最近、ほかのソフトウェアプラットフォームがしているように、フェイスブックが提供するＶＲ機器や（今後登場するはずの）ＡＲ機器の取り分やそういう機器への依存度を引き下げることでディベロッパーに利益をもたらすべきだとしている。

具体的には、今後もハードウェアは原価か原価割れで販売するが（ゲームコンソールと同じ。スマートフォンは違う）、アプリはディベロッパーから直接ダウンロードできるようにする、あるいは、それこそライバルのアプリストアからでもダウンロードできるようにするという。

また、フェイスブックにアカウントを作らなくてもオキュラスを使えるようにするし（２０２０年8月のポリシー改訂で実現された）、オキュラス用に独自ＡＰＩスイートを開発したりせず（もちろん、独自スイートでなければ使えないようになどせず）、今後も、ブラウザベースのＡＲ・ＶＲを実現するオープンソースのＡＰＩコレクションであるウェブXRと、ＡＲ・ＶＲのアプリに使うオープンソースのＡＰＩコレクションであるオープンXRを使い続けるそうだ。

対してほかのコンピューティングプラットフォームは、第10章で紹介したように、現状、ブラウザベースでリッチなレンダリングはできないようにしていたり、独自ＡＰＩコレクションしか使えないようにしているところが多い。

このあと、フェイスブックはＡＰＩを拡充するとともに、昔はサポートしていたがここしばらく使えなくしていたライバルプラットフォームに対応していく。たとえば、インスタグラムのリンクをツイッターに投稿するとツイート内にインスタグラムの写真が表示されるようにする、などだ。２０１０年のインスタグラム立ち上げ後ほどなく実装され、２０１２年、フェイスブックに買収された8カ月後には取り除かれたＡＰＩが復活したわけだ。

本当に信じてよいのか？

マイクロソフトやフェイスブックなど「ウェブ2・0」の巨人がなぜこういうことをしているのか。うがった見方も当然にできる。マイクロソフトのプレジデント、ブラッド・スミスは、2020年5月、オープンソースソフトウェアについて「対応をまちがえた」と語っているし、2022年2月には、サードパーティーのアプリストアや決済サービスが使えないアップルやグーグルのモバイルオペレーティングシステムを狙い撃つ新法について、「競争を促進し、公平性と革新を担保する重要な法律だ」と支持を表明している。[4]

だが、アップルやグーグルに取って代わられず、両社と同じくらいモバイルオペレーティングシステムで成功していたら、あるいは、Xboxがコンソールのどんじりではなく上位にいたら、マイクロソフトがこういう姿勢に転じることはなかったかもしれない。フェイスブックもオペレーティングシステムを持っていて、持たざるものの苦労をしていなくても、他サイトからのダウンロードにここまで寛容な姿勢を示しただろうか。ゲーミングプラットフォームの構築で後塵を拝していなくても、オープンXRやウェブXRを採用しただろうか。当然の見方ではあるのだが、同時に、過去10年にプラットフォームのメーカーやディベロッパーが（しぶしぶながらかもしれないが）学んだことを無視する見方でもある。そして、2000年ごろより賢くなった人々はほかにもいる。

「トラストレス」で「パーミッションレス」なブロックチェーンがもてはやされることを見れば、デジタルのアプリ、プラットフォーム、エコシステムに象徴されるここ20年に対する不満がウェブ3の原動力だとわかるはずだ。

たしかに、「ウェブ2・0」では、グーグルマップやインスタグラムなどのすばらしいサービス各種をただで使えるようになったし、そのおかげで成立している事業やキャリアもたくさんある。それでも、割に合わないと思う人が多い。無料でサービスを受けるため、ユーザーは無料でデータを提供していて、そのデータを活用すれば何千億ドルとかそれこそ何兆ドルとかの価値を持つ会社が作れるからだ。

しかも、データはずっと会社が握っていて、提供したユーザーであってもそれをほかで利用することはできない。アマゾンのお勧めが鋭いのは、何年分もの検索履歴や購入履歴を参考にしているからだし、であれば、同じ技術を用意し、同じ商品を安く提供していたとしても、ウォルマート（あるいはどこぞのアップスタート）がアマゾンの顧客を喜ばせるのは難しい。

だから、そういう履歴をエクスポートし、ほかのサイトに持っていく権利をユーザーに与えなければならないと主張する人も少なくない。インスタグラムなどは、一応、写真すべてをジップファイルにまとめてダウンロードし、ほかに移すことができるが、実際にやるとなると手間暇もかかるし、写真に添えられたリンクやコメントを一緒に移すことはできない。そんなこんなから、消費者のデータを活用する企業の登場で現実世界はかなり悪くなった、そういうところのサービスを使うと心に引っかかりを感じるようになってしまった――そういう人が増えてしまったわけだ。

社名をメタに変えるとザッカーバーグが発表したとき、反応は基本的にネガティブだった。フェイスブックは、我々の暮らしにもっと手を突っ込もうというのか。ビッグテックは、ギブスンやスティーヴンスン、クラインが描いたディストピアを作ろうというのか。ばかも休み休み言え。そう感じた人が多かったのだ。

このあたりを考えると、「ウェブ3」と「メタバース」が同じものであるかのように語られる理由がわかるだろう。ウェブ2・0という考え方やその成果をよしとしないのであれば、テックジャイアントが並行する存在空間を掌握したとき、営利目的の会社がバーチャル世界の「原子」を記述し、描き、配信するようになったとき、どういう力を手に入れるのか、想像するだに恐ろしいだろう。

ディストピア的SFから生まれ、そういう描き方をされてきたからメタバースはディストピアだと考えるのはまちがいだが、マトリックスにせよメタバースにせよ、オアシスにせよ、そういう世界をぎゅうじる者がおかしなことをしがちなのに理由があるのも事実である。そういう者は絶対的な力を持つし、絶対的な力は腐るものだからだ。

「メタバースは比べるものがないほど世の中に浸透し、圧倒的なパワーを持つようになる。それをどこか1社が仕切るようになったら、そこは国を超え、神にも等しい力を持つことになる」――ティム・スウィーニーの警句をここでもくり返しておこう。

ここまでメタバースについてさまざまな側面から検討してきたが、最後は、ひとつの問いに集約されるだろう。我々を取りまく世界にどういう影響を与えるのか、望ましい影響とするにはどういうポリシーが必要なのか、だ。

Chapter 15

メタバースにおける存在の問題

デジタル時代になって我々の暮らしはさまざまな意味でよくなった。手に入る情報が格段に増えたし、これほど多くの情報をただで手に入れられるようになったのは初めてのことだ。社会の片隅に追いやられていた人々も、いまなら、デジタルメガホンでだれに止められることなく遠くまで声を届けられる。遠く離れた人も身近に感じられるようになった。好みの作品をみつけやすくなったし、作品を買ってもらえるアーティストも大幅に増えた。

だが、インターネット・プロトコル・スイートが確立されてすでに何十年もたったというのに、いまだ社会は、オンラインの日常に突きつけられる課題と戦っている。デマに操作・誘導、過激な言動。いじめにいやがらせ。不十分なデータ権。不完全なデータセキュリティ。アルゴリズムやパーソナライゼーションの利用が増え、むしろ窮屈になりつつあるとの意見もある。オンラインのやりとりでは幸せより不幸せを感じがちだったりする。規制が骨抜きで、プラットフォームが好き放題をしている。挙げていけばキリがない。そして、どの問題も大きく、ひどくなるばかりだ。

いずれも技術があるから生まれ、ひどくなった社会問題なのだが、その根本は人であり社会である。オンラインになる人が増え、オンラインに使う時間が増え、オンラインで使うお金が増えれば、オンラインで起きる問題も増える。だから、フェイスブックはモデレーターを何万人も雇っている。いじめやデマといったプラットフォームの病をモデレーターの数で圧倒しようとがんばっているという意味で、マーク・ザッカーバーグの右に出る者はいないと言えるだろう。そんな状態だというのに、『ロブロックス』の個人クリエイターなど、ユーザーが何億人から下手すれば何十億人もいるテック世界は、いま、「次なるインターネット」へ突きすすもうとしているわけだ。

メタバースの時代には、我々の人生も仕事も、遊びも、時間もお金も資産も幸せも、そして人間関係もかなりの部分がオンラインになる。しかも、フェイスブックへの投稿やインスタグラムへの写真アップロードのようにオンラインのなにかを使うとか、グーグル検索やｉＭｅｓｓａｇｅのようにデジタル機器やソフトウェアを使うという感覚ではなく、存在そのものがオンラインになるイメージだ。

そして、メリットが大きくなるかわりに、いまだ未解決のさまざまな社会工学的問題は悪化するだろう。しかも順番はいろいろに変わる。過去15年にわたるソーシャルインターネットやモバイルインターネットの時代に学んだことを順に適用すればすむという話にもならない。

２０１０年代半ば、好戦的なスンニ派によるイスラミックステート、いわゆるＩＳＩＳが海外に住む同族をソーシャルメディアでリクルートし、シリアに呼んで戦闘訓練を施すということがあった。その結果、自国民が戦闘員になるのを避けようと各国が努力し、中東諸国でも特にシリアに滞在したことのある人は危険人物とみなされたりした。

リッチなリアルタイムレンダリングの３Ｄ仮想世界が実現すれば、こういう勧誘もやりやすくなるし、国境をまたぐことなく戦闘訓練をすることも可能になる（リモート教育の質が上がるのと同じ理由だ）。同時に、デジタル活動からその人となりを推察したり、人を追跡したりといったこともやりやすくなり、要注意人物のリストに載せられる人や監視される人も増えるのではないだろうか。

デマ、ハラスメント、差別の助長――闇の部分

デマや不正選挙も増えるだろう。そして、言葉の切れ端やトロールツイート、えせ科学など、最近世の中を騒がせている問題などかわいいものだったなと感じるようになるだろう。分散化はテックジャイアント関連の問題を解決してくれるともてはやされているが、分散化が進めば管理は難しくなるし不平・不満・批判を止めるのも難しくなる。そして違法な資金調達は簡単になる。

文章や写真、動画が基本のいまでさえ、ハラスメントはデジタル世界に付きものの影で止めようがないと言われていて、それで人生がめちゃくちゃになった人もたくさんいるし、傷ついた人はもっとたくさんいる。だからメタバースでの虐待を減らす手段がいろいろと検討されている。

たとえば、モーションキャプチャーをされてもいいのか、ハプティックを伴うやりとりも受け入れるのかなど、場所ごとにどこまでを受け入れるか、ユーザーが指定するとか、ノータッチゾーンを作るなど、プラットフォーム側で一部の行動をブロックするとかが考えられる。

だが、なにをどうしても、新しいいやがらせの登場を避けることはできない。メタバースになり、リアルなアバター、ディープフェイク、音声合成、モーションキャプチャー、さらには、今後生まれてくるさまざまなバーチャル技術やリアル技術を組み合わせたとき、「リベンジポルノ」がどうなるのかなど、想像するだに恐ろしい。

データに関する権利やその利用の問題はイメージが湧きにくいかもしれないが、これもまた深刻

だ。私企業や国が個人データにアクセスするというのも問題だし、そもそも、どういうデータにアクセスされているのか、ユーザーが理解しているのかなども大きな問題である。

提供データの価値はちゃんと認識できているのか。データをユーザーに返す責務をプラットフォームは負っているのか。集めたデータをユーザーが「買い取る」選択肢を無償サービスに用意させるべきなのか、用意させるなら、データの価値はどう評価すればいいのか。このような疑問に対する答えはまだないし、どうすれば正しい答えを出せるのかもわかっていない。

であるのに、メタバース時代になれば、いま以上にたくさんのデータがオンラインになるし、いま以上に重要な情報もオンラインになる。しかも、無数のサードパーティーがその情報にアクセスできるようになるし、データを改変することもできるようになる。これを安全に管理する方法はあるのか。だれが管理するのか。ミス、失敗、紛失、侵害などがあった場合、どこにどう訴えればいいのか。

そもそも、バーチャルデータはだれの所有なのか。『ロブロックス』に何百万ドルも投資してなにか作ったら、その成果物についての権利は手に入るのか。ほかに持っていく権利は手に入るのか。『ロブロックス』で土地や物を買った場合、そういう権利は手に入るのか。そもそもそういう権利を与えるべきなのか。

メタバース時代には、仕事や労働の市場も大きく変わる。いま、海外にアウトソースしている仕事は、技術サポートや請求など、音声だけでできる簡単なものが基本だ。ギグエコノミーも、ライドシェアや掃除・片付け、犬の散歩など、顔を合わせてやることが多い以外はだいたい同じだ。

立体ディスプレイ、モーションキャプチャー、ハプティックセンサーなどが進化した仮想世界では話が変わる。バーチャルツインのカジノで働くブラックジャックのディーラーなら、ラスベガスの近くに住む必要はないし、それどころか米国に住んでいる必要さえない。世界有数の教師やそれこそセックスワーカーなどがプログラムを作り、時間いくらで売ることもできる。何千キロも離れたお店で売り子をすることもできる。しかも、お店に突っ立ってお客が来るのを待つ必要がなくなり、だれか来店したらアクセスするといったこともできる。トラッキングカメラやプロジェクションカメラを使えば、サイズや寸法の調整といった相談にも対応できる。

雇用時の権利や最低賃金といった法制度もメタバースの影響を強く受ける。リマに住んでいる人がミラーのインストラクターになれるのか。バンガロールに住むブラックジャックディーラーはいいのか。そういう働き方を許せば、対面型労働の供給はどう変わるのか(そういう仕事の賃金はどう変わるのか)。いずれも特に新しくはない問題だが、メタバース経済が兆ドル規模になり、世界経済の大きな一角を占めるようになれば放っておけない大きな問題になる。それこそ、不可能が可能になるバーチャルな遊び場を第三世界の労働力で第一世界にもたらすなんて形になることもないとは言えないのだ。

仮想世界におけるアイデンティティも大きな問題だ。現実の社会で文化の盗用や服装や髪型の価値をどう考えるべきなのか議論百出になっているくらいなのだから、今後は、真の自分を表現できるアバターを使いたい派とリアルの姿にそっくりなアバターにすべき派が激論を戦わせることになるだろう。白人男性が先住民女性のアバターを使っていいのか。アバターのリアルさによって答えが違ってきたりするのか。いずれにせよバーチャルではあるわけだが、有機物なのか金属なのかが問題になったりするのか。

クリプトパンクのNFTコレクションでも、このところ、オンラインアイデンティティの問題が注目されている。例の24ピクセル四方と小さな2Dアバターだ。ブロックチェーンのイーサリアムをベースとして1万点がアルゴリズムで生成されていて、ソーシャルネットワークのプロフィール画像に使われることが多い。売買も自由なのだが、一番安いのは、いつも、肌の色が濃いものなのだ。

その価格は人種差別の表れだと考える人がいる。仮想通貨コミュニティには白人が多く、白人はそういうクリプトパンクをプロフィール画像に使うのは不適切だと思っているからだとする人もいる。後者のなかには、そもそも、そういうクリプトパンクを持つことさえ白人はすべきでないと考える人さえいる。このように考える人からすれば、肌の色が濃いクリプトパンクが安いのは、売買の中心である米国やクリプトコミュニティの人種構成に比べ、白人ぽいクリプトパンクの割合が低すぎるからだとなる。言い換えれば、「非白人」クリプトパンクが安くなっているのではなく、「白人」クリプトパンクに希少価値が生まれてしまっている。非白人クリプトパンクが安いのはいいことだという考え方もある。一般に懐(ふところ)の余裕があまりない人々にとってアバターやメンバーシップカードが買いやすくなるから、というわけだ。

対処のしようがまだしもありそうではあるが、デジタルデバイドや情報格差と言われる問題もあるし、バーチャル孤独という問題もある。10年ほど前にも、ふつうの携帯より何百ドルも高く高機能なスマートフォンが普及すると格差が広がると言われた時期がある。

例としてよく挙げられたのがｉＰａｄと教育の問題だ。ｉＰａｄが買えない層は昔ながらのアナログで画一的な教科書を使うしかないが、買える層は（すぐ隣に座っているかもしれないし遠くの私立に通っているかもしれないが）デジタルのメリットを満喫し、どんどん書き換えられる教科書が使えるのでは社会格差が広がってしまうというのだ。

ただ、その後、値段がどんどん下がったこと、普及が想像以上に進んだことから最近はあまり言われなくなった。なにせ、2022年現在、ふつうのPCより高性能なiPadが新品でも250ドルとふつうのPCより安く買えてしまうのだ。最上級のiPhoneは、2007年の3倍と高くなったが、一番安い機種なら2割減（インフレを考慮すれば4割減）だしそれでも性能は昔の100倍くらいになっている。しかも、わざわざ学校用に買うという話もなくなった。どうせみんな持っているからだ。

消費者家電はこういう流れになることが多い。最初は富裕層のおもちゃとして人気になり、その結果投資が増えて価格が下がる。そうなると多くの人が買うようになり、製造効率が高くなって価格が下がるという流れだ。VRやARのヘッドセットも同じ流れになるのはまちがいない。

みんな家に引きこもり、ずっとVRヘッドセットを身につけてすごすようになるのではないかと心配する人もいるだろう。だが、そういう心配はいまさらである。米国人約3億人は平均で1日5時間半も動画を見ているのだ（総計15億時間である）。しかも、カウチやベッドでひとり見ていることが多い。これは流れてくるのを見ているだけのいわゆる受動的な楽しみ方である。

VRはもっと積極的にほかの人々と触れあうタイプのエンタメになるわけで、家にこもっていることは変わらないが、社会的にはむしろプラスだと言えよう。

特にお年寄りにはいいことが多いと思われる。いま、米国の高齢者は平均して1日7時間半もテレビを見てすごしている。起きている時間の半分もテレビを見る生活を何年も続けるためにずっと働いてきたなんて人はまずいないだろう。もちろん、実際にカリブ海をクルージングできるならそのほうがいいに決まっているが、メタバースで旧友とバーチャルヨットを操れればそれに近い体験ができるし、一日中、テレビニュースをぼんやり見ているよりずっといいだろう。これこそ、デジタルが可能にしてくれた楽しみ方である。

メタバースに関する規制

メタバースはどうなっていくのか予想もつかないし、結果が原因となって次の結果をもたらすし……とわからないことが多すぎて、どういう問題が生じるのかもわかりようがなければ、いまある問題にどう対処するのが一番いいのかもわからないし、どちらに舵を切ればいいのかもわからない。だが我々は有権者として、ユーザーとして、ディベロッパーとして、そして消費者として、それなりの力を持っている。バーチャルアバターについてはもちろん、だれがメタバースを作るのか、どう作るのか、どういう考え方に基づいて作るのかについても、である。

私は自由市場資本主義の夢と言われたりするようなことを考え、書き、語る人生を送ってきたのだが、同時に、国に多くを期待しがちなカナダ人であり、そのせいか、メタバースについても政府の役割を重視しがちである。ともかく、仮想世界プラットフォームを運用する者やそういうサービスを提供する者以外に運営管理に携わる組織がないことがメタバースの大きな問題だと思う。いまの状況で健全なメタバースが生まれないであろうことは、本書をここまで読んでこられたみなさんにはあきらかだろう。

たとえばインターネット・エンジニアリング・タスクフォース（ＩＥＴＦ）。すでに紹介したように、この組織は、ＴＣＰ／ＩＰなど、任意のインターネット関連規格を推進するため米国連邦政府の呼びかけで作られたものだ。ＩＥＴＦをはじめとする非営利団体がなければ（国防総省の肝いりで作られた組織もある）、インターネットはいまのような形になっていない。おそらくはもっと小規模にしかならなかっただろうし、もっとぎちぎちに管理されていて生気がないものになっていただろう。たくさんある「ネット」のひとつになっていた可能性もある。

ＩＥＴＦはいまも活動しているが、若い人には存在さえあまり知られていない。ともかく、ＩＥＴＦの役割は基本的に縁の下の力持ちであり、だから、西側諸国には技術に関する規制や監督の力がないと考える人が多いのだろう。独占禁止法関連のことを言っているのではなく（もちろん、それはそれで急務なのだが）、技術革新における国の役割という話である。

国が技術革新に関わらなくなったのは、実はつい最近のことである。電気通信から鉄道、石油、金融、そしてインターネットにいたるまで、20世紀は国が技術革新の舵を取っていた。その状況が変わったのは、せいぜいがここ15年のことだ。メタバースはユーザーやディベロッパー、プラットフォームにとってもチャンスなわけだが、同時に、規制、規格、管理組織にとってもチャンスであり、特に管理組織については新たな役割を果たすチャンスだと言えるだろう。

ユーザーの「所有」なくしてメタバースなし

このあたりを検討するにあたり、まずは一言、お断りを申し上げたい。これは倫理や人権、判例法なども絡む話であり、そういう意味で下手に踏み込むべき場所ではないと言える。メタバースにアクセスする機器（やそのコスト）、得られる体験の質、プラットフォームが徴収する料金など、ここまで詳しく検討してきた項目以外にも社会正義の問題がいろいろと存在する。それはわかっているし、そのあたりについては私より明快に語れる人が大勢いることもわかっている。だから、私は、自分の専門にかかわる部分の枠組みを示すとともに、ここまで指摘してきた問題についてもう一度考えてみることにしたい。

２０２２年、他社の決済サービスを排除する、ＡＣＨや電信送金といったペイメントレールを使えなくするなど、アプリ内決済の取り扱いを一方的に決める権利をアップルやグーグルに持たせていいのか、米国や欧州連合、韓国、日本、インドなど各国政府でさかんに議論が行われた。アップルとグーグルの覇権を突き崩せれば消費者にとっては価格が下がるしディベロッパーにとっては儲けが増えるし、新たな事業やビジネスモデルも生まれるはずだ。いまは手数料がゆがんでいるせいでディベロッパーの注意はバーチャル世界における体験や消費支出より物理的物品や広告に向かいがちだが、そのあたりも是正されるだろう。

だが、決済というのは、ディベロッパーやユーザー、将来的なライバルに対してプラットフォームが使う武器のひとつにすぎない。アップルもグーグルも、オンライン収益のうち自分たちの懐に入る割合をなるべく増やすことが目的だ。であれば、アイデンティティやソフトウェア配信、ＡＰＩ、エンターテイメントなどとハードウェアやオペレーティングシステムなどとを切り離すよう規制をかけることを考えるべきだ。

オンラインアイデンティティや購入ソフトウェアをユーザーが本当に「所有」できるようにならなければ、メタバースやデジタル経済は発展しない。ソフトウェアについては、支払い方法やインストール方法もユーザーが好きに選べなければならないし、ソフトウェアの配信方法もディベロッパーが好きに選べなければならない。

さらには、コードを走らせるオペレーティングシステムを提供している会社がなにを望んでいるのかに左右されることなく、どの規格や新技術が一番いいのかもユーザーやディベロッパーが選べなければならない。バンドルを禁じれば、ＯＳが中核の企業も製品ごとのメリットで競うようになるはずだ。

独立系ゲームエンジン、統合仮想世界、アプリストアなどを利用するディベロッパーの保護も推進しなければならない。アンリアルエンジンのライセンス停止手続きを手放し、法廷に任せたスウィーニーのやり方は適切だったと言える。ただ、営利企業以外にも、そういう事実上の法と訴訟や法整備との境界を決めるべきところは存在する。

エピックゲームズのように「利他主義」が事業にプラスとなる場合もあるわけだが、利他主義に頼るのはまちがいだ。バーチャル世界の資産や借用・保有、コミュニティなどについて法律の整備を進めなければ、物理的な物品やモール、インフラに合わせて作られた法律が都合よく誤用されるようになるのはまちがいない。メタバース経済がリアル経済と肩を並べる日に備え、各国政府は、メタバースにおける仕事や取引、消費者の権利と真剣に向き合う必要があるのだ。

まずは、ディベロッパーが構築した環境、アセット、体験をどこまでどういう形でエクスポートできるようIVWPに求めるのか、そのあたりの検討から入るのがいいと思う。規制当局にとっては新しい問題への対処としていい練習になるだろう。

いまのインターネットでは、写真からテキスト、音声ファイル、動画などコンテンツ単位なら基本的に移動することができる。ソーシャルプラットフォーム間、データベース間、クラウドプロバイダー間、コンテンツ管理システム間、ウェブドメイン間、ホスティング企業間などほぼあらゆるところで。コードも基本的に移動できる。それでも、コンテンツを中心にすえたオンラインプラットフォームが数十億ドル、数兆ドル規模の事業を構築できている。ユーザーコンテンツを「所有」しなくても、その消費ではずみ車を回せているのだ。

そのあたり、ユーチューブを見ればあきらかだ。アップロードした動画をぜんぶほかの動画サービスに移し、河岸を変えるなど簡単にできるのに、みんな、ユーチューブにとどまっている。ユーチューブほど広く訴求できるところはほかにないし、ユーチューブほど収入が得られるところもほかにないからだ。

インスタグラムでもフェイスブックでも、ツイッチでもアマゾンでも、簡単に移ることができる。だから、ユーチューバーを引き抜こうとあちこちのプラットフォームが画策する。そうなれば、ユーチューブはユーチューブでクリエイターの満足度を高める、プラットフォームとしての責任を果たすなど自己改革を進めて対抗する。同様に、スナップチャットで活動するクリエイターなら、インスタグラムやティックトック、ユーチューブ、フェイスブックなどほかのソーシャルサービスにも簡単にコンテンツを公開できるわけで、制作予算を増やすことなく幅広い層に訴求できる。

ユーチューブなどのプラットフォーム側が専属になってほしいと願うのであれば、複数プラットフォームで活動しにくくしたりそのためのコストを増やしたりするのではなく、専属費用を払うべきなのだ。ソーシャルネットワークが独自プログラムや収益保証、クリエイターファンドなどを増やしているのにはちゃんと理由があるのである。

残念ながら、「2D」コンテンツのネットワークとIVWPには大きな違いがある。ユーチューブもスナップチャットもプラットフォームのツールを使わずにコンテンツが作れる。実際、制作に使われるのはアップルのカメラアプリやアドビのフォトショップ、プレミアプロなどだ。スナップチャットのフィルターを使って作るストーリーのようにソーシャルプラットフォームで作られたコンテンツもできあがったものは写真にすぎないので、エクスポートも簡単ならインスタグラムなどほかのところで使うのも簡単にできてしまう。

対してIVWPのコンテンツは、そのIVWPで作るのが基本だ。さらに、エクスポートも難しければ転用も難しい。スナップチャットのストーリーならiPhoneでスクリーンショットを撮るなどの裏技も考えられるが、それもない。だから、『ロブロックス』で作られたコンテンツは基本的に『ロブロックス』のみとなる。ユーチューブの動画やスナップチャットのストーリーはライブのストリーミングだったりして賞味期間が短いが、『ロブロックス』のコンテンツは違うし、ユーチューバーのＶログのようにリスト化できるものでもない。改良を続けていくタイプのコンテンツなのだ。

この違いは大きい。複数ＩＶＷＰに展開したければ、ＩＶＷＰごとにぜんぶ作り直さなければならない。そんなことをしてもユーザーにとってはなんのメリットもなく、時間とお金の無駄遣い以外のなにものでもないというのに、だ。

だからそんなことはせず、市場が小さくなってもいいからひとつのプラットフォームに専念することになる。そして、投資をすればするほどほかのＩＶＷＰに移るのが大変になる。ユーザーを集め直すのも手間だが、そもそも、ぜんぶをイチから作り直さなければならないからだ。そうなると、機能や経済性、成長性などに優れたＩＶＷＰが登場してもそちらに移るディベロッパーは少なく、既存ＩＶＷＰには改良の圧力もあまりかからないことになる。

それどころか、有力ＩＶＷＰのなかには、自分たちに有利となるよういろいろと小細工をしかけるところも出てくるはずだ。そのあたりは、ここ10年ほど、そういうことをしていると大手プラットフォームに批判が相次いでいることを見ればわかる。たとえばフェイスブック。お金を払って広告枠を買わなければ、ブランドのフェイスブックページに「いいね」してくれた人に対して訴求できないようにニュースフィードのアルゴリズムが変更されたという。アップルも、２０２０年、アプリストアのポリシーを改訂し、フェイスブックやＧｍａｉｌのアカウントでログインするなどサードパーティーのアイデンティティシステムを使いたければアップルのアカウントシステムもサポートしなければならないことにしている。

IVWPのなかには、ある程度のエクスポートに対応しているところもある。たとえば『ロブロックス』。OBJファイルという形でブレンダーに持っていくことができる。だが、すでに見たように、移動したデータが使えるとは限らない。使える場合でも、いろいろと面倒だったりするし（フェイスブックからデータをダウンロードしてスナップチャットにインポートするのはなかなか大変だ）、プラットフォームの都合でそういう機能が突然なくなることもある（写真をツイッターに表示するAPIをインスタグラムが停止したなど）。このあたりは公的な規制が望まれるところである。

それはまた、メタバースの基準を形作るチャンスだとも言える。ファイルタイプやデータ構造などエクスポートの形式は、同時に、そのデータを使いたいプラットフォームのインポート形式ともなるからだ。できれば、没入型のバーチャル教育環境やARの遊び場をそこそこ簡単にほかのプラットフォームへ移動できるようにしてほしい。少なくとも、ブログやニュースレターの提供場所を動かすのと同じくらいの難度になってほしい。だが、このレベルでさえ、完全に実現するのは難しい。3Dの世界やそのロジックはHTMLやスプレッドシートほどシンプルではないからだ。それでも、そこをめざすべきだし、充電プラグより標準化の意義は大きい。

アップルやアンドロイドなどモバイル時代を作ってきたところや、『ロブロックス』や『マインクラフト』などメタバース時代に向けた道を拓（ひら）いてきたところに対し、エコシステムを開放し、努力してきた果実をライバルにも与えよというのは不公平にも思える。さまざまなサービスや技術を上手にまとめたからこそ、そういうプラットフォームは成功を手にしたのだから。だがこれは、そういう成功の結果、必要となった規制なのだ。全体が栄え、新しいリーダーが生まれ得るような市場にするため必要なことだと言ってもいいだろう。

アップルがクラウドゲームのポリシーを改訂した2020年9月、ザ・バージは「アップルのガイドラインにこういうことを記載されているのされていないのと議論しても意味はない。最終的な決定権はアップルにあるのだから。ガイドラインをどう解釈するのか、ガイドラインに基づいてい つ取り締まりをするのか、どのように改訂するのか、すべて、アップルの一存なのだ」[1]と書いている。デジタル経済の基盤としてそんなことではいけないと思うし、メタバースの基盤としてももちろんそんなことではいけない。

なにが許されてなにが許されないのか

大手プラットフォームに対する規制のほかにも、さまざまな法律やポリシーについて改訂が必要だと思われる。まず、スマートコントラクトやDAOを法的に認める必要がある。この仕組みも、それこそブロックチェーンそのものも長続きしないかもしれないが、それでも、法的に認められれば関連事業も興りやすくなるし、不正も防止されるし、利用も広がるはずで、その結果、経済も活性化するはずだ。

仮想通貨の投資やウォレット、コンテンツ、取引における本人確認（KYCと呼ばれる）の拡大も重要だ。この規制が成立すれば、オープンシーやダッパーラボ、ブロックチェーンベースのゲームといった各種プラットフォームはユーザーのアイデンティティとその法的身分を確認しなければならなくなるし、国や税務署、有価証券取引の監督官庁などに一定の報告をしなければならなくなる。

現金取引については国税庁も警察もすべてを把握することなど不可能なのとある意味同じよう

に、KYCを必須にしたからといってクリプトのすべてを把握することはできない。ブロックチェーンとはそういうものだ。だが、主なサービス、市場、契約プラットフォームがKYCを採用すれば、取引のほとんどがKYCのもとで行われることになるし、そのとき、KYCのない取引は詐欺の可能性があると避けられがちになるはずだ(聞いたこともないサイトの匿名アカウントから買うより、イーベイで身元がしっかりしている売り手から買いたいと思うのと一緒だ)。

最後にもうひとつ。データの収集や利用、権利、罰則についても国がもっと積極的にかかわらなければならない。メタバースのプラットフォームは、膨大な量のデータを積極的あるいは結果的に生成し、収集し、処理することになる。

寝室の広さや網膜のデータ、赤ん坊の表情、仕事の成果や報酬、どこにどのくらいの期間行ったのかや、それこそなぜ行ったのかなどもカバーされるだろう。言葉も行動もほとんどすべてがカメラやマイクにとらえられることになるし、それが私企業のバーチャルツインに反映されて幅広く提供されることもあるだろう。

なにが許されてなにが許されないのかは、いま、ディベロッパー次第であり、ディベロッパーのアプリケーションが走るオペレーティングシステム次第である。しかも、そうなっていることを知るユーザーは少ない。規制当局としては、問題が表面化したら対応するだけでなく、どこまでなら許されるのかを示し、必要に応じて広げていくなどすべきだろう。

なお「許される」には、ユーザーがデータ削除を要求する権利や、データをダウンロードしてほかに簡単にアップロードできる権利といったものも含まれるべきだ。このあたりも、どういうメタバースが望ましいのか、国が指針を示せる部分であり、示すべき部分だと思う。

貴重な情報をどう安全に保管するのか、失敗した際にはどういう罰則が与えられるのかも大事である。たとえば米連邦準備制度理事会は、経済の混乱や市場の暴落、取り付け騒ぎなどに金融機関が耐えられるのか、おりおりストレステストを行って確認しているし、職務怠慢や財務状況の虚偽報告などについては経営幹部個人に責任を取らせる制度としている。ユーザーデータについてもある程度の監督制度がないことはないが、いずれも正式な制度ではなく非公式な照会の域を出ないし、ビッグテックがそういう問い合わせに応じることはまずない。データの漏出や損失に対する罰金もあるにはあるが、実効性はないに等しい。

たとえば2017年、信用調査会社エクィファクスが4カ月近いハッキングにあい、米国に住む1億5000万人近く、英国在住の1500万人ほどの姓名、社会保障番号、誕生日、住所、運転免許証番号などが流出するという事件が起きた。2年後、6億5000万ドルの和解が成立したが、これは、エクィファクスの年間キャッシュフローより少ないし、被害者ひとりあたり数ドルにしかならない額である。

中国のメタバースは西側諸国とは異なる

ここ15年ほど、いわゆる「インターネット」は地域ごとに異なる発展をするようになった。世界的にインターネット・プロトコル・スイートが使われているが、米国系以外のテックジャイアントが生まれたこともあり、プラットフォームやサービス、技術、各種規約は市場ごとに大きく違うものとなっている。

欧州や東南アジア、インド、中南米、中国、アフリカなど、それぞれの地域にスタートアップやソフトウェアリーダーが登場して成功し、決済や食料品販売、動画配信など、それぞれの地域で必要とされるものを提供している。メタバースが文化や労働で大きな役割を果たすものなのであれば、地域に根ざしたプレイヤーが今後さらに登場し、活躍することになるだろう。

インターネットが地域ごとに異なる発展をした一番の理由は、国による規制の違いである。中国や欧州、中東はデータ収集の権利や許されるコンテンツ、技術規格などに対する規制が厳しく、米国、日本、ブラジルなどのインターネットとは様相がかなり異なっている。メタバースは規制する必要があると各国が考えるようになってきているし、同時に、ウェブ2・0のリーダー各社の力を抑える試みがなされるようになってきているしで、世界は、いわゆる「複数形のメタバース」に向けて進んでいると考えるべきなのかもしれない。

本書の冒頭で、韓国のメタバースアライアンスを紹介した。科学技術情報通信部が2021年半ばに発表した構想で、参画企業は450社を数える。詳細はまだ不明だが、メタバース経済を生み出し、世界的なメタバースにおける韓国のプレゼンスを拡大することが目的であるのはまちがいないだろう。そのためには、相互運用性や標準化など、一部アライアンスメンバーにとってはマイナスでも全体が活性化し、韓国にとってプラスとなる事柄を推進するものと思われる。

中国インターネットの流れを見れば、中国は西側諸国と大きく異なる「メタバース」になると考えるべきであることはまちがいない。到来は西側諸国より早いだろうし、相互運用性や標準化が進んだものとなるとも思われる。

なにせテンセントは、プレイヤー数も世界一なら収益も世界一、知的財産もディベロッパー数も世界一なのだ。テンセントは任天堂やアクティビジョン・ブリザード、スクウェア・エニックスなどのゲームも国内向けリリースを担当しているし、『PUBG』などの大ヒットゲームの現地版制作なども手がけている（そういう形でなければ中国でのリリースは不可能なのだ）。テンセントのスタジオはグローバルバージョンの『コール オブ デューティ モバイル』、『エーペックスレジェンズ・モバイル』、『PUBGモバイル』などの制作にもかかわっている。エピックゲームズの約40%、シー・リミテッド（『フリーファイア』のメーカー）の20%、クラフトン（『PUBG』のメーカー）の15%も所有しているし、中国の2大メッセージアプリ、ウィーチャットやQQ（いずれもアプリストアを兼ねている）も所有・運営している。ウィーチャットは中国第2位のデジタル決済サービスでもあるし、テンセントは、中国の国家IDシステムを使うプレイヤーについて、顔認証ソフトウェアでアイデンティティの検証を行っていたりもいる。ユーザーデータ、仮想世界、アイデンティティ、決済の相互運用性という面でもメタバース規格に対する影響力という面でもテンセント以上の企業はちょっと考えられないくらいだ。

メタバースとは「リアルタイムレンダリングによる3D仮想世界がたくさんつながった相互運用可能なネットワーク」と表現すべきものだが、それを実現しているのは物理的なハードウェア、コンピュータープロセッサー、ネットワークである。これらを支配するのが企業なのか、国なのか、それとも技術に秀でたコーダーやディベロッパーの分散化集団なのかによって異なるメタバースが生まれることになる。

バーチャルな樹木の存在とはなにか、また、そういう樹木が倒れるとはどういうことかは今後も議論されていくのだろうが、物理法則は不変ということである。

Conclusion

結論　だれもが傍観者

「技術はだれも予想しなかった驚きをよくもたらす。だが、大きくすばらしい変化は何十年も前に予想されることが多い」──本書冒頭の言葉である。そして、ここまで読んでこられたみなさんは、この言葉が正しいことも、さらには、そこに限界があることも、理解していただけたのではないかと思う。

ヴァネヴァー・ブッシュは、どういう機器が将来登場するのか、そういう機器でなにができるのかを思い描く力がすさまじかった。そういう機器を活用し、社会に役立てるために政府はなにをすべきなのかも、だ。だが、彼が思い描いたメメックスなるものは電気機械式で机ひとつ分ほどもある機器だった。ユーザーが求めるであろう情報を整理し、物理的に収納する形だ。現実にはソフトウェアで動くポケットサイズのコンピューターになったわけで、受けついだと言えるのは概念くらいなものだ。

映画『2001年宇宙の旅』でスタンリー・キューブリックは、人類が他の星に移住する世界、感覚をもつAIが生まれた世界を描いたが、iPadのようなディスプレイは朝ご飯のときテレビを見るのにしか使われていないし、電話はコード付きの低機能なものだ。ニール・スティーヴンスンの『スノウ・クラッシュ』は世界有数の企業が道しるべとしていて、そこにヒントを得たさまざまな研究開発が進められている。だが、『スノウ・クラッシュ』を書いたころ、メタバースはゲーム業界ではなくテレビ業界から生まれるとスティーヴンスンは思い描いていたし、人々は〈ストリート〉のバーに集まるはずで、まさか、『ウォークラフト』のギルドに集まってレイドにでかけるようになるとは思わなかったと語っている。

これから世の中はどうなっていくのか。かなりのところは予想がつく。リアルタイムレンダリングによる3D仮想世界が中心になっていくはずだ。ネットワーク帯域もレイテンシーも信頼性も改善されていく。コンピューティングパワーも全体的に増え、その結果、同時接続性も永続性も高まるし、シミュレーションは高度化するし、まったく新しい体験ができるようになる（それでも、コンピュートの供給は需要をまったく満たせない状態が続く）。

「メタバース」は若者から普及していくし、その度合いも親世代より高くなる。オペレーティングシステムのバンドルは規制で少なくとも一部は解除されるだろうが、ばらばらにしても一つひとつが市場をリードする製品であることは変わらないし、メタバース時代になればそういう市場もほとんどが成長するはずで、ＯＳの会社が栄える構図は当分変わらない。垂直・水平に統合された少数の企業がデジタル経済のかなりを掌握し、その影響力はむしろ強まるなど、メタバースの全体像はいまの世の中と似たようなものになるだろう。監督官庁の目は厳しくなるが、それでもなお、一歩遅れる構図は変わらない。

領域によってはいま知られていない企業がリードすることもあるだろう。また、業界リーダーの中には取って代わられるところも出るだろう。ただし、取って代わられたところも生き残るだろうし、成長することもあるだろう。もちろん倒れるところも出てくるはずだ。メタバース時代になっても、ふつうのデジタル機器やモバイル機器を使わなくなることはない。やりたいことやコンテンツによってはリアルタイムの3Dレンダリングがベストとは限らないからだ。

相互運用性はゆっくりと拡大していくが不完全で、申し分のない状態になることもなければコストを気にせずにすむようにもならない。そのうち一部の規格を中心に市場は固まるだろうが、完璧なコンバートができるようにはならないし、コンバート元にとっても先にとっても難点が残るだろう。そこにいたるまでの道筋は、さまざまな選択肢が提案され、採用され、批判されるだろうし、部分的に異なる道に分岐することもよくあるだろう。

世界経済もそういう流れだったが、仮想世界や統合仮想世界プラットフォームも少しずつ開放に向かうはずで、その過程でデータやユーザーの交換についてさまざまなやり方が試されるだろう。その際には、独立系ディベロッパーと個別契約を結ぶ形が多いだろう。米国の通商協定がカナダ、インドネシア、エジプト、ホンジュラス、欧州連合（欧州連合自身も、複数「世界」にまたがる協定の集合体と言える）と相手によって異なるのと同じだ。税金や関税、各種料金の徴収もあるだろう。

また、アイデンティティシステムやウォレット、バーチャル保管庫なども各種必要になるだろう。現行のポリシーはすべて見直しを迫られるはずだ。メタバースに対するブロックチェーンの役割はいまだはっきりしない。ブロックチェーンなしにメタバースの成功はあり得ないとする人もいれば、そもそもブロックチェーンなしにメタバースの構築は不可能だとする人もいる。おもしろい技術でメタバースに役立つだろうが、ブロックチェーンはブロックチェーンであってメタバースと関係なく存在するものだと考える人もいる。

ブロックチェーンなどうそ八百の偽計だという意見も少なくない。2021年から2022年頭にかけてブロックチェーンは注目を集め、主流のディベロッパーや優秀な起業家、ベンチャーキャピタルの巨資が流れ込んだし、機関投資家も仮想通貨に参入するようになった。だが、ブロックチェーンの成功という話はあまり耳に入ってこないし、技術・文化・法制度などの面で解決しなければならない大きな障害がたくさん残ってもいる。

2020年代が終わるころには、メタバース時代が到来したという話になっているだろうし、[i] 兆ドル規模に成長していることだろう。メタバース時代がいつ始まったのかや、その市場規模については、そのころになってもはっきりしないはずだ。なお、そこにいたるまで、いまの大騒ぎは収まり、おそらくは次の大騒ぎが起きてといった形になるはずだ。

そうなる理由は、少なくとも三つある。メタバースでどういう体験がいつごろ可能になるのか、各社、大口をたたきがちであること、技術的な障害の解決が意外に難しいこと、さらに、そのような障害が解消されても、メタバースでなにを作ればいいのかがあきらかになるまで時間がかかること、だ。

昔のiPhoneを思い出してみてもらいたい。iBooksアプリではデジタル版の本がデジ

---

i 最終的な呼び名は異なるかもしれない。「メタバース」という単語はまちがった使い方をされることが多いし、ディストピアSF、ビッグテック、ブロックチェーン、仮想通貨などマイナスイメージのものとの関連で使われることも多いからだ。実際、テンセントなどは、2021年5月、「ハイパーデジタルリアリティ」という名前でメタバース戦略を打ち出している。その後、「メタバース」という言い方が一般化したのでそちらに転換しているが、逆転も十分にあり得る。

タル書棚に並んでいるし、ノートアプリは付箋紙によく似たデザインになっているし、カレンダーには切り取り線が入っているし、ゲームセンターアプリはゲームテーブルに似たデザインになっているしと、２００７年から２０１３年ごろ、アップルのオペレーティングシステムはもとをとなった物理的なモノに似せたデザインが基本になっていた。モバイル時代らしいものへと方向性が大きく変わったのはｉＯＳ７からだ。

この実物型デザインの時代に、いま、消費者向けのデジタルサービスを展開している企業が次々に立ち上がった。インスタグラムにスナップにスラック。こういう会社がデジタル時代のコミュニケーションというものを作りあげた。スカイプのようにインターネットプロトコル経由で有線電話につなぐのでもなく、ブラックベリーメッセンジャーのようにテキストをやりとりするのでもなく、なぜ、なにについて、どうコミュニケーションするのかから大きく変えたのだ。

ブロードキャスト・ドット・コムはラジオ番組をインターネットで配信するものだったし、パンドラはインターネット配信のみのラジオ局と言えるものだったが、スポティファイは、聞きたい曲を探し出し、アクセスするやり方そのものから変えてしまった。「メタバースアプリ」各種は、まだ当分、開発の初期段階であり、３Ｄのバーチャル会議室でテレビ会議をする、バーチャル映画館でネットフリックスを観るといった形になるだろう。

だが次第に、あらゆるものがやり方から変わっていく。メタバースの重要性が理解されるのは、そうなってからだ。見た目がすごいとかそういう話ではなく、実用性という意味で。フェイスブックの構築に必要な技術は、マーク・ザッカーバーグがソーシャルネットワークなるものを生み出す何年も前から存在していた。マッチングアプリのティンダーが生まれたのはｉＰｈｏｎｅ登場の5年後で、18歳から34歳の70％がタッチスクリーンのスマートフォンを持つようになってからだ。技術が制約となるのはメタバースだけでなく、なにをいつ思いつくのかもなのだ。

メタバースの開発はアップダウンが激しいこともあり、批判も多ければ失望や幻滅に襲われることも少なくない。米エネルギー省ローレンスバークリー国立研究所のシステム管理者を務めたこともある天文学者、クリフォード・ストールが、１９９５年、『インターネットはからっぽの洞窟』なる本を著している。そのとき、彼は、ニューズウィーク誌の論説にこう書いている。

「もう20年から使っているのだが、オンラインは微妙だと感じる……流行の先端でよく持ち上げられるコミュニティなのだがどうにも尻の座りが悪いのだ。ビジョナリー連中は、これからは在宅勤務の時代だの、本はインタラクティブになるだの、教育のマルチメディア化が進むだのとかまびすしい。地域の集会もオンラインになる、バーチャルコミュニティが広まる。お店も会社もネットワーク上に移り、モデムで訪れるようになる。自由なデジタルネットワークにより、国レベルで民主化が進む。バカは休み休み言ってほしいものだ。コンピューターの専門家に常識というものはないのか……インターネットを売り込む連中が決して口にしないことがある。インターネットとは編集されていないデータの海で、完全性などかけらもないという事実だ[1]」

メタバースの批判としても読めそうな意見である。

２０００年12月には、ユーザー１５００万人のうち２００万人がインターネットの利用をやめると推定した英国の調査研究を引用し[2]、「インターネットをあきらめる人が続出　やはり一時の流行にすぎなかったのか」と題する記事をデイリーメール紙が報じている。この記事が出たのはドットコム・バブルの崩壊が始まり、ＮＡＳＤＡＱが40％近くも下がったころだ。ＮＡＳＤＡＱは最終的にそのまた半分くらいまで下がり、ドットコム時代のピークを回復するのに12年もかかることになる。なお、本書執筆の時点では、このピークの3倍以上にまで上昇している。

未来の予想は難しい。その未来を切り開いている人にとってさえも、だ。我々は、いま、メタバース時代の入口に立っているわけだが、最後にもう一度、ここ20年にわたるコンピューティングとネットワーキングの歴史をふり返っておきたい。

インターネットの可能性を熱烈に信じていた人でさえ、まずもって現状は予想できていなかったはずだ。なにせ、何百万台ものウェブサーバーで何十億ページものウェブページが公開されていて、毎日3000億通からのメールが飛び交い、1日のユーザー数は何十億人に達しているし、フェイスブックというひとつのネットワークだけで1日20億人、1カ月なら30億人以上が使っているのだ。

2007年1月、スティーブ・ジョブズは、革命的な製品だとiPhoneを紹介した。そのとおりだ。まちがいない。だが、そのときはアプリストアもなければサードパーティーのディベロッパーにアプリ制作を許すという話もなかった。なぜか。ジョブズがディベロッパーに語ったところによると、「iPhoneにはサファリエンジンが用意されている……だから、いわゆるアプリと見た目も機能もそっくりなものをウェブ2・0とAjaxで作ることができる」[3]からだという。

だがこの発表の10カ月後、発売から4カ月がたった2007年10月、ジョブズは方針を転換する。そして2008年3月にSDKを発表し、7月にはアプリストアを開設。それからわずか1カ月で、100万人ほどしかいないiPhoneユーザーがダウンロードしたアプリの本数が、4000万人からいるiTunesユーザーのダウンロード曲数を3割も上回ることになる。これを受け、ジョブズはウォール・ストリート・ジャーナル紙にこう語った。

「自分たちの予想も信じられないことがよくわかりました。現実が予想をあまりに大きく上回っていて、我々もみなさんと同じように、ただ目を丸くして傍観するしかできずにいるわけですから」[4]

メタバースも同じような道を往くはずだ。技術の大きな進歩に消費者、ディベロッパー、起業家が反応する。それをくり返しているうちに、携帯電話やタッチスクリーン、ビデオゲームのようにどういうこともないと思われたことが不可欠なものとなり、予想された形や想像もされなかった形で世界を変えていく。なにごともそういうものなのだと思う。

謝辞

本書が生まれたのは、数多くの家族や支持者、教師、友人、起業家、夢見る人々、ライター、クリエイターが、40年にわたり、私を教え導いてくれたからである。そのごく一部になってしまうが、名前を挙げて謝意を表明させていただきたい。ジョアン・ボルク、テッド・ボール、ポッポ・ハロー、ブレンダ・ハロー、アル・ハロー、アンシュル・ルパレル、マイケル・ザワルスキー、ウィル・メネリー、アビナブ・サクセナ、ジェイソン・ヒルシュホーン、クリス・メレダンドリ、タル・シャチャー、ジャック・デイビス、ジュリー・ヤング、ゲイディー・エプスタイン、ジェイコブ・ナボク、クリス・カタルディ、ジェイソン・チー、ソフィア・フェング、アンナ・スイート、イムラン・サーワー、ジョナサン・グリック、ピーター・ロハス、ピーター・カフカ、マシュー・ヘニック、シャロン・タル・イグアド、クニ・タカハシ、トニー・ドリスコール、マーク・ノースワーシー、アマンダ・ムーン、トーマス・ルビアン、ダニエル・ガーストル、ピラー・クイーン、シャーロット・パーマン、ポール・レーリグ、グレゴリー・マクドナルドの各位である。

参考文献

はじめに

1. Casey Newton, "Mark in the Metaverse: Facebook's CEO on Why the Social Network Is Becoming 'a Metaverse Company,' " *The Verge*, July 22, 2021, accessed January 4, 2022, https://www.theverge.com/.

2. Dean Takahashi, "Nvidia CEO Jensen Huang Weighs in on the Metaverse, Blockchain, and Chip Shortage," *Venture Beat*, June 12, 2021, accessed January 4, 2022, https://venturebeat.com/.

3. Data pulled from Bloomberg database on January 2, 2022 (excludes a dozen references to companies that included "Metaverse" only in their names).

4. Zheping Huang, "Tencent Doubles Social Aid to $15 Billion as Scrutiny Grows," *Bloomberg*, August 18, 2021, accessed January 4, 2022, https://www.bloomberg.com/.

5. Chang Che, "Chinese Investors Pile into 'Metaverse,' Despite Official Warnings," *SupChina*, September 24, 2021, accessed January 4, 2021, https://supchina.com/2021/09/24/chinese-investors-pile-into-metaverse-despite-official-warnings/.

6. Jens Bostrup, "EU's Danske Chefforhandler: Facebooks store nye projekt 'Metaverse' er dybt bekymrende," *Politiken*, October 18, 2021, accessed January 4, 2022, https://politiken.dk/.

Chapter01　未来を概観する

1. Neal Stephenson, *Snow Crash* (New York: Random House, 1992), 7.（ニール・スティーブンスン『スノウ・クラッシュ』日暮雅通訳、アスキー、1998年）

2. John Schwartz, "Out of a Writer's Imagination Came an Interactive World," *New York Times*, December 5, 2011, accessed January 4, 2022, https://www.nytimes.com/.

3. Joanna Robinson, "The Sci-Fi Guru Who Predicted Google Earth Explains Silicon Valley's Latest Obsession," *Vanity Fair*, June 23, 2017, accessed January 4, 2022, https://www.vanityfair.com/.

4. Stanley Grauman Weinbaum, *Pygmalion's Spectacles* (1935), Kindle edition, p. 2.

5. Ryan Zickgraf, "Mark Zuckerberg's 'Metaverse' Is a Dystopian Nightmare," *Jacobin*, September 25, 2021, accessed January 4, 2022, https://www.jacobinmag.com/.

6. J. D. N. Dionisio, W. G. Burns III, and R. Gilbert, "3D Virtual Worlds and the Metaverse: Current Status and Future Possibilities," *ACM Computing Surveys* 45, issue 3 (June 2013), http://dx.doi.org/10.1145/2480741.2480751.

7. Josh Ye, "One Gamer Spent a Year Building This Cyberpunk City in Minecraft," *South China Morning Post*, January 15, 2019, accessed January 4, 2022, https://www.scmp.com/.

8. Josh Ye, "Minecraft Players Are Recreating China's Rapidly Built Wuhan Hospitals," *South China Morning Post*, February 20, 2020, accessed January 4, 2022, https://www.scmp.com/.

9. Tim Sweeney (@TimSweeneyEpic), Twitter, June 13, 2021, accessed January 4, 2022, https://twitter.com/timsweeneyepic/status/1404241848147775488.

10. Tim Sweeney (@TimSweeneyEpic), Twitter, June 13, 2021, accessed January 4, 2022, https://twitter.com/TimSweeneyEpic/status/1404242449053241345?s=20.

11. Dean Takahashi, "The DeanBeat: Epic Graphics Guru Tim Sweeney Foretells How We Can Create the Open Metaverse," *Venture Beat*, December 9, 2016, accessed January 4, 2022, https://venturebeat.com/.

Chapter 02　混乱、不透明

1. Satya Nadella, "Building the Platform for Platform Creators," LinkedIn, May 25, 2021, accessed January 4, 2022 https://www.linkedin.com/pulse/building-platform-creators-satya-nadella.

2. Sam George, "Converging the Physical and Digital with Digital Twins, Mixed Reality, and Metaverse Apps," Microsoft Azure, May 26, 2021, accessed January 4, 2022, https://azure.microsoft.com/en-ca/blog/converging-the-physical-and-digital-with-digital-twins-mixed-reality-and-metaverse-apps/.

3. Andy Chalk, "Microsoft Says It Has Metaverse Plans for Halo, Minecraft, and Other Games," *PC Gamer*, November 2, 2021, accessed January 4, 2022, https://www.pcgamer.

com / microsoft-says-it-has-metaverse-plans-for-halo-minecraft-and-other-games / .

4. Gene Park, "Epic Games Believes the Internet Is Broken. This Is Their Blueprint to Fix It," *Washington Post*, September 28, 2021, accessed January 4, 2022, https: / / www. washingtonpost.com / video-games / 2021 / 09 / 28 / epic-fortnite-metaverse-facebook / .

5. Alex Sherman, "Execs Seemed Confused About the Metaverse on Q3 Earnings Calls," CNBC, November 20, 2021, accessed January 5, 2021, https: / / www.cnbc.com / 2021 / 11 / 20 / executives-wax-poetic-on-the-metaverse-during-q3-earnings-calls.html.

6. CNBC, "Jim Cramer Explains the 'Metaverse' and What It Means for Facebook," July 29, 2021, accessed January 5, 2022, https: / / www.cnbc.com / video / 2021 / 07 / 29 / jim-cramer-explains-the-metaverse-and-what-it-means-for-facebook.html.

7. Elizabeth Dwoskin, Cat Zakrzewski, and Nick Miroff, "How Facebook's 'Metaverse' Became a Political Strategy in Washington," *Washington Post*, September 24, 2021, accessed January 3, 2022, https: / / www.washingtonpost.com / technology / 2021 / 09 / 24 / facebook-washington-strategy-metaverse / .

8. Tim Sweeney (@TimSweeneyEpic), Twitter, August 6, 2020, accessed January 4, 2022, https: / / twitter.com / timsweeneyepic / status / 1291509151567425536.

9. Alaina Lancaster, "Judge Gonzalez Rogers Is Concerned That Epic Is Asking to Pay Apple Nothing," *The Law*, May 24, 2021, accessed June 2, 2021, https: / / www.law.com / therecorder / 2021 / 05 / 24 / judge-gonzalez-rogers-is-concerned-that-epic-is-asking-to-pay-apple-nothing / ?slreturn=20220006091008.

10. John Koetsier, "The 36 Most Interesting Findings in the Groundbreaking Epic Vs Apple Ruling That Will Free The App Store," *Forbes*, September 10, 2021, accessed January 3, 2022, https: / / www.forbes.com / sites / johnkoetsier / 2021 / 09 / 10 / the-36-most-interesting-findings-in-the-groundbreaking-epic-vs-apple-ruling-that-will-free-the-app-store / ?sh=56db5566fb3f.

11. Wikipedia, s.v. "Internet," last edited October 13, 2021, https: / / en.wikipedia.org / wiki / Internet.

12. Paul Krugman, "Why Most Economists' Predictions Are Wrong," *Red Herring Online*, June 10, 1998, Internet Archive, https: / / web.archive.org / web / 19980610100009 / http: / / www.redherring.com / mag / issue55 / economics.html.

13. Wired Staff, "May 26, 1995: Gates, Microsoft Jump on 'Internet Tidal Wave,' " *Wired*, May 26, 2021, accessed January 5, 2022, https://www.wired.com/2010/05/0526bill-gates-internet-memo/.

14. CNBC, "Microsoft's Ballmer Not Impressed with Apple iPhone," January 17, 2007, accessed January 4, 2022, https://www.cnbc.com/id/16671712.

15. Drew Olanoff, "Mark Zuckerberg: Our Biggest Mistake Was Betting Too Much On HTML5," *TechCrunch*, September 11, 2022, accessed January 5, 2022, https://techcrunch.com/2012/09/11/mark-zuckerberg-our-biggest-mistake-with-mobile-was-betting-too-much-on-html5/.

16. M. Mitchell Waldrop, *Complexity: The Emerging Science at the Edge of Order and Chaos* (New York: Simon & Schuster, 1992), 155.

Chapter03　ひとつの定義（やっとかい）

1. Dean Takahashi, "How Pixar Made Monsters University, Its Latest Technological Marvel," *Venture Beat*, April 24, 2013, accessed January 5, 2022, https://venturebeat.com/2013/04/24/the -making-of-pixars-latest-technological-marvel-monsters-university/.

2. Stephenson, *Snow Crash*, 27.（ニール・スティーブンスン『スノウ・クラッシュ』）

3. CCP Team, "Infinite Space: An Argument for Single-Sharded Architecture in MMOs," *Game Developer*, August 9, 2010, accessed January 5, 2022, https://www.gamedeveloper.com/design/infinite-space-an-argument-for-single-sharded-architecture-in-mmos.

4. "John Carmack Facebook Connect 2021 Keynote," posted by Upload VR, October 28, 2021, accessed January 5, 2022, https://www.youtube.com/watch?v=BnSUk0je6oo.

Chapter04　次なるインターネット

1. Josh Stark and Evan Van Ness, "The Year in Ethereum 2021," *Mirror*, January 17, 2022, accessed February 2, 2022, https://stark.mirror.xyz/q3OnsK7mvfGtTQ72nfoxLyEV5lfYOq

UfJIoKBx7BG1I.

2. BBC, "Military Fears over PlayStation2," April 17, 2000, accessed January 4, 2022, http://news.bbc.co.uk/2/hi/asia-pacific/716237.stm.

3. "Secretary of Commerce Don Evans Applauds Senate Passage of Export Administration Act as Modern-day Legislation for Modern-day Technology," Bureau of Industry and Security, US Department of Commerce, 6 September 2001, www.bis.doc.gov.

4. Chas Littell, "AFRL to Hold Ribbon Cutting for Condor Supercomputer," Wright-Patterson Air Force Base, press release, November 17, 2010, accessed January 5, 2022, https://www.wpafb.af.mil/News/Article-Display/Article/399987/afrl-to-hold-ribbon-cutting-for-condor-supercomputer/.

5. Lisa Zyga, "US Air Force Connects 1,760 PlayStation 3's to Build Supercomputer," Phys.org, December 2, 2010, accessed January 5, 2022, https://phys.org/news/2010-12-air-playstation-3s-supercomputer.html.

6. Even Shapiro, "The Metaverse Is Coming. Nvidia CEO Jensen Huang on the Fusion of Virtual and Physical Worlds," *Time*, April 18, 2021, accessed January 2, 2022, https://time.com/5955412/artificial-intelligence-nvidia-jensen-huang/.

7. David M. Ewalt, "Neal Stephenson Talks About Video Games, the Metaverse, and His New Book, REAMDE," *Forbes*, September 19, 2011.

8. Daniel Ek, "Daniel Ek—Enabling Creators Everywhere," *Colossus*, September 14, 2021, accessed January 5, 2022, https://www.joincolossus.com/episodes/14058936/ek-enabling-creators-everywhere?tab=transcript.

9. David M. Ewalt, "Neal Stephenson Talks About Video Games, the Metaverse, and His New Book, REAMDE," *Forbes*, September 19, 2011.

Chapter05 ネットワーク

1. Farhad Manjoo, "I Tried Microsoft's Flight Simulator. The Earth Never Seemed So Real," *New York Times*, August 19, 2022, accessed January 4, 2022, https://www.nytimes.com/2020/08/19/opinion/microsoft-flight-simulator.html.

2. Seth Schiesel, "Why Microsoft's New Flight Simulator Should Make Google and

Amazon Nervous," *Protocol*, August 16, 2020, accessed January 5, 2022, https://www.protocol.com/microsoft-flight-simulator-2020.

3. Eryk Banatt, Stefan Uddenberg, and Brian Scholl, "Input Latency Detection in Expert-Level Gamers," Yale University, April 21, 2017, accessed January 4, 2022, https://cogsci.yale.edu/sites/default/files/files/Thesis2017Banatt.pdf.

4. Rob Pegoraro, "Elon Musk: 'I Hope I'm Not Dead by the Time People Go to Mars,' " *Fast Company*, March 10, 2020, accessed January 3, 2022, https://www.fastcompany.com/90475309/elon-musk-i-hope-im-not-dead-by-the-time-people-go-to-mars.

Chapter06　コンピューティング

1. Foundry Trends, "One Billion Assets: How Pixar's Lightspeed Team Tackled Coco's Complexity," October 25, 2018, accessed January 5, 2022, https://www.foundry.com/insights/film-tv/pixar-tackled-coco-complexity.

2. Dean Takahashi, "Nvidia CEO Jensen Huang Weighs in on the Metaverse, Blockchain, and Chip Shortage," *Venture Beat*, June 12, 2021, accessed February 1, 2022, https://venturebeat.com/2021/06/12/nvidia-ceo-jensen-huang-weighs-in-on-the-metaverse-blockchain-chip-shortage-arm-deal-and-competition/.

3. Raja Koduri, "Powering the Metaverse," Intel, December 14, 2021, accessed January 4, 2022, https://www.intel.com/content/www/us/en/newsroom/opinion/powering-metaverse.html.

4. Tim Sweeney (@TimSweeneyEpic), Twitter, January 7, 2020, accessed January 4, 2022, https://twitter.com/timsweeneyepic/status/1214643203871248385.

5. Peter Rubin, "It's a Short Hop from Fortnite to a New AI Best Friend," *Wired*, March 21, 2019, accessed February 1, 2021, https://www.wired.com/story/epic-games-qa/.

Chapter07　仮想世界のエンジン

1. " 'The Future—It's Bigger and Weirder than You Think—' by Owen Mahoney, NEXON CEO," posted by NEXON, December 20, 2019, accessed January 5, 2022, https://www.

youtube.com/watch?v=VqiwZN1CShI.

2. Roblox, "A Year on Roblox: 2021 in Data," January 26, 2022, accessed February 3, 2022, https://blog.roblox.com/2022/01/year-roblox-2021-data/.

Chapter08 相互運用性

1. Josh Ye (@TheRealJoshYe), Twitter, May 3, 2021, accessed February 1, 2022, https://mobile.twitter.com/therealjoshye/status/1389217569228296201.

2. Tom Phillips, "So, Will Sony Actually Allow PS4 and Xbox One Owners to Play Together?," *Eurogamer*, March 17, 2016, accessed January 5, 2022, https://www.eurogamer.net/articles/2016-03-17-sonys-shuhei-yoshida-on-playstation-4-and-xbox-one-cross-network-play.

3. Jay Peters, "Fortnite's Cash Cow Is PlayStation, Not iOS, Court Documents Reveal," *The Verge*, April 28, 2021, accessed February 1, 2022, https://www.theverge.com/2021/4/28/22407939/fortnite-biggest-platform-revenue-playstation-not-ios-iphone.

4. Aaron Rakers, Joe Quatrochi, Jake Wilhelm, and Michael Tsevtanov, "NVDA:Omniverse Enterprise—Appreciating NVIDIA's Platform Strategy to Capitalize ($10B+) on the 'Metaverse,'" *Wells Fargo*, November 3, 2021.

5. Chris Michaud, "English the Preferred Language for World Business: Poll," Reuters, May 12, 2016, https://www.reuters.com/article/us-language/english-the-preferred-language-for-world-business-poll-idUSBRE84F0OK20120516.

6. Epic Games, "Tonic Games Group, Makers of 'Fall Guys', Joins Epic Games," March 2, 2021, accessed February 2, 2022, https://www.epicgames.com/site/en-US/news/tonic-games-group-makers-of-fall-guys-joins-epic-games.

Chapter09 ハードウェア

1. Mark Zuckerberg, Facebook, April 29, 2021, accessed January 5, 2022, https://www.facebook.com/zuck/posts/the-hardest-technology-challenge-of-our-time-may-be-fitting-a-supercomputer-into/10112933648910701/.

2. Tech@Facebook, "Imagining a New Interface: Hands-Free Communication without Saying a Word," March 30, 2020, accessed January 4, 2022, https://tech.fb.com/imagining-a-new-interface-hands-free-communication-without-saying-a-word/.

3. Tech@Facebook, "BCI Milestone: New Research from UCSF with Support from Facebook Shows the Potential of Brain-Computer Interfaces for Restoring Speech Communication," July 14, 2021, accessed January 4, 2022, https://tech.fb.com/bci-milestone-new-research-from-ucsf-with-support-from-facebook-shows-the-potential-of-brain-computer-interfaces-for-restoring-speech-communication/.

4. Antonio Regalado, "Facebook Is Ditching Plans to Make an Interface that Reads the Brain," *MIT Technology Review*, July 14, 2021, accessed January 4, 2022, https://www.technologyreview.com/2021/07/14/1028447/facebook-brain-reading-interface-stops-funding/.

5. Andrew Nartker, "How We're Testing Project Starline at Google," Google Blog, November 30, 2021, accessed February 2, 2022, https://blog.google/technology/research/how-were-testing-project-starline-google/.

6. Will Marshall, "Indexing the Earth," *Colossus*, November 15, 2021, accessed January 5, 2022, https://www.joincolossus.com/episodes/14029498/marshall-indexing-the-earth?tab=blocks.

7. Nick Wingfield, "Unity CEO Predicts AR-VR Headsets Will Be as Common as Game Consoles by 2030," *The Information*, June 21, 2021.

Chapter10　ペイメントレール

1. NACHA, "ACH Network Volume Rises 11.2% in First Quarter as Two Records Are Set," press release, April 15, 2021, accessed January 26, 2022, https://www.prnewswire.com/news-releases/ach-network-volume-rises-11-2-in-first-quarter-as-two-records-are-set-301269456.html.

2. Takashi Mochizuki and Vlad Savov, "Epic's Battle with Apple and Google Actually Dates Back to Pac-Man," *Bloomberg*, August 19, 2020, accessed January 4, 2021, https://www.bloomberg.com/.

3. Tim Sweeney (@TimSweeneyEpic), Twitter, January 11, 2020, accessed January 4, 2022, https://twitter.com/TimSweeneyEpic/status/1216089159946948620.

4. Epic Games, "Epic Games Store Weekly Free Games in 2020!," January 14, 2022, accessed February 14, 2022, https://www.epicgames.com/store/en-US/news/epic-games-store-weekly-free-games-in-2020.

5. Epic Games, "Epic Games Store 2020 Year in Review," January 28, 2021, accessed February 14, 2022, https://www.epicgames.com/store/en-US/news/epic-games-store-2020-year-in-review.

6. Epic Games, "Epic Games Store 2021 Year in Review," January 27, 2022, accessed February 14, 2022, https://www.epicgames.com/store/en-US/news/epic-games-store-2021-year-in-review.

7. Tyler Wilde, "Epic Will Lose Over $300M on Epic Games Store Exclusives, Is Fine With That," *PC Gamer*, April 10, 2021, accessed February 14, 2022, https://www.pcgamer.com/epic-games-store-exclusives-apple-lawsuit/.

8. Adi Robertson, "Tim Cook Faces Harsh Questions about the App Store from Judge in Fortnite Trial," *The Verge*, May 21, 2021, accessed January 5, 2022, https://www.theverge.com/2021/5/21/22448023/epic-apple-fortnite-antitrust-lawsuit-judge-tim-cook-app-store-questions.

9. Nick Wingfield, "IPhone Software Sales Take Off: Apple's Jobs," *Wall Street Journal*, August 11, 2008.

10. John Gruber, "Google Announces Chrome for iPhone and iPad, Available Today," *Daring Fireball*, June 28, 2021, accessed January 4, 2022, https://daringfireball.net/linked/2012/06/28/chrome-ios.

11. Kate Rooney, "Apple: Don't Use Your iPhone to Mine Cryptocurrencies," CNBC, June 11, 2018, accessed January 4, 2021, https://www.cnbc.com/2018/06/11/dont-even-think-about-trying-to-bitcoin-with-your-iphone.html.

12. Tim Sweeney (@TimSweeneyEpic), Twitter, February 4, 2022, accessed February 5, 2022, https://twitter.com/TimSweeneyEpic/status/1489690359194173450.

13. Marco Arment (@MarcoArment), Twitter, February 4, 2022, accessed February 5, 2022, https://twitter.com/marcoarment/status/1489599440667168768.

14. Manoj Balasubramanian, "App Tracking Transparency Opt-In Rate—Monthly Updates," *Flurry*, December 15, 2021, accessed February 5, 2022, https://www.flurry.com/blog/att-opt-in-rate-monthly-updates/.

Chapter11 ブロックチェーン

1. Telegraph Reporters, "What Is Ethereum and How Does It Differ from Bitcoin?," *The Telegraph*, August 17, 2018.

2. Ben Gilbert, "Almost No One Knows about the Best Android Phones on the Planet," *Insider*, October 25, 2015, accessed January 4, 2022, https://www.businessinsider.com/why-google-makes-nexus-phones-2015-10.

3. Wikipedia, s.v. "Possession is Nine-Tenths of the Law," last edited December 6, 2021, https://en.wikipedia.org/wiki/Possession_is_nine-tenths_of_the_law.

4. Hannah Murphy and Joshua Oliver, "How NFTs Became a $40bn Market in 2021," *Financial Times*, December 31, 2021, accessed January 4, 2022. Note, this sum, $40.9 billion, is limited to the Ethereum blockchain, which is estimated to have 90% share of NFT transactions.

5. Kevin Roose, "Maybe There's a Use for Crypto After All," *New York Times*, February 6, 2022, accessed February 7, 2022, https://www.nytimes.com/2022/02/06/technology/helium-cryptocurrency-uses.html.

6. Kevin Roose, "Maybe There's a Use for Crypto After All," *New York Times*, February 6, 2022, accessed February 7, 2022, https://www.nytimes.com/2022/02/06/technology/helium-cryptocurrency-uses.html.

7. Helium, accessed March 5, 2022, https://explorer.helium.com/hotspots.

8. CoinMarketCap, "Helium," accessed February 7, 2022, https://coinmarketcap.com/currencies/helium/.

9. Dean Takahashi, "The DeanBeat: Predictions for gaming in 2022," *Venture Beat*, December 31, 2021, accessed January 3, 2022, https://venturebeat.com/2021/12/31/the-deanbeat-predictions-for-gaming-2022/.

10. Ephrat Livni, "Venture Capital Funding for Crypto Companies Is Surging,"

New York Times, December 1, 2021, accessed January 5, 2022, https://www.nytimes.com/2021/12/01/business/dealbook/crypto-venture-capital.html.

11. Olga Kharif, "Crypto Crowdfunding Goes Mainstream with ConstitutionDAO Bid," *Bloomberg*, November 20, 2021, accessed January 2, 2022, https://www.bloomberg.com/news/articles/2021-11-20/crypto-crowdfunding-goes-mainstream-with-constitutiondao-bid?sref=sWz3GEG0.

12. Miles Kruppa, "Crypto Assets Inspire New Brand of Collectivism Beyond Finance," *Financial Times*, December 27, 2021, accessed January 4, 2022, https://www.ft.com/content/c4b6d38d-e6c8-491f-b70c-7b5cf8f0cea6.

13. Lizzy Gurdus, "Nvidia CEO Jensen Huang: Cryptocurrency Is Here to Stay, Will Be an 'Important Driver' For Our Business," CNBC, March 29, 2018, accessed February 2, 2022, https://www.cnbc.com/2018/03/29/nvidia-ceo-jensen-huang-cryptocurrency-blockchain-are-here-to-stay.html.

14. Visa, "Crypto: Money Is Evolving," accessed February 2, 2022, https://usa.visa.com/solutions/crypto.html.

15. Dean Takahashi, "Game Boss Interview: Epic's Tim Sweeney on Blockchain, Digital Humans, and Fortnite," *Venture Beat*, August 30, 2017, accessed February 2, 2022, https://venturebeat.com/2017/08/30/game-boss-interview-epics-tim-sweeney-on-blockchain-digital-humans-and-fortnite/.

16. Tim Sweeney (@TimSweeneyEpic), Twitter, January 30, 2021, accessed January 4, 2022, https://twitter.com/TimSweeneyEpic/status/1355573241964802050.

17. Tim Sweeney (@TimSweeneyEpic), Twitter, September 27, 2021, accessed January 4, 2022, https://twitter.com/TimSweeneyEpic/status/1442519522875949061.

18. Tim Sweeney (@TimSweeneyEpic), Twitter, October 15, 2021, accessed January 4, 2022, https://twitter.com/TimSweeneyEpic/status/1449146317129895938.

Chapter12　メタバース時代はいつ来るのか

1. Tom Huddleston Jr., "Bill Gates Says the Metaverse Will Host Most of Your Office Meetings Within 'Two or Three Years'—Here's What It Will Look Like," CNBC, December 9,

2021, accessed February 2, 2022, https://www.cnbc.com/2021/12/09/bill-gates-metaverse-will-host-most-virtual-meetings-in-a-few-years.html.

2. "The Metaverse and How We'll Build It Together—Connect 2021," posted by Meta, October 28, 2021, accessed February 2, 2022, https://www.youtube.com/watch?v=Uvufun6xer8.

3. Steven Ma, "Video Games' Future Is More Than the Metaverse: Let's Talk 'Hyper Digital Reality'," *GamesIndustry*, February 8, 2022, accessed February 11, 2022, https://www.gamesindustry.biz/articles/2022-02-07-the-future-of-games-is-far-more-than-the-metaverse-lets-talk-hyper-digital-reality.

4. George Smiley, "The U.S. Economy in the 1920s," Economic History Association, accessed January 5, 2022, https://eh.net/encyclopedia/the-u-s-economy-in-the-1920s/.

5. Tim Hartford, "Why Didn't Electricity Immediately Change Manufacturing?," August 21, 2017, accessed January 5, 2022, https://www.bbc.com/news/business-40673694.

6. David E. Nye, *America's Assembly Line* (Cambridge, MA: MIT Press, 2015), 19.

Chapter13 メタビジネス

1. Wikipedia, s.v. "Baumol's cost disease," last edited October 2, 2022, https://en.wikipedia.org/wiki/Baumol%27s_cost_disease.

2. US Bureau of Labor Statistics, accessed December 2021.

3. Melissa Pankida, "The Psychology Behind Why We Speed Swipe on Dating Apps," *Mic*, September 27, 2019, accessed January 2, 2022, https://www.mic.com/life/we-speed-swipe-on-tinder-for-different-reasons-depending-on-our-gender-18808262.

4. Benedict Evans, "Cars, Newspapers and Permissionless Innovation," September 6, 2015, accessed January 2, 2022, https://www.ben-evans.com/benedictevans/2015/9/1/permissionless-innovation.

5. Gene Park, "Epic Games Believes the Internet Is Broken. This Is Their Blueprint to Fix It," *Washington Post*, September 28, 2021, accessed January 4, 2022, https://www.washingtonpost.com/video-games/2021/09/28/epic-fortnite-metaverse-facebook/.

6. Bob Woods, "The First Metaverse Experiments? Look to What's Already Happening

in Medicine," CNBC, December 4, 2021, accessed January 4, 2022, https://www.cnbc.com/2021/12/04/the-first-metaverse-experiments-look-to-whats-happening-in-medicine.html.

Chapter14　メタバースの勝ち組と負け組

1. Microsoft, "Microsoft to Acquire Activision Blizzard to Bring the Joy and Community of Gaming to Everyone, Across Every Device," January 18, 2022, accessed February 2, 2022, https://news.microsoft.com/2022/01/18/microsoft-to-acquire-activision-blizzard-to-bring-the-joy-and-community-of-gaming-to-everyone-across-every-device/.

2. Adi Robertson, "Tim Cook Faces Harsh Questions about the App Store from Judge in Fortnite Trial," *The Verge*, May 21, 2021, accessed January 4, 2022, https://www.theverge.com/2021/5/21/22448023/epic-apple-fortnite-antitrust-lawsuit-judge-tim-cook-app-store-questions.

3. Brad Smith, "Adapting Ahead of Regulation: A Principled Approach to App Stores," Microsoft, February 9, 2022, accessed February 11, 2022, https://blogs.microsoft.com/on-the-issues/2022/02/09/open-app-store-principles-activision-blizzard/

4. Brad Smith (@BradSmi), Twitter, February 3, 2022, accessed February 4, 2022, https://twitter.com/BradSmi/status/1489395484808466438.

Chapter15　メタバースにおける存在の問題

1. Sean Hollister, "Here's What Apple's New Rules about Cloud Gaming Actually Mean," *The Verge*, September 18, 2020, accessed January 4, 2022, https://www.theverge.com/2020/9/18/20912689/apple -cloud-gaming-streaming-xcloud-stadia-app-store-guidelines-rules.

結論　だれもが傍観者

1. Clifford Stoll, "Why the Web Won't Be Nirvana," *Newsweek*, February 26, 1995,

accessed January 6, 2022, https://www.newsweek.com/clifford-stoll-why-web-wont-be-nirvana-185306.

2. James Chapman, "Internet 'May Just Be a Passing Fad as Millions Give Up on It,' " *Daily Mail*, December 5, 2000.

3. 9to5 Staff, "Jobs' Original Vision for the iPhone: No Third-Party Native Apps," *9to5Mac*, October 21, 2011, accessed January 5, 2022, https://9to5mac.com/2011/10/21/jobs-original-vision-for-the-iphone-no-third-party-native-apps/.

4. Nick Wingfield, " 'The Mobile Industry's Never Seen Anything Like This': An Interview with Steve Jobs at the App Store's Launch," *Wall Street Journal*, originally recorded August 7, 2008, published in full on July 25, 2018, accessed January 5, 2022, https://www.wsj.com/articles/the-mobile-industrys-never-seen-anything-like-this-an-interview-with-steve-jobs-at-the-app-stores-launch-1532527201.

ザ・メタバース　世界を創り変えしもの

2022年　11月13日　第1刷発行

著　者　　マシュー・ボール
訳　者　　井口耕二

発行者　　大山邦興
発行所　　株式会社 飛鳥新社
〒101-0003
東京都千代田区一ツ橋2-4-3　光文恒産ビル
電話（営業）03-3263-7770（編集）03-3263-7773
http://www.asukashinsha.co.jp

装　丁　　井上新八
校　正　　麦秋アートセンター、井口崇也
カバー写真　iStock
印刷・製本　中央精版印刷株式会社

ISBN 978-4-86410-928-4

編集担当　矢島和郎